Dan Chaon

Czekaj
na
odpowiedź

TYTUŁY ROKU 2010

ŚALAMANDRA

Dan Chaon
Czekaj na odpowiedź

Przełożyła Katarzyna Karłowska

DOM WYDAWNICZY REBIS

POZNAŃ 2010

Tytuł oryginału
Await Your Reply

Redaktor
Agnieszka Horzowska

Projekt i opracowanie graficzne okładki
Lucyna Talejko-Kwiatkowska

Fotografia na okładce
Joseph Reid / Millennium Images, UK

Wydanie I

ISBN 978-83-7510-491-2

Dom Wydawniczy REBIS Sp. z o.o.
ul. Żmigrodzka 41/49, 60-171 Poznań
tel. 61-867-47-08, 61-867-81-40; fax 61-867-37-74
e-mail: rebis@rebis.com.pl
www.rebis.com.pl

Skład ZAPIS
Gdańsk, tel. 58-347-64-44

Dla Sheili

Część pierwsza

Sobie się samej zaraz od początku
Czyimś wydałam snem czy przywidzeniem
Albo odbiciem obcym w cudzym lustrze.
Bez ciała, bez imienia, bez przyczyny.
Już wtedy znałam długą listę przestępstw,
Które powinnam popełnić w przyszłości*.

---

* Anna Achmatowa, *Północne elegie* w: *Akme znaczy szczyt*, przeł. Leopold Lewin, Czytelnik, Warszawa 1986.

1

Jedziemy już do szpitala, mówi Ryanowi jego ojciec.
Posłuchaj mnie, synu:
Nie wykrwawisz się, nie umrzesz.

Ryan jest wciąż na tyle przytomny, że słowa ojca przeciskają się do niego przez krawędzie, są jak blask słońca na krańcach rolety okiennej. Z całej siły zaciska powieki, jego ciałem wstrząsają drgawki, stara się podnosić lewą rękę, trzymać ją w górze. *Jedziemy już do szpitala*, mówi mu ojciec, tymczasem zęby Ryana poszczękują, Ryan zaciska je i rozluźnia, na powierzchni jego zaciśniętych powiek pląsają serie migotliwych, kolorowych światełek – zielonych, granatowych.

Obok, na siedzeniu, między nim a ojcem, w styropianowej turystycznej lodówce o pojemności ośmiu kwart na warstwie lodu spoczywa odcięta dłoń Ryana.

Waży niecały funt. Przycięte paznokcie, czubki palców naznaczone odciskami od gry na gitarze. Skóra zdążyła zsinieć.

Jest koło trzeciej nad ranem, czwartek, maj, wiejskie tereny stanu Michigan. Ryan nie ma pojęcia, jak daleko jeszcze do szpitala, ale powtarza za ojcem: *Jedziemy już do szpitala jedziemy już do szpitala* i z całej duszy pragnie wierzyć, że to prawda, że to nie jest jedna z tych rzeczy, które mówi się ludziom, żeby ich uspokoić. Ale nie jest pewien. Kiedy wygląda przez szybę samochodu, widzi tylko czarne drzewa pochylające się nad drogą, samochód goni kałużę własnych świateł i poza tym ciemność, żadnych małych miasteczek, żadnych domów w oddali, mrok, droga, księżyc.

2

Kilka dni po tym, jak Lucy skończyła liceum, oboje z George'em Orsonem wyjechali z miasta, w samym środku nocy. Nie byli uciekinierami – to znaczy nie w ścisłym sensie tego słowa – ale, tu fakt pierwszy: nikt nie wiedział o ich wyjeździe, i fakt drugi: nikt nie wiedział, dokąd pojechali. Uzgodnili, że w ich sytuacji konieczna będzie jakaś tam dyskrecja, jakaś tam tajność. Dopóki nie wymyślą, co i jak. George Orson był nie tylko jej chłopakiem, ale także jej byłym nauczycielem historii w liceum, a to komplikowało sprawy w Pompey, w stanie Ohio.

Właściwie to wcale nie było aż tak źle, jak mogło się wydawać. Lucy miała osiemnaście, właściwie to prawie dziewiętnaście lat – zgodnie z prawem była dorosła – jej rodzice nie żyli i nie przyjaźniła się z nikim na poważnie. Mieszkała w domu odziedziczonym po rodzicach razem ze starszą siostrą Patricią, ale nigdy nie żyły z sobą blisko. Miała też jakieś ciotki, wujków i kuzynów, ale z nimi to już prawie wcale nie rozmawiała. A co do George'a Orsona, to jego nie wiązało nic z nikim, o ile się orientowała.

Tak więc: dlaczego nie? Odetną się raz na zawsze. Zaczną nowe życie.

A jednak wolałaby raczej uciec z nim w jakieś inne miejsce.

Po kilku dniach jazdy dotarli do Nebraski; Lucy spała, więc nie zauważyła, że zboczyli z międzystanowej. Kiedy otworzyła oczy, jechali akurat po pustym odcinku drogi i dłoń George'a Orsona spoczywała zbożnie na jej udzie: taki jego uroczy nawyk, że lubił kłaść dłoń na jej nodze. Widziała swoje odbicie w bocznym lusterku, falujące włosy, okulary słoneczne, w których odbijały się nieruchome łany preriowych traw w odcieniu tej samej zieleni co nadrzewne porosty.

– Gdzie jesteśmy? – spytała i wtedy George Orson przeniósł na nią spojrzenie. Nieobecne, melancholijne. Pod wpływem tego spojrzenia poczuła się jak małe dziecko, dziecko wiezione tamtym starym, małomiasteczkowym autem rodzinnym, w którym kierownicę ściskały grube, pełne nagniotków dłonie jej ojca hydraulika, obok ojca siedziała jej matka z papierosem w ręku, mimo że przecież była pielęgniarką, dym wylatywał na zewnątrz przez szparę nad lekko opuszczoną szybą, jej siostra Patricia spała na tylnym siedzeniu, za ojcem, oddychając przez otwarte usta, a sama Lucy siedziała, też z tyłu, z lekko uchylonymi powiekami, po jej twarzy przemykały cienie drzew, myślała: Gdzie jesteśmy?

Usiadła prosto, odganiając od siebie to wspomnienie.

– Już prawie dojeżdżamy – mruknął George Orson takim tonem, jakby mu się przypomniało coś smutnego.

I kiedy znowu otworzyła oczy, zobaczyła motel. Zaparkowali od frontu: nad nimi wznosiła się sylweta jakiejś wieży.

Lucy dopiero po chwili się połapała, że ten budynek miał udawać latarnię morską. Czy raczej jego fasada, której nadano kształt latarni morskiej. Zbudowano ją w formie ogromnej tuby z cementowych bloczków: w sumie jakieś sześćdziesiąt stóp wysokości, szeroka u podstawy i zwężająca się w miarę wznoszenia ku górze, pomalowana w spiralne czerwone i białe paski.

„Pod latarnią morską" głosił wielki, niezapalony neon – złożony z wymyślnych liter w marynarskim kroju, jakby z lin powiązanych w supły – i Lucy siedziała tam teraz, w maserati George'a Orsona, gapiąc się na to wszystko.

Po prawej stronie latarni morskiej znajdował się dziedziniec w kształcie litery L, a przy nim tak na oko z piętnaście modułów motelowych; po jego lewej stronie, na samym szczycie wzgórza stał stary dom, w którym kiedyś mieszkali rodzice George'a Orsona. Nie była to może rezydencja, ale i tak robił wrażenie tu, na otwartej prerii: wielkie, stare domostwo w wiktoriańskim stylu, dwie kondygnacje i do tego wszelkie atrybuty właściwe dla nawiedzonego domu: wieżyczka i weranda biegnąca dookoła, mansardowe okienka i kominy z kroksztynami, dach ze szczytami i zaokrąglonymi gontami. Poza tym w zasięgu wzroku nie było innych budynków, praktycznie żadnych śladów cywilizacji, w zasadzie nic więcej oprócz uginającego się nad nimi bezkresnego nieba Nebraski.

Lucy przez moment miała wrażenie, że to jakiś żart, staromodna przydrożna atrakcja dla turystów, może park rozrywki. Zajechali tam, kiedy już zapadał letni zmierzch, i mieli przed sobą motel z opustoszałą latarnią morską, za którą z kolei stał stary dom, jedno i drugie budzące idiotyczny strach. Przyszło jej na myśl, że równie dobrze mogłaby teraz być pełnia, że na nagim drzewie mógłby pohukiwać puszczyk, i w tym momencie George Orson odetchnął głośno.

– No to jesteśmy – oznajmił. Pewnie wiedział, jak to wszystko dla niej wygląda.

– To jest to? – spytała Lucy, nie potrafiąc ukryć niedowierzania. – Chwila – powiedziała. – George? Tu właśnie będziemy mieszkać?

– Na razie – odparł George Orson. Zerknął na nią ze smutkiem, jakby trochę go rozczarowała. – Tylko przez jakiś czas, kochanie – dodał i wtedy zauważyła, że w martwym żywopłocie po jednej stronie dziedzińca motelu utknęło kilka nawianych przez wiatr kęp biegaczy stepowych. Tutaj? W życiu żadnego nie widziała, pomijając filmy o miastach widmach z Dzikiego Zachodu, dlatego mimo woli wpadła w lekką panikę.

– Od jak dawna ten motel jest nieczynny? – spytała. – Mam nadzieję, że tu nie ma tabunów myszy albo...

– Nie, nie – zapewnił ją George Orson. – Sprzątaczka przychodzi dość regularnie, więc na pewno nie jest tak źle. W każdym razie to miejsce nie jest opuszczone czy coś.

Czuła na sobie jego wzrok, kiedy wysiadła i obeszła samochód, kierując się w stronę pomalowanych na czerwono drzwi latarni morskiej. BIURO, głosiła tabliczka nad nimi. I był tam jeszcze niezapalony neon:

BRAK WOLNYCH MIEJSC.

Kiedyś był to stosunkowo popularny motel. Tak jej powiedział George Orson, kiedy przejeżdżali przez Indianę, Iowę czy inne stany. Niezupełnie kurort, ale w sumie dość eleganckie miejsce.

– Jeszcze w czasach, kiedy tam było jezioro – powiedział, ale nie bardzo zrozumiała, do czego on pije.

– Brzmi romantycznie – stwierdziła.

To było, jeszcze zanim zobaczyła to miejsce. W głowie stworzyła sobie obraz jednego z tych nadmorskich hoteli, o których czyta się w powieściach: że jeżdżą do nich nieśmiali Brytyjczycy, a potem się tam zakochują i doznają epifanii.

– Nie, nie – zaprzeczył George Orson. – Niezupełnie. – Starał się ją ostrzec. – Nie nazwałbym go romantycznym. Nie w tym momencie – dodał.

Wyjaśnił, że jezioro – czy raczej zalew – zaczęło wysychać z powodu suszy, z winy tych wszystkich chciwych farmerów, powiedział, bo podlewali swoje plantacje, tak czy owak dotowane przez rząd, i zanim się zorientowano, jezioro skurczyło się do jednej dziesiątej swej dawnej objętości.

– I potem oczywiście zaczęła się kurczyć cała tutejsza turystyka – ciągnął. – Nie da się łowić ryb, jeździć na nartach wodnych albo pływać po dnie wyschniętego jeziora.

Całkiem nieźle nakreślił obraz sprawy, ale zrozumiała to dopiero wtedy, kiedy spojrzała w dół ze szczytu wzgórza. Nie żartował. Nie było tam już żadnego jeziora. Nie było nic oprócz pustej doliny – krateru, który kiedyś zawierał wodę. Została za to ścieżka, którą schodziło się do „plaży", drewniany pomost wybiegający w sam środek piaszczystej połaci i wysoka, żółta preriowa trawa, jakieś krzaki, które z czasem, wyobrażała sobie, miały się oderwać od ziemi i stać biegaczami stepowymi. Wśród nawianych przez wiatr śmieci leżały szczątki starej boi. Ze swego miejsca widziała też drugą stronę jeziora, przeciwległy brzeg wznoszący się jakieś pięć mil dalej za pustą niecką.

Odwróciła się i przyglądała, jak George Orson otwiera bagażnik samochodu, a potem zabiera do wyjmowania największych walizek.

– Lucy? – rzucił, wyraźnie się starając, by jego głos brzmiał wesoło i pojednawczo. – Idziemy?

Patrzyła, jak przechodzi obok biura urządzonego w latarni morskiej, a potem wspina się po cementowych schodkach wiodących do starego domu.

3

Zanim pierwszy szturm bezmyślności zaczął tracić impet, Miles był już prawie pod północnym kołem podbiegunowym. Miał za sobą wiele, bardzo wiele dni jazdy przez Kanadę, kiedy to co jakiś czas odsypiał w samochodzie, a potem budził się i jechał dalej, na północ, po drogach, które udawało mu się znaleźć za pomocą kolekcji origami z map na siedzeniu pasażerskim. Nazwy miejsc, obok których przejeżdżał, stawały się coraz bardziej fantastyczne – Zatoka Destrukcji, Jezioro Wielkiego Niewolnika, Ddhaw Ghro, Góra Nagrobna – a kiedy wreszcie dotarł do Tsiigehtchic, to po prostu posiedział sobie w samochodzie na jałowym biegu, przed tablicą powitalną miasteczka, gapiąc się na tę jajecznicę z liter, jakby coś mu się stało ze wzrokiem, jakby go dopadła dysleksja spowodowana brakiem snu. Ale nie. Według jednego z atlasów „Tsiigehtchic" było słowem z języka Gwiczinów, które oznaczało „ujście rzeki żelaza". Zgodnie z tymże atlasem dojechał właśnie do zbiegu rzek Mackenzie i Arctic Red.

WITAJCIE W TSIIGEHTCHIC!

Miasto jest położone w miejscu, gdzie niegdyś znajdowało się tradycyjne obozowisko rybackie Gwiczinów. W 1868 roku ojcowie oblaci założyli w tym miejscu misję. Do roku 1902 mieściła się tu faktoria handlowa. 30 stycznia 1932 roku szalony traper Albert Johnson wywołał strzelaninę w okolicach Szczurzego Po-

toku i zabił konstabla Edgara „Spike'a" Millena z Kanadyjskiej
Królewskiej Policji Konnej, który odbywał służbę w Tsiigehtchic.
Gwiczinowie wciąż zachowują ścisłe więzi z tymi terenami.
Przez cały rok można oglądać, jak używają sieci do połowów
i jak stosują tradycyjne metody suszenia mięsa. Zimą traperzy
pracowicie przetrząsają lasy w poszukiwaniu cennych zwierząt
futerkowych.

ŻYCZYMY PRZYJEMNEGO POBYTU
W NASZEJ SPOŁECZNOŚCI!

Próbował wymówić te litery, ale jego spękane wargi wciąż się sklejały.

– T-s-i-i-g-e-h-t-c-h-i-c – powiedział bezgłośnie i w tym momencie w jakimś zakamarku jego mózgu zaczęła się rodzić zimna myśl.

Co ja wyprawiam? – pomyślał. Dlaczego to robię?

Ta wyprawa od jakiegoś czasu coraz bardziej przypominała halucynacje. Gdzieś po drodze słońce przestało wschodzić i zachodzić; tylko jakby przemieszczało się nieznacznie wte i wewte po niebie, ale nie miał co do tego pewności. Na tym odcinku Autostrady Dempstera bitą nawierzchnię pokrywał srebrzysto-biały proszek. Wapno? Proszek wydawał się jarzyć, ale w tym dziwacznym słońcu wszystko wydawało się jarzyć: trawa, niebo i nawet ziemia miały jakby właściwości fluorescencyjne, jakby płonęły od środka.

Siedział w samochodzie na poboczu, z otwartym atlasem ułożonym na kierownicy, stertą ubrań na tylnym siedzeniu, razem z pudłami pełnymi dokumentów, zeszytów, czasopism i listów, które zbierał przez lata. Na nosie miał okulary słoneczne, trząsł się lekko; jego niechlujny zarost nabrał odcienia brązowej żółci, jak plama po kawie. Odtwarzacz CD się popsuł, a z radia płynęła tylko ponura mieszanka trzasków i dalekich, zniekształconych głosów. Oczywiście w komórce nie było zasięgu. Odświeżacz powietrza w kształcie bożonarodzeniowej choinki, zawieszony na wstecznym lusterku, obracał się w podmuchach powietrza z systemu odmrażającego.

Gdzieś przed nim, ale już nie tak daleko, znajdowało się miasteczko Inuvik i rozległa delta wiodąca do Oceanu Arktycznego, a także – miał taką nadzieję – Hayden, jego brat bliźniak.

4

Nad nadgarstkiem? – spytał mężczyzna. – Czy pod nadgarstkiem?

Przemawiał sennym, niemalże wypranym z wszelkich emocji głosem, takim, jaki czasem słyszysz, jeśli zdarzy ci się zadzwonić na linię serwisu komputerowego. Patrzył pustym wzrokiem na ojca Ryana.

– Ryan, przemów swojemu ojcu do rozsądku, proszę – rzucił mężczyzna, ale Ryan w zasadzie nic nie powiedział, bo płakał w milczeniu. Obaj z ojcem byli przywiązani do krzeseł stojących przy kuchennym stole; ojciec cały dygotał, a jego długie, ciemne włosy opadały mu na twarz, tworząc coś w rodzaju namiotu. Ale kiedy podniósł głowę, w oczach miał niepokojący upór.

Mężczyzna westchnął. Starannie zawinął rękaw koszuli Ryana ponad łokieć i ułożył palec na małej, zaokrąglonej kostce wystającej z jego nadgarstka. Ryanowi się przypomniało, że ta kostka to inaczej wyrostek rylcowaty. Z jakichś lekcji biologii, na które kiedyś tam chodził. Nie miał pojęcia, dlaczego ten termin przyszedł mu do głowy z taką łatwością.

Nad nadgarstkiem... – powiedział mężczyzna do ojca Ryana – ...czy pod nadgarstkiem?

Ryan usiłował się wyłączyć – osiągnąć stan zen, wymyślił – ale prawda była taka, że im bardziej się starał oderwać umysł od ciała, tym bardziej zdawał sobie sprawę ze swojej cielesności. Czuł, że drży. Czuł słoną wodę ciurkającą z nosa i oczu, wysychającą na twarzy. Czuł taśmę, która więziła go na kuchennym krześle, jej paski na swoich obnażonych przedramionach, wokół klatki piersiowej, łydek i kostek.

Zamknął oczy i próbował wyobrazić sobie własnego ducha ulatującego do sufitu. Wyleci z kuchni, gdzie on i ojciec byli przywiązani do krzeseł, obok chaotycznej konstrukcji z brudnych naczyń spiętrzonych na blacie przy zlewie, obok tostera, z którego wciąż wyzierał bajgiel; pofrunie pod łukiem do salonu, do którego grupa odzianych w czarne T-shirty osiłków wnosiła części komputerowe zabrane z innych pokoi, wlokąc za sobą zmierzwione ogony sznurów i kabli. Jego duch będzie mknął ich śladem, przez frontowe drzwi, obok białej furgonetki, do której wrzucali te rzeczy, i dalej wzdłuż podjazdu, a potem uda się na wyprawę po wiejskiej szosie biegnącej przez tę część stanu Michigan, pod światłem księżyca prześwitującym między konarami drzew, nabierając prędkości, obok fosforyzujących znaków drogowych wyłaniających się z mroku, będzie sunął zamaszyście jak samolot, nad szachownicami ze świateł domów, dróg i strumieni, które zaczną się zmniejszać, przecinać ziemię, przeobrażać w plamki. *Wiuuuuuuuuuuuuu* – jak balon, z którego uchodzi powietrze, jak syrena, jak wycie wiatru. Jak czyjś przeraźliwy wrzask.

Zacisnął z całej siły powieki, zwarł szczęki, kiedy ktoś schwycił i przekrzywił mu dłoń. Próbował wymyślić coś innego, na czym mógłby się skupić.

Muzyka? Krajobraz o zachodzie słońca? Twarz pięknej dziewczyny?

– Tato? – usłyszał własny głos, któremu towarzyszyło szczękanie zębów. – Tato, proszę cię, bądź rozsądny, proszę, proszę, bądź...

Nie chciał myśleć o narzędziu do cięcia, które pokazał im ten człowiek. To był zwyczajny kawałek drutu, bardzo cienkiego drutu ostrego jak żyletka, z gumowymi uchwytami na obu końcach.

Nie chciał myśleć o tym, że ojciec nie patrzył mu w oczy.

Nie chciał myśleć o swojej dłoni, o pojedynczej pętli z drutu zaciśniętej wokół nadgarstka, o garotowaniu jego dłoni, o tym, że ten ostry drut będzie się zaciskał. Że przetnie gładko skórę i mięśnie. Że kiedy dotrze do kości, zahaczy się, zatnie, ale ją też w końcu przetnie.

5

Lucy się obudziła i to był tylko zły sen.

Śniło jej się, że wciąż tkwi uwięziona w swoim dawnym życiu, że znajduje się w jednej z klas w szkole i że nie może otworzyć oczu, choć wie, że w ławce za nią siedzi ten dupek, który wrzuca różne rzeczy w jej włosy – może smarki, może maleńkie skręcone kuleczki gumy do żucia – ale nie potrafiła się obudzić, mimo że ktoś pukał do drzwi, na progu stała sekretarka z karteczką, na której było napisane: *Lucy Lattimore ma się stawić w gabinecie dyrektora. Jej rodzice ulegli strasznemu wypadkowi...*

A jednak nie. Otworzyła oczy i był tylko wczesny, czerwcowy wieczór, na dworze jeszcze świeciło słońce – zasnęła przed telewizorem, w małym pokoiku w domu rodziców George'a Orsona, na ekranie leciał stary, czarno-biały film z kasety wideo, którą wyciągnęła ze stosu obok staroświeckiej konsoli telewizyjnej...

– A może tak zostaniesz tu jakiś czas, odpoczniesz, posłuchasz morza? – spytała elegancka kobieta z filmu.

Lucy słyszała, że George Orson sieka coś na desce w kuchni – to było to zawzięte stukanie, które wplotło się do jej snu.

– To takie kojące – powiedziała kobieta na filmie. – Posłuchaj! Posłuchaj morza...

Lucy dopiero po jakimś czasie zauważyła, że stukanie ustało, uniosła głowę i na progu stał George Orson w czerwonym fartuchu kucharza, trzymając luźno przy boku srebrny nóż do krojenia warzyw.

– Lucy? – powiedział.

Usiadła prosto, starając się raz jeszcze wszystko zlustrować, a George Orson przekrzywił głowę.

Był przystojny, jej zdaniem, w tym koszulowo-swetrowo- -intelektualnym typie, jakiego raczej się nie widywało w Pompey, w stanie Ohio, z krótko ściętymi ciemnymi włosami, schludnie przyciętą bródką i wyrazem twarzy, który potrafił być współczujący i zarazem namiętny. Do tego idealne zęby, zgrabna, a nawet nieprzesadnie wysportowana sylwetka, mimo że, jego własne słowa, „dopiero co stuknęła mu trzydziestka".

Oczy miał niesamowite – barwy morskiej zieleni; na początku pomyślała, że są sztuczne, że to jakieś wymyślne soczewki kontaktowe, bo naprawdę mało kto miał takie oczy.

Zamrugał, jakby wyczuł, że ona myśli o jego oczach.

– Lucy? Dobrze ci tam? – spytał.

Nie bardzo. Ale usiadła, wyprostowała się, uśmiechnęła.

– Wyglądasz, jakby ktoś cię zahipnotyzował – zauważył.

– Nic mi nie jest – odparła. Przyłożyła dłonie do głowy, wygładziła włosy.

I znieruchomiała. George Orson gapił się na nią tym swoim spojrzeniem kogoś, kto potrafi czytać w myślach.

– Nic mi nie jest – powtórzyła.

Mieli zamieszkać w starym domu za motelem, tylko na krótko, dopóki nie wymyślą co i jak. Dopóki „temperatura trochę nie opadnie", powiedział jej. Nie potrafiła stwierdzić, na ile jest to żart. Często wyrażał się ironicznie. Potrafił naśladować aktorów, udawać różne akcenty, cytować z filmów i książek.

Możemy udawać, że daliśmy nogę, powiedział kwaśnym tonem, kiedy razem siedzieli w salonie czy też bawialni, z wymyślnymi lampami, fotelami, z których musieli pozdejmować pokrowce, a później położył dłoń na jej udzie, gładził ją powolnymi, uspokajającymi ruchami. Odstawiła dietetyczną colę na stary stolik do kawy nakryty serwetą i po boku puszki spłynęła kropelka skondensowanej wilgoci.

Nie rozumiała, dlaczego nie mogli dać nogi do Monako, na Bahamy czy wręcz na meksykańską Riwierę Majów.

A tymczasem...

– Bądź cierpliwa – powiedział George Orson i obdarzył ją jednym ze swoich spojrzeń oscylujących między drwiną a czułością, pochylając głowę, by zajrzeć jej w oczy, kiedy się odwróciła. – Zaufaj mi – przekonywał tym swoim intymnym głosem.

No więc musiała przyznać, że mogło być gorzej. Mogła wciąż tkwić w Pompey, w Ohio.

Uwierzyła – wmówiono jej, więc uwierzyła – że będą bogaci, i oczywiście tak, to była jedna z tych rzeczy, których pragnęła.

– Mnóstwo pieniędzy – powiedział jej George Orson, zniżając głos, patrząc z ukosa w nieśmiały, konspiracyjny sposób. – Powiedzmy, że dokonałem kilku... inwestycji – dodał, jakby to słowo było jakimś kodem zrozumiałym dla nich obojga.

Do tej rozmowy doszło w dzień ich wyjazdu. Jechali Międzystanową 80 w stronę posiadłości, którą George Orson odziedziczył po matce.

– Nazywa się „latarnia morska" – wyjaśnił.

Motel „Pod latarnią morską".

Byli już w drodze mniej więcej od godziny i George'owi Orsonowi zachciało się żartować. Kiedyś umiał się przywitać w stu różnych językach, próbował teraz sprawdzić, czy jeszcze je wszystkie pamięta.

– *Zdrastwujtie* – powiedział. – *Ni hao*.

– *Bonjour* – dopowiedziała Lucy, która nienawidziła swoich dwóch lat obowiązkowego francuskiego, nie cierpiała subtelnie okrutnej Mme Fournier, która zmuszała ich do powtarzania w kółko tych niewymawialnych samogłosek.

– *Päivää* – powiedział George Orson. – *Konichiva. Kehro haal aahei.*

– *Hola* – powiedziała Lucy śmiertelnie poważnym tonem, który tak śmieszył George'a Orsona.

– Wiesz co, Lucy? – rzucił pogodnie George Orson. – Jeśli mamy podróżować po świecie, będziesz się musiała nauczyć języków. Nie możesz być typową amerykańską turystką, która zakłada, że wszyscy bez wyjątku mówią po angielsku.

– Nie?

– No chyba że chcesz, żeby wszyscy cię nienawidzili. – I tu uśmiechnął się smutnym, krzywym uśmiechem. Położył lekko dłoń na jej kolanie. – Będziesz obłędnie kosmopolityczna – dodał z czułością.

To była zawsze jedna z najważniejszych rzeczy, które w nim lubiła. Dysponował niesamowitym słownictwem i od samego początku traktował ją tak, jakby ona wiedziała, o czym on mówi. Jakby łączyła ich jakaś tajemnica, tylko ich dwoje.

– Jesteś niezwykłą osobą, Lucy. – To były jedne z pierwszych słów, które do niej powiedział.

Siedzieli w jego klasie po lekcjach, ona rzekomo przyszła pogadać o teście zapowiedzianym na następny tydzień, ale ten temat dość szybko wyparował.

– Powiem ci szczerze, że nie masz się czym przejmować – powiedział, a potem chwilę odczekał. Ten uśmiech, te zielone oczy. – Jesteś inna od tutejszych ludzi – dodał.

Co jej zdaniem było prawdą. Tylko skąd on to wiedział? Nikt inny z jej szkoły tak nie uważał. Mimo że poradziła sobie lepiej niż reszta na egzaminach końcowych, mimo że dostawała najwyższe oceny prawie ze wszystkich przedmiotów, nikt, ani wśród nauczycieli, ani wśród uczniów, nie uważał jej za kogoś „niezwykłego". Nauczyciele raczej jej nie lubili, bo naprawdę nie przepadali za ambitnymi uczniami, tak uważała, tymi, którzy chcieli się wydostać z Pompey, a z kolei uczniowie mieli ją za dziwadło, mówili, że jest szurnięta. Nie zdawała sobie sprawy ze swego zwyczaju mamrotania pod nosem sarkastycznych uwag, dopóki nie dokonała odkrycia, że mnóstwo ludzi z jej szkoły jest przekonanych, że ona cierpi na zespół Tourette'a. Nie miała pojęcia, skąd ta plotka, ale podejrzewała, że mogła ją rozsiewać nauczycielka angielskiego, pani Lovejoy, której interpretacje utworów literackich były tak nudne, że Lucy ledwie potrafiła ukryć – albo wręcz nie umiała ukryć – swojej pogardy.

Za to George Orson naprawdę chętnie słuchał tego, co miała do powiedzenia. Zachęcał ją do wygłaszania ironicznych poglądów na temat wielkich postaci z amerykańskiej historii, szczerze się śmiał, doceniając niektóre jej komentarze, podczas gdy inni uczniowie gapili się na nią z nieugiętym znudzeniem.

– To oczywiste, że jesteś bardzo inteligentna – napisał pod jednym z jej wypracowań, a potem, kiedy przyszła się z nim spotkać po lekcjach, żeby porozmawiać o najbliższym egzaminie, powiedział jej, że wie, jak to jest, kiedy jest się innym od reszty – kiedy cię nie rozumieją...

– Wiesz, o czym mówię, Lucy – powiedział. – Wiem, że to czujesz.

Może i nawet czuła. Siedziała tam i pozwalała, żeby wbijał w nią intensywne spojrzenie zielonych oczu, to intymne, dziwacznie ją sondujące spojrzenie, ironiczne i zarazem życzliwe, a potem zrobiła niewielki wdech. Doskonale wiedziała, że nikt nie uważa jej za piękność – w każdym razie nie w konwencjonalnym światku liceum w Pompey. Włosy miała gęste i kręcone, ale nie było jej stać na obcięcie ich w taki sposób, żeby lepiej się układały, do tego za małe usta, zbyt pociągła twarz. Ale być może w innym kontekście, wyobrażała sobie z nadzieją, w jakichś innych czasach, byłaby piękna. Jak dziewczyna z obrazu Modiglianiego.

A jednak nie przywykła do tego, że ktoś patrzy jej w oczy. Gładziła jedwabną apaszkę, którą znalazła w sklepie z używanymi rzeczami, bo liczyła, że może ma w sobie coś z Modiglianiego, a George Orson przyglądał jej się w zamyśleniu.

– Słyszałaś kiedykolwiek termin *sui generis*? – spytał.

Rozchyliła usta – jakby to był jakiś test, słowo ze słownika, dyktando. Na ścianie wisiały rozmaite inspirujące plansze wykorzystywane na lekcjach z wiedzy o społeczeństwie. ELEANOR ROOSEVELT, 1884–1962: „Nikt cię nie poniży, jeśli nie wyrazisz na to zgody". Lekko skrępowana pokręciła głową.

– Nie wiem – odparła. – Raczej nie.

– Moim zdaniem taka właśnie jesteś – powiedział George Orson. – *Sui generis*. Czyli „jedyna w swoim rodzaju". Ale nie na ten sztuczny sposób, żeby wydać się lepszą i żeby sobie pomóc, żadne tam: każdy jest inny i inne takie ple ple ple, którym mierfoty podbijają sobie bębenka... Nie, nie – ciągnął. – Mówię o tym, że człowiek tworzy samego siebie. I o tym, że ty się nie mieścisz w kategoriach, że wykraczasz poza wyniki standardowych testów, poza tę drobnomieszczańską socjologię, która szufladkuje twoje pochodzenie, zawód twojego ojca i twój wybór studiów. Ty jesteś poza tym wszystkim. Od razu to w tobie rozpoznałem. Tworzysz samą siebie – dodał. – Rozumiesz, o czym mówię?

Patrzyli na siebie przez długi czas. Eleanor Roosevelt machała do nich z góry, uśmiechając się, i Lucy poczuła, że w jej wnętrzu zaciska się nadzieja niczym miękka, ciepła pięść.

– Tak – odparła.

Tak. Podobał jej się ten pomysł: Tworzysz samą siebie.

Odcinali się na dobre. Nowe życie. Czy nie tego zawsze pragnęła? Może nawet mogliby zmienić nazwiska, powiedział George Orson.

– Trochę już mnie męczy bycie George'em Orsonem – wyznał jej tonem zachęcającym do dyskusji.

Jechali akurat przez sam środek Illinois jego maserati z otwieranym dachem, jej niesforne włosy powiewały za nią i miała na nosie okulary słoneczne. Przyglądała się sobie krytycznie w bocznym lusterku.

– Co ty na to? – spytał George Orson.

– Co ja na co? – odpowiedziała pytaniem Lucy. Podniosła głowę.

– Kim byś była, gdybyś nie była Lucy? – zapytał George Orson.

Dobre pytanie.

Nie odpowiedziała mu, choć odruchowo zaczęła to międlić w głowie, wyobrażając sobie – na przykład – że chętnie zostałaby dziewczyną, której imię pochodzi od jakiegoś znanego miasta. Vienna, pomyślała, tak byłoby ładnie. Albo London, to brzmiało złośliwie i trochę tajemniczo, wręcz łobuzersko. Alexandria: dumnie i władczo.

Bo „Lucy" to było imię dla myszowatej dziewczyny. Imię z komedii. Ludziom od razu przypominała się bohaterka sławnego telewizyjnego sitcomu, ze swoją slapstickową ofermowatością, albo ta dziewczyna, co się tak szarogęsiła w komiksie *Fistaszki*. Ludziom przypominała się też ohydna piosenka country, którą często śpiewał jej ojciec: „Dobry sobie wybrałaś czas, żeby mnie rzucić, Lucille".

Z chęcią pozbyłaby się swojego imienia, gdyby tylko wymyśliła coś niezłego w zastępstwie.

Anastasia? Eleanor?

Ale nic nie powiedziała, bo uznała, że te imiona mogłyby zabrzmieć jakby wulgarnie i niedojrzale. Elegancko tylko dla dziewczyny z nizin społecznych z Pompey.

W związku z George'em Orsonem przyjemne było między innymi to, że mało wiedział o jej przeszłości.

Nie rozmawiali na przykład o matce i ojcu Lucy, o wypadku

samochodowym, który zdarzył się tamtego lata poprzedzającego jej ostatni rok w liceum, kiedy to jakiś staruszek przejeżdżał na czerwonym, podczas gdy oni jechali do Home Depot, żeby kupić sadzonki pomidorów, które akurat były w sprzedaży. Oboje zginęli, to znaczy matka przeżyła jeden dzień dłużej w śpiączce.

W szkole wszyscy o tym wiedzieli i to zawsze sprawiało wrażenie jakiejś ingerencji w prywatność. Sekretarka złożyła Lucy kondolencje i Lucy skinęła głową, z wdziękiem, jak się jej wydawało, choć tak naprawdę uważała to za coś odstręczającego, że ta obca osoba wie o jej sprawach. Jak śmiesz, pomyślała później Lucy.

Za to George Orson nie wypowiedział ani jednego współczującego słowa, mimo że musiał wiedzieć, jak się domyślała. A w każdym razie znał podstawowe szczegóły.

Wiedział na przykład, że ona mieszka ze swoją siostrą Patricią, ale dla Lucy była to duża ulga, że nigdy nie widział jej siostry. Patricii, która miała dwadzieścia dwa lata i nie była zbyt bystra, Patricii, która pracowała prawie co wieczór w Circle K Convenient Mart i z którą od czasu pogrzebu rodziców Lucy miała coraz gorszy kontakt.

Patricia zaliczała się do tego typu dziewczyn, które prawie od urodzenia są przedmiotem drwin. Strasznie seplenila, zapluwając się przy tym, co się łatwo naśladowało w karykaturalny sposób, bo takie wady wymowy miały ciamajdy. Nie była specjalnie gruba, ale za to kluchowata w niewłaściwych miejscach i już w gimnazjum sprawiała wrażenie osoby w średnim wieku z tą okropną, kuropodobną sylwetką.

Któregoś dnia, jeszcze w podstawówce, szły razem do szkoły i jacyś chłopcy ścigali je, rzucając w nie kamykami.

Patricia, potwora,
Dupa jak stodoła!

Śpiewali.

I to był ostatni raz, kiedy Lucy szła razem z Patricią. Potem zaczęły chodzić własnymi drogami i Patricia nigdy nic nie powiedziała na ten temat; po prostu zaakceptowała fakt, że nawet własna siostra nie chce się z nią pokazywać.

Po śmierci rodziców Patricia została prawnym opiekunem Lucy – może nawet dalej nim była? Ale teraz Lucy miała prawie dziewiętnaście lat. Co zresztą było bez znaczenia, bo Patricia nie wiedziała, gdzie ona jest.

To akurat naprawdę ją gryzło.

Przed oczyma stawała jej wizja Patricii i jej ukochanych szczurów – klatki ustawione jedna na drugiej na poddaszu i siostra, która wraca z pracy w Circle K, klęka na podłodze w czerwono-niebieskiej kamizelce z naszywką z wyhaftowanym PATARCIA, rozmawia ze szczurami swoim gruchającym głosem; jeden szczur, pan Wąchacz, dorobił się na brzuchu ogromnego guza, który się rozlewał po całym ciele, i siostra zapłaciła weterynarzowi, żeby go usunął, ale potem to coś odrosło, ten sam guz, mimo to Patricia nie ustawała w staraniach. Zalewała zdychającego stwora swoją miłością, kupowała mu plastikowe zabawki, gadała do niego jak do dziecka, umawiała się na kolejne wizyty u weta.

Lucy była zadowolona, że nic nie powiedziała George'owi Orsonowi o panu Wąchaczu, podobnie jak była zadowolona, że on nie widział domu, w którym się wychowała i w którym wciąż mieszkały razem z Patricią. Ich ojciec nadał mu czułe miano „chałupy". „Będę na was czekał w chałupie", mawiał rano, jak już wychodził do pracy.

Dopiero w późniejszych latach przyszło jej do głowy, że to rzeczywiście chałupa. Ruderowata, zbudowana bez ładu i składu, z głównym pokojem i kuchnią, które zachodziły na siebie, z łazienką tak ciasną, że kiedy się siadało na sedesie, dotykało się kolanami wanny. Garaż zawalony częściami samochodowymi, torbami pełnymi puszek po piwie, bo ojcu nie chciało się jeździć do punktu skupu, dziura w gipsowej ściance w głównym pokoju, z której wyzierały gołe, drewniane listwy, dywan wyglądający jak futro zniszczonego pluszaka. Schodki wiodące na poddasze, na którym Lucy i Patricia miały swoje łóżka. Kiedy spały, zamiast sufitu miały nad sobą dach; ten dach się załamywał pod ostrym kątem. Wyobrażała sobie, że gdyby George Orson to zobaczył, byłby zażenowany z jej powodu; poczułaby się brudna.

A jednak... nie powiedziałaby, że tutaj jest jakoś szczególnie szczęśliwa.

W środku nocy stwierdziła, że jest kompletnie rozbudzona. Leżeli w starym łóżku rodziców George'a Orsona – w wielkim królewskim łożu – a ona rejestrowała istnienie innych pokoi w tym domu, innych pustych sypialń na piętrze, ciurkanie wody w jakiejś rurze w łazience, zębate rzędy półek na książki w „bibliotece", furkotanie ptaków wśród martwych drzew na podwórku otoczonym wysokim płotem. George Orson nazywał to podwórko „ogrodem japońskim". Miała w głowie zarysowany obraz: mały mostek, grządki skarlałych, niekwitnących irysów zadławionych przez chwasty. Miniaturowa płacząca wiśnia, też ledwie żywa. Granitowa latarnia Kotoji. George Orson powiedział jej, że jego matka miała „artystyczną duszę".

Chciał w ten sposób dać do zrozumienia, przypuszczała, że jego matka była trochę szajbnięta. Albo tak przynajmniej wyobrażała sobie Lucy. To miejsce – motel i dom – sprawiały wrażenie, jakby wybudował je ktoś, kto cierpiał na wielokrotne rozdwojenie jaźni. Ta latarnia morska. Ten ogród japoński. Meble w salonie z koszmarną tapicerką, nakryte starymi prześcieradłami, pokój z telewizorem i wielkim panoramicznym oknem, które wychodziło na podwórko na tyłach. Kuchnia, urządzona w kolorach modnych w latach siedemdziesiątych, kuchenka i lodówka o barwie awokado, musztardowe płytki na podłodze, szuflady i szafki pełne naczyń i przyborów kuchennych, stary, drewniany pieniek rzeźnicki i niemal przerażająco bogata kolekcja noży – matka George'a Orsona najwyraźniej miała obsesję na ich punkcie, bo można tu było znaleźć nóż niemal w każdym kształcie i każdej długości, jaką można sobie wyobrazić, poczynając od cieniutkich nożyków do filetowania, a kończąc na ogromnych tasakach. Bardzo niepokojące, uważała Lucy. W spiżarni znalazła trzy pudła z chińską porcelaną i kilka strasznych słojów wypełnionych jakąś ciemną mazią.

Na piętrze mieściła się łazienka i trzy sypialnie, w tym jedna, w której Lucy teraz leżała, dokładnie w tym pokoju, dokładnie na tym łóżku, w którym spali jego rodzice, w którym, wyobrażała sobie, jego matka wciąż spała po śmierci swojego męża. Nawet teraz, wiele lat później, czuło się tam słabą woń pudru starej kobiety. W szafie wciąż dyndało kilka wieszaków, a pod ścianą stała pusta toaletka i były jeszcze schody wiodące wyżej – do wieżyczki z małym ośmiokątnym pokojem z pojedynczym oknem, z którego roztaczał się widok na jezioro, na stożkowatą sztuczną latarnię morską i dziedziniec z pokojami składającymi się na motel. I na drogę. I na pola obsiane lucerną. I na daleki horyzont.

Tak więc – nic nie mogła na to poradzić, nie mogła spać i tylko leżała, gapiąc się w rozedrganą ciemność, której jej mózg nie potrafił do końca przetworzyć. Drzwi były zamknięte, roleta zasunięta, więc nie widziała ani księżyca, ani gwiazd.

Po powierzchni mroku dryfowały sugestie kształtów, podobnych do pierwotniaków oglądanych przez mikroskop, ale tu właściwie żadne urządzenia optyczne nie miałyby się czego uczepić.

Przesunęła dłonią po kołdrze, aż napotkała linię brzegową ciała George'a Orsona. Jego ramię, jego pierś, żebra unoszące się i opadające pod skórą, ciepły brzuch, do którego przywarła –

aż wreszcie przewrócił się na drugi bok i objął ją ramieniem, a wtedy ona przeciągnęła powoli dłonią po całej długości jego ręki, dopóki nie dojechała do nadgarstka, dłoni, małego palca. Chwyciła ten palec.

Okay.

Wszystko będzie dobrze, pomyślała.

Przynajmniej już nie była w Pompey.

6

Hayden, brat bliźniak Milesa, zaginął dobre dziesięć lat wcześniej, choć słowo „zaginął" raczej nie było właściwe. „Dał nogę"? Czy nie tak należało to określić?

W dniu, w którym przyszedł najświeższy list od Haydena, Miles właściwie już zdecydował, że pora się poddać. Skończył trzydzieści jeden lat – obaj skończyli po trzydzieści jeden lat i należało wreszcie dać sobie spokój. Iść dalej. Tyle energii, tyle wysiłku na marne, bez sensu. I przez jakiś czas miał w sobie to nowe postanowienie: będzie żył własnym życiem.

Wrócił do Cleveland, gdzie obaj z Haydenem dorastali. Wynajął mieszkanie przy Euclid Heights Boulevard, niedaleko ich starego domu, i zatrudnił się w sklepie o nazwie „Sezam Matalova", starej firmie działającej na zasadzie sprzedaży wysyłkowej z siedzibą przy Prospect Avenue, a handlującej głównie akcesoriami dla magików: arkuszami nitrocelulozy i iskrzącym się proszkiem, apaszkami i sznurami, kartami do sztuczek, monetami, cylindrami i innymi podobnymi rekwizytami, ale oprócz tego sprzedawali też śmieszne rzeczy i przedmioty do robienia kawałów, bezużyteczne gadżety, niebezpieczne zabawki, to i owo z branży erotycznej. Katalog był niezbyt zborny, ale to się Milesowi podobało. Uznał, że da radę go uporządkować.

To właśnie miał nadzieję robić ze swoim życiem? Prawdopodobnie niezupełnie, ale miał smykałkę do rachunków i realizowania zamówień, a poza tym czuł pewną słabość do towarów na tych półkach, do karnawałowej aury śmieciowego okultyzmu i magicznych przedmiotów z kolorowego plastiku. Bywały chwile, kiedy siedział przed komputerem w ciemnym, pozbawionym okien pokoiku na tyłach i stwierdzał, że ostatecznie to wcale nie jest taka zła kariera. Polubił właścicielkę sklepu, leciwą panią Matalov, która w latach trzydziestych była asystentką magika i która nawet teraz, w wieku dziewięćdziesięciu trzech lat, emanowała stoicką godnością pięknej kobiety, która zaraz zostanie przerżnięta piłą na dwie połowy. Miał dobre stosunki z wnuczką pani Matalov, Avivą, sarkastyczną, młodą kobietą z farbowanymi na czarno włosami, czarnymi paznokciami i wąską, smutną twarzą; roił sobie nawet, że ją zaprosi na randkę.

Zastanawiał się, czy nie wrócić na studia, może wręcz zrobić dyplom z zarządzania. I do tego może załatwić sobie krótką psychoterapię kognitywną.

Kiedy więc przyszedł list od Haydena, Miles się zdziwił, że tak szybko wskoczył w stare koleiny. Nie trzeba było otwierać tego listu. I właściwie kiedy wrócił do domu, do swojego mieszkania w bloku tamtego czerwcowego dnia, otworzył skrzynkę i zobaczył list wśród rachunków i ulotek, naprawdę postanowił, że go nie otworzy. Odłóż go, pomyślał. Niech sobie poleży jakiś czas, rzucisz na niego okiem kiedy indziej.

Ale gdzie tam. Zanim pokonał trzy kondygnacje schodów wiodące do mieszkania, już zdążył rozerwać kopertę i rozłożyć list.

Kochany bracie! – tak się zaczynał.

Miles! Bracie, mój najukochańszy, prawdziwy, jedyny przyjacielu, naprawdę przepraszam, że tak długo się z Tobą nie kontaktowałem. Mam nadzieję, że mnie nie znienawidziłeś. Mogę się jedynie modlić, że zrozumiesz tę poważną sytuację, w jakiej się znalazłem od czasu, kiedy po raz ostatni rozmawialiśmy. Ukryłem się głęboko, bardzo głęboko, ale nie ma dnia, żebym nie

myślał, jak bardzo mi Ciebie brakuje. Tylko obawa o własne bez-
pieczeństwo nie pozwalała mi się z Tobą skontaktować. Jestem
niemal pewny, że nasze telefony i poczta elektroniczna zostały
zainfekowane, i prawdę powiedziawszy, nawet ten list niesie
z sobą wielkie ryzyko. Powinieneś zdawać sobie sprawę, że być
może ktoś Cię obserwuje, i mówię to z wielką niechęcią, ale wy-
daje mi się, że sam możesz się znajdować w niebezpieczeństwie.
Och, Miles, chciałem Cię zostawić w spokoju. Wiem, że masz
tego wszystkiego dosyć, że wolałbyś żyć własnym życiem i że na
to zasługujesz. Tak mi przykro. Chciałem Ci ofiarować ten dar,
jakim byłoby uwolnienie ode mnie, ale oni niestety wiedzą, że
jesteśmy ze sobą powiązani. Właśnie straciłem bardzo mi bliską
osobę przez własną lekkomyślność i powodowany wielkim niepo-
kojem kieruję teraz swoje myśli ku Tobie. Błagam, bądź czujny,
Miles! Wystrzegaj się policji i wszelkich przedstawicieli rządu,
FBI, CIA, nawet władz lokalnych. Nie wchodź w żadne kontakty
z H&R Block ani też nikim, kto reprezentuje J.P. Morgan, Mor-
gan Stanley, Goldman Sachs, Lehman Brothers, Merrill Lynch,
Chase czy Citigroup. Unikaj wszystkich osób powiązanych z Uni-
wersytetem Yale. Wiem też, że masz kontakty z rodziną Matalov
z Cleveland, i mogę Ci powiedzieć jedno: NIE UFAJ IM! Nie mów
nikomu o tym liście! Za nic nie chcę Cię stawiać w niezręcznej
sytuacji, ale namawiam Cię, żebyś jak najprędzej wyniósł się
z Cleveland, robiąc przy tym możliwie jak najmniej hałasu. Miles,
tak mi przykro, że Cię w to wszystko wplątałem, z ręką na sercu.
Żałuję, że nie mogę wrócić i wszystkiego odkręcić, że nie mogę
być Twoim bratem. Ale szansa na to już przepadła, wiem o tym
i obawiam się, że nie pomieszkam na tym świecie dużo dłużej.
Pamiętasz Wielką Wieżę Kallupilluka? Niewykluczone, że to ona
właśnie stanie się miejscem mojego ostatniego spoczynku, Miles.
Być może już więcej o mnie nie usłyszysz.

Jestem jak zawsze Twoim jedynym, prawdziwym bratem i bardzo Cię kocham.

Hayden

Ano tak...

Co człowiek robi z takim listem? Miles siedział przez jakiś czas przy kuchennym stole nad rozłożoną na blacie kartką. Posłodził herbatę sztucznym słodzikiem z małej torebeczki. Co by zrobił normalny człowiek? – zastanawiał się. Wyobraził sobie normalnego człowieka, jak czyta ten list i ze smutkiem kręci głową. I co tu zrobić? – zadałby sobie pytanie normalny człowiek.

Spojrzał na stempel pocztowy na kopercie: *Inuvik, NT, Kanada XOE OTO.*

– Niestety będę musiał wziąć trochę wolnego z powodu osobistych spraw – powiedział Miles pani Matalov następnego ranka i przez chwilę siedział ze słuchawką przyciśniętą do ucha, wsłuchując się w jej milczenie.

– Wolne z powodu osobistych spraw? – spytała pani Matalov swoim staromodnym akcentem wampirzycy. – Nie rozumiem, co to znaczy?

– Nie wiem – odparł. – Dwa tygodnie? – Spojrzał na marszrutę, którą sobie wytyczył w komputerze, na mapie Kanady z wyrysowanym zielonym mazakiem szlakiem, poszarpanym, meandrującym przez cały kraj. Cztery tysiące mil, co by mu zabrało, obliczył, mniej więcej osiemdziesiąt cztery godziny. Jeśli będzie jechał piętnaście, szesnaście godzin dziennie, dotrze do Inuvik w weekend. To może być trudne, stwierdził, ale z kolei czy kierowcy ciężarówek tego właśnie nie robili? Czy takie maratonowe jazdy to nie był ich chleb powszedni? – Cóż – dodał. – Może trzy tygodnie.

– Trzy tygodnie! – powtórzyła pani Matalov.

– Naprawdę jest mi megagłupio – powiedział Miles. – Tu

chodzi tylko o to, że... wyniknęła pewna pilna sprawa. – Odkaszlnął. – Prywatne problemy – dodał. *Nie ufaj rodzinie Matalov*, napisał Hayden, co brzmiało wariacko, ale Miles poczuł, że lepiej nic więcej nie tłumaczyć. – To skomplikowane – rzucił. Bo to było skomplikowane. Nawet gdyby miał być absolutnie uczciwy, to co by powiedział? Jak mógłby wytłumaczyć łatwość, z jaką go nachodziły dawne tęsknoty, ten zastarzały ból miłości i poczucia obowiązku? Niewykluczone, że psychoterapeuta uznałby to za zwykłe natręctwa – po całym tym czasie, po tych wszystkich latach, które już zmarnował – a jednak teraz, niezależnie od wszystkiego, znowu coś go ponaglało tak jak wtedy, kiedy Hayden uciekł z domu tyle lat wcześniej. Ponownie dopadło go to przeświadczenie, że uda mu się go znaleźć, złapać, pomóc mu albo przynajmniej sprawić, że zostałby zamknięty w jakimś bezpiecznym miejscu. Jak miałby wytłumaczyć, jak bardzo tego pragnął? Kto by to zrozumiał, że razem ze zniknięciem Haydena stało się tak, jakby jakaś jego cząstka zniknęła w samym środku nocy – jego prawa dłoń, oczy, serce – jak ten piernikowy ludzik z bajki, który ucieka drogą: *Wracaj! Wracaj!* Gdyby spróbował to komuś opowiedzieć, pewnie zostałby uznany za równie walniętego jak sam Hayden.

Już myślał, że jest wolny od takich odczuć, a tu... no tak. Cały on. Pakował rzeczy. Wyjmował mleko z lodówki i wylewał do zlewu. Przesiewał stare notatki, drukował niegdysiejsze e-maile, które przysłał mu Hayden – pełne rozmaitych aluzji i wskazówek co do jego miejsca pobytu ukrytych w fantastycznych opisach wymyślonych krajobrazów, ale też gniewne tyrady przeciwko przeludnieniu i spiskom międzynarodowych instytucji bankowych, a także samobójcze żale wylewane późną nocą. A potem Miles zasiadł przy swoim biurku, badając przez szkło powiększające kopertę listu, który Hayden przysłał mu teraz, ten stempel pocztowy... ten stempel. Jeszcze raz sprawdził współrzędne. Wiedział, dokąd wybiera się Hayden.

A teraz sam prawie już tu był.

Siedział w samochodzie, na poboczu, pobieżnie czytając jeden z dzienników Haydena w oczekiwaniu na prom, który miał go przewieźć na drugą stronę Mackenzie. Z błotnistego brzegu barwy łupka wystawało kilka metalowych słupków, parę też wrastało w głąb zielonych, pomarszczonych małżowin tundry, ale poza tym raczej nie widziało się tam śladów ludzkiej bytności. Jakaś toaleta. Znak drogowy w kształcie rombu. Sama rzeka miała spokojną, połyskliwą powierzchnię, srebrną i szafirową. Gdy się znajdzie na drugim brzegu, do Inuvik będzie miał już tylko jakieś osiemdziesiąt mil.

Inuvik było jednym z tych miejsc, na punkcie których Hayden fiksował. Nazywał je „miastami duchami" i rozpisywał się na temat Inuvik, jak też innych miejsc, w dziennikach i notatnikach, które teraz miał Miles. Hayden jeszcze przed laty zaraził się teorią, że Inuvik to miejsce kryjące jakąś wielką, archeologiczną ruinę, że na skraju miasta znajdują się pozostałości po Wielkiej Wieży Kallupilluka, która była iglicą z lodu i kamienia, o wysokości mniej więcej czterdziestu pięter, wybudowaną około 290 roku p.n.e. z rozkazu potężnego cesarza Inuitów, Kallupilluka – Hayden wierzył, że nawiązał kiedyś kontakt z tą postacią, w jakimś poprzednim życiu.

Nic z tego oczywiście nie było prawdą. Bardzo niewiele tych rzeczy, na punkcie których sfiksował Hayden, miało oparcie w rzeczywistości, ale podczas kilku ostatnich lat zagłębiał się coraz bardziej w ten na ogół iluzoryczny świat. W rzeczywistości nigdy nie istniała wieża wielkiego władcy Inuitów o imieniu Kallupilluk. W prawdziwym życiu Inuvik było niewielką mieściną należącą do kanadyjskich Terytoriów Północno-Zachodnich, liczącą około trzech tysięcy pięciuset mieszkańców. Położone w delcie rzeki Mackenzie Inuvik „gnieździło się", jak głosiła jego strona internetowa, „między bezdrzewną tundrą a północnymi lasami borealnymi", a jego historia liczyła zaledwie niecałe stulecie. Wznosił je, budynek po budynku, rząd kanadyjski z zamiarem utworzenia tu administracyjnego centrum zachodniej Arktyki, z takim skutkiem, że w 1967 roku Inuvik otrzymało status wsi. Nie było nawet położone na wybrzeżu Oceanu Arktycznego wbrew temu, w co zdawał się wierzyć Hayden.

A jednak Miles nie potrafił nic poradzić na to, że pomyślało mu się o rysunkach Haydena, o prostym, lecz realistycznym szkicu ołówkiem, który przedstawiał wielką wieżę, zresztą bardzo podobną do Porcelanowej Wieży z Nankinu, i przeszył go krótki, ale oszałamiający spazm oczekiwania, kiedy na horyzoncie pojawił się prom i zaczął się miarowo zbliżać. Miles spędził sporą część życia na wertowaniu dzienników i notesów Haydena, a jeszcze dłużej żył z jego urojeniami. Wbrew wszystkiemu wciąż miał w sobie mikroskopijny rdzeń naiwności, który rozjarzył się odrobinę jaśniej, kiedy znalazł się tak blisko miasteczka z fantazji Haydena. Niemalże wyobrażał sobie to miejsce na skraju Inuvik, gdzie kiedyś wśród fałd tundry sterczała Wielka Wieża, naga na tle bezkresnego, wiecznie świetlistego nieba.

Na tym zawsze polegał jeden z problemów: być może tylko tak dawało się to wytłumaczyć. Od wielu, wielu lat Miles był dobrowolnym uczestnikiem fantazji swego brata bliźniaka. *Folie à deux*, tak to się nazywa?

Hayden już od dziecka głęboko wierzył w tajemnice – w zjawiska parapsychiczne, w powtórne wcielenia, w UFO, linie geomantyczne i duchowe drogi, w astrologię, numerologię itd., itp. A Miles był jego największym naśladowcą i poplecznikiem. Jego słuchaczem. Sam nigdy nie wierzył w takie rzeczy – nie w takim stopniu, w jakim wierzył w nie Hayden – ale był kiedyś taki okres w jego życiu, kiedy z radością przystępował do wspólnej zabawy i być może przez jakiś czas ten alternatywny świat stanowił wspólną część ich mózgów. Sen, który śnił się im obu jednocześnie.

Wiele lat później, kiedy wszedł w posiadanie pism i dzienników Haydena, Miles zdał sobie sprawę, że prawdopodobnie jest jedyną osobą na świecie, która potrafi przetłumaczyć i zrozumieć to, co napisał jego brat. Był jedynym człowiekiem, który potrafił znaleźć jakiś sens w tych stosach zeszytów z opracowaniami – w drobnym piśmie utworzonym z drukowanych liter, w tekstach i obliczeniach, które wypełniały wszystkie kartki od góry do dołu i od brzegu do brzegu; szare koperty wypchane rysunkami i podrasowanymi fotografiami, mapami, które Hayden wydzierał z encyklopedii i pokrywał własnymi projektami geodezyjnymi; linie biegnące przez całą Amerykę Północną, które zbiegały się w takich miejscach, jak Winnemucca w Nevadzie, Kulm w Dakocie Północnej i Inuvik na Terytoriach Północno-Zachodnich; teorie coraz bardziej zawikłane i pokrętne, misz-masz z kryptoarcheologii i numerologii, funkcji holomorficznej i kosmologii membranowej, regresji reinkarnacyjnej i paranoi teorii spiskowej.

„Moje dzieło", tak w którymś momencie zaczął to wszystko nazywać Hayden.

Miles często próbował sobie przypomnieć, kiedy Hayden zaczął używać tego określenia: „Moje dzieło". Z początku to była tylko ich wspólna zabawa i Miles często przypominał sobie dzień, w którym to zaczęli. Było to tamtego lata, kiedy skończyli dwanaście lat i chłonęli powieści Tolkiena i Lovecrafta. Miles szczególnie lubił mapy zamieszczone we *Władcy pierścieni*, podczas gdy Hayden bardziej się skłaniał ku mitologiom i tajemniczym miejscom u Lovecrafta – nieziemskie miasto ukryte za masywem górskim na Antarktydzie, prehistoryczne osady cyklopów, nawiedzone miasteczka w Nowej Anglii.

Znaleźli atlas w twardej oprawie ze złotymi tłoczeniami, dwadzieścia pięć na dwadzieścia cali, na półce w salonie obok *World Book Encyclopedia*, który uwielbiali dotykać i ważyć w dłoniach, bo sprawiał wrażenie starożytnej księgi. To był pomysł Milesa, że mogliby wziąć sobie kilka map Ameryki Północnej i przeobrazić je w jakieś światy fantasy. Miasta krasnoludków w górach. Zwęglone ruiny siedzib goblinów na równinach. Mogliby wymyślać ważne miejsca, historie i bitwy i udawać, że żyją w dawnych czasach, przed Indianami, kiedy Ameryka była królestwem wielkich miast i magicznych ras starszych. Miles uważał, że byłoby fajnie, gdyby wymyślili własną wersję *Lochów i smoków*, w której mieszałyby się miejsca prawdziwe z wymyślonymi; miał bardzo konkretne pomysły odnośnie do tego, jak by się to mogło rozwinąć, ale Hayden go nie słuchał, tylko pochylał się nad mapą z piórem w ręku.

– O, tu są jakieś piramidy – powiedział, wskazując Dakotę Północną, i Miles zobaczył, jak rysuje trzy trójkąty właśnie na tej stronie atlasu. Tuszem!

– Hayden! – zdenerwował się Miles. – Nie wymażemy tego. Oberwiemy za to.

– Nie, nie – odparł spokojnie Hayden. – Nie zachowuj się jak ciota. Po prostu to schowamy.

I to był jeden z ich wspólnych wczesnych sekretów – stary atlas ukryty pod stosem gier planszowych na półce w szafie w sypialni.

Miles wciąż miał ten stary atlas i kiedy tak czekał nad brzegiem rzeki na prom, wyjął go i jeszcze raz przewertował. Tu, na północnym wybrzeżu Kanady, stała wieża, którą kiedyś narysował Hayden i pod którą niezdarnie wykaligrafował: NIEDOSTĘPNA WIERZA CZARNEGO KRÓLA!

Debilizmy, pomyślał. Jakie to dołujące – dorosły człowiek, a wciąż idzie na pasku swojego dwunastoletniego „ja"! Przez te wszystkie lata, kiedy szukał Haydena, często się zastanawiał, czy nie spróbować wyjaśnić komuś swojej sytuacji. Przedstawicielom władzy, na przykład, albo psychiatrom. Ludziom, z którymi się przyjaźnił, dziewczynom, które mu się podobały. A jednak w ostatniej chwili zawsze zaczynał się wahać. Szczegóły wydawały się takie durne, takie nierealne i sztuczne. Jak ktoś mógłby uwierzyć w coś takiego?

– Mój brat strasznie się zaplątał. – Tyle tylko udawało mu się powiedzieć. – Jest bardzo... chory. – Nie wiedział, co tu jeszcze można dodać.

Kiedy Hayden zaczął po raz pierwszy zdradzać objawy schizofrenii, już wtedy, kiedy chodzili do liceum, Miles w zasadzie nie uwierzył. To jakieś wygłupy, stwierdził. Durny kawał. I przypomniał mu się tamten epizod, kiedy jakiś niedouczony pedagog szkolny stwierdził, że Hayden jest „geniuszem". Sam Hayden uważał, że to prześmieszne.

– Gieeeniusz – wycedził sennym, drwiącym tonem. To się działo na początku siódmej klasy. Był późny wieczór, obaj leżeli na piętrowym łóżku w ich pokoju i głos Haydena płynął w dół przez mrok z górnego piętra. – Hej, Miles – powiedział tym swoim matowym, a teraz rozbawionym głosem. – Miles, jak to możliwe, że ja jestem geniuszem, a ty nie?

– Nie wiem – odparł Miles. Był zdumiony, być może lekko urażony całą sprawą, ale tylko wbił twarz w poduszkę. – Dla mnie to nie ma większego znaczenia – dodał.

– Ale przecież jesteśmy jednojajowi – ciągnął Hayden. – Mamy dokładnie to samo DNA. Więc jak to możliwe?

– To chyba nie jest genetyczne – stwierdził Miles ponuro i wtedy Hayden się zaśmiał.

– Może po prostu ja jestem lepszy w robieniu głupków z ludzi – powiedział. – Cała ta afera z IQ to są jakieś jaja. Zastanawiałeś się nad tym kiedyś?

Kiedy matka zaczęła sprowadzać psychiatrów, Miles znowu się zastanowił nad tą rozmową. „To są jakieś jaja", przypomniał sobie. Miles znał Haydena, dlatego uznał, że terapeuta, z którym konsultowała się matka, jest chyba strasznym naiwniakiem. Nie potrafił zwalczyć przeświadczenia, że tak zwane objawy Haydena sprawiają wrażenie melodramatycznych, efekciarskich i że łatwo je udawać. Matka ponownie wyszła za mąż w owym czasie i Hayden nie cierpiał nowego ojczyma, ich ulepszonej rodziny. Miles nie potrafił przezwyciężyć przekonania, że Hayden jak najbardziej mógł się zniżyć do jakiegoś skomplikowanego wybiegu – choćby nawet symulowania poważnej choroby – żeby tylko sprowokować awanturę, żeby dokuczyć matce, żeby samemu się zabawić.

To w końcu udawał? Miles nigdy nie miał pewności, nawet wtedy, gdy zachowanie Haydena stało się bardziej histeryczne, odbiegające od normy, i kiedy Hayden zaczął się trzymać na uboczu. Bywały takie momenty, wiele momentów, kiedy jego „choroba" przypominała bardziej przedstawienie teatralne, jakąś zaawansowaną wersję gier, w które cały czas obaj grali. „Objawy", które rzekomo zdradzał Hayden, zdaniem terapeuty – „wymyślanie skomplikowanych światów", „gorączkowe obsesje", „rozchwiane myśli" i „halucynacyjne zmiany perceptualne" – wcale się tak nie różniły od sposobu, w jaki Hayden zazwyczaj się zachowywał, kiedy obaj mocno się angażowali w któryś z ich projektów. Był, zdaniem Milesa, być może nieco bardziej przesadny i teatralny niż zazwyczaj, nieco bardziej ekstremalny jak na jego gust, ale z kolei istniały ku temu powody. Śmierć ich ojca, na przykład. Ponowne małżeństwo matki. Znienawidzony ojczym, pan Spady.

W czasie, kiedy Hayden został po raz pierwszy zamknięty w szpitalu, on i Miles wciąż pracowali nad atlasem, i to dość regularnie. Był to szczególnie skomplikowany fragment – wielkie piramidy Dakoty Północnej i zniszczenie cywilizacji Yanktonai – i Hayden nie potrafił przestać o tym gadać. Miles pamiętał, jak siedzieli któregoś wieczoru przy kolacji, matka i pan Spady przyglądali się z kamiennymi twarzami Haydenowi, który rozgrzebywał jedzenie na talerzu, jakby ustawiał armie na makiecie pola bitwy.

– Alfred Sully – mówił szybko cichym głosem, jakby recytował wykute na blachę informacje przed szkolnym sprawdzianem. – Alfred Sully, generał armii Stanów Zjednoczonych, Pierwszy Pułk Piechoty stanu Minnesota, 1863 rok. Whitestone, Tahkahokuty i piramidy. Na piramidy pada śnieg, a on gromadzi swoje oddziały u podnóża wzgórz. 1863 rok – powiedział i wycelował widelec w pierś kurczaka. – Chufu – dodał – ta druga piramida. To właśnie tam zaatakował po raz pierwszy. Alfred Spady, w 1863 roku...

– Hayden – przerwała mu matka ostrym tonem. – Dosyć tego. – Wyprostowała się na krześle, unosząc lekko dłoń, jakby chciała wymierzyć mu policzek, dokładnie tak, jak się postępuje z histerykiem, który zaczął bredzić. – Hayden! Przestań! Gadasz od rzeczy.

Co właściwie wcale nie było prawdą. Poniekąd gadał do rzeczy – zdaniem Milesa przynajmniej. Hayden opowiadał o bitwie pod wzgórzami Whitestone, koło Kulm w Dakocie Północnej, gdzie w 1863 roku pułkownik Alfred Sully zniszczył osadę Indian Yanktonai. Oczywiście nie było tam żadnych piramid, a jednak Hayden opisywał je nader plastycznie i nawet dość interesująco, w przekonaniu Milesa.

Niemniej matka się wkurzyła. Rzeczy, o których donosił jej terapeuta Haydena, niepokoiły ją i później, kiedy Hayden poszedł na górę, a ona i Miles zmywali razem naczynia, zagadnęła go przyciszonym głosem:

– Miles, muszę poprosić cię o przysługę.

Dotknęła jego ręki, ochlapując go przy tym mydlinami. Miles zapatrzył się na stopniowo pękające banieczki.

– Musisz przestać mu to ułatwiać, Miles – ciągnęła. – Moim zdaniem nie byłby taki pobudzony, gdybyś go nie podjudzał...

– Wcale go nie podjudzam! – odparował Miles, ale unikał

karcącego spojrzenia matki. Wytarł drugą dłonią rękę, to mokre miejsce, gdzie go dotknęła. To Hayden jest chory czy nie jest? – zastanawiał się. Udaje czy nie udaje? Miles z niepokojem przypomniał sobie kilka rzeczy, które ostatnimi czasy wygadywał jego brat.

– Tak sobie myślę, że chyba ostatecznie będę musiał ich zabić – oświadczył Hayden głosem płynącym przez mrok nocy wypełniający sypialnię. – Może tylko zniszczę im życie, ale może też naprawdę będą musieli zginąć.

– O czym ty mówisz? – spytał Miles, choć oczywiście wiedział, do kogo odnosi się Hayden, i ogarnął go lekki strach; czuł pulsowanie żyły w nadgarstku i słyszał w uszach odgłos cichego tupania. – Facet – powiedział. – Ty naprawdę musisz gadać takie bzdety? Ludzie myślą, że jesteś walnięty. Przeginasz!

– Hmmm – mruknął Hayden. Jego głos skłębiał się gdzieś po bokach w ciemności. Dryfował. Tonął w zadumie. – Wiesz co, Miles? – spytał w końcu. – Wiem mnóstwo rzeczy, o których ty nie wiesz. Mam takie moce. Zdajesz sobie z tego sprawę, no powiedz?

– Zamknij się – odparł Miles i wtedy Hayden zaczął się śmiać, cicho, żałobnym, wyzywającym chichotem, który dla Milesa był taki krzepiący i zarazem irytujący.

– Wiesz, Miles? – powiedział Hayden. – Ja naprawdę jestem geniuszem. Nie chciałem przedtem ranić twoich uczuć, ale spójrzmy prawdzie w oczy. Jestem o wiele mądrzejszy od ciebie, więc musisz się mnie słuchać, okay?

Okay, pomyślał Miles. Wierzył i nie wierzył zarazem. Na tym polegała kondycja jego życia. Hayden był schizofrenikiem i udawał. Był geniuszem i uroił sobie, że jest kimś wielkim. Był paranoikiem i wszyscy się na niego uwzięli. Wszystkie te rzeczy były co najmniej częściowo prawdziwe, jednocześnie.

Przez te wszystkie lata, jakie upłynęły od jego zniknięcia –

wymknął się ukradkiem ze szpitala psychiatrycznego – Hayden stawał się coraz bardziej nieuchwytny, coraz trudniej było rozpoznać w nim tego brata, którego Miles kiedyś tak bardzo kochał. Niewykluczone, że z czasem tamten dawny Hayden miał całkiem zniknąć.

Jeśli naprawdę był schizofrenikiem, to w takim razie był schizofrenikiem obdarzonym fenomenalnym zmysłem praktycznym. Wyjątkowo zręcznie zacierał ślady, jak duch przenosząc się z miejsca na miejsce, jak rękawiczki zmieniając nazwiska i tożsamości, po drodze jakimś sposobem utrzymując się na rozmaitych posadach. Na ludziach, których poznawał, wywierał wrażenie przekonująco normalnego. A nawet sympatycznego.

Miles dla odmiany wiódł niemal cygańskie życie. To właśnie jego zapewne postrzegano jako „rozemocjonowanego", „chaotycznego" i „owładniętego obsesjami", kiedy tak gonił za rozmaitymi wcieleniami Haydena. Zbyt późno dotarł do Los Angeles, gdzie Hayden pracował jako „doradca osób czerpiących zyski z tantiem", pod nazwiskiem Hayden Nash; zbyt późno dotarł do Houston w Teksasie, gdzie Hayden zatrudnił się jako technik komputerowy w J.P. Morgan Chase & Co pod nazwiskiem Mike Hayden. Zbyt późno dotarł do Rolla w Missouri, gdzie Hayden na tamtejszym uniwersytecie udawał studenta studiów magisterskich z matematyki, perwersyjnie przybrawszy nazwisko Miles Spady.

Zbyt późno także dotarł do Kulm w Dakocie Północnej, niedaleko dawnego pola bitwy pod wzgórzami Whitestone i w pobliżu miejsca, gdzie Hayden wyobrażał sobie „piramidy Dakoty... Giza, Chufu i Chefrena..." Był styczeń i na przednią szybę samochodu spadały grube płatki śniegu, wycieraczki łopotały jak wielkie skrzydła, a Miles tymczasem wyobrażał sobie zarysy piramid wyłaniające się z szarej plamy śnieżycy. Oczywiście tak naprawdę wcale ich tam nie było, podobnie jak Haydena, ale w zajeździe „Pod pękniętym dzwonem" w pobliskim Napoleon recepcjonistka – ponura, młoda kobieta w ciąży – zmarszczyła czoło nad ziarnistą fotografią brata Milesa.

– Hmmm – mruknęła.

Na podstawie tej fotografii trudno byłoby się domyślić, że są bliźniakami jednojajowymi. Zdjęcie zostało zrobione wiele lat wcześniej, tuż po ich osiemnastych urodzinach, i Miles mocno przybrał na wadze od tamtego czasu. Niewykluczone, że Hayden też przytył. Ale nawet w dzieciństwie nigdy nie byli tak naprawdę nieodróżnialni. Hayden miał w twarzy coś takiego – jaśniejszego, żywszego, bardziej przyjaznego – na co ludzie reagowali, a czego Miles nie miał. Widział to po minie recepcjonistki.

– Chyba go poznaję – oświadczyła. Jej spojrzenie przemknęło od fotografii do Milesa i z powrotem. – Trudno powiedzieć.

– Proszę się jeszcze raz przyjrzeć – poprosił Miles. – To mało czytelne zdjęcie. I jest dosyć stare, więc mógł się zmienić przez te lata. Przypomina pani kogoś?

Patrzył razem z nią na zdjęcie, próbując w nim dostrzec to, co ona mogła zobaczyć. Zdjęcie zrobiono w Boże Narodzenie. To były tamte straszne ferie zimowe, kiedy obaj chodzili do drugiej klasy liceum, pod koniec której Haydena znowu zamknięto w szpitalu, ale na tym zdjęciu Hayden wyglądał na zupełnie normalnego – uśmiechnięty nastolatek o dobrotliwym spojrzeniu stojący przed choinką przystrojoną lametą, nieco potargany, ale poza tym jego twarz nie odzwierciedlała problemów, które stwarzał – które nadal miał stwarzać. Dziewczyna nieznacznie poruszyła ustami, a Milesa naszło podejrzenie, że mogła się całować z Haydenem.

– Proszę się nie spieszyć – powiedział stanowczym tonem, przypominając sobie seriale o pracy policjantów, które oglądał w telewizji.

– Pan jest policjantem? – spytała dziewczyna. – Nie jestem pewna, czy wolno mi udzielać takich informacji.

– Jestem krewnym – odparł uspokajającym głosem Miles. – To mój zaginiony brat. Ja tylko próbuję go znaleźć.

Dziewczyna jeszcze chwilę przyglądała się zdjęciu, po czym wreszcie podjęła decyzję.

– On ma na imię Miles – powiedziała, a potem krótko, ukradkiem przyglądała się Milesowi, a on zaczął się zastanawiać, czy na pewno powiedziała mu wszystko, co wiedziała, czy przypadkiem nie stwierdziła, że zachowa dla siebie jakiś istotny okruch informacji tylko z takiego powodu, że nie polubiła go tak, jak polubiła Haydena. – Wydaje mi się, że nazywał się Cheshire. Miles Cheshire. Wyglądał na fajnego gościa.

Przypomniał sobie, jak mu się ścisnęło serce, kiedy to powiedziała, kiedy podała mu jego własne imię i nazwisko. Kawał, pomyślał wtedy – pokrętny, obrzydliwy kawał wycięty przez Haydena. Co ja wyprawiam? – pomyślał. Dlaczego to robię?

Tamtą wyprawę do Dakoty Północnej odbył prawie dwa lata wcześniej. Spakował rzeczy i wrócił do domu z mroczną świadomością, że cała ta przygoda z Kulm nie była niczym innym jak tylko wymyślnym aktem złośliwości. Haydenowi po raz kolejny odbiło, wrednie i wesołkowato, i kiedy Miles wrócił do swojego mieszkania, już czekała tam na niego książka: *Nie opłakujcie generała: Życie Alfreda Sully'ego*. A także szara koperta, osiem na dwanaście cali, która zawierała artykuł wydarty z periodyku „Schizofrenia w Ameryce. Pismo dla profesjonalistów", w którym pewien fragment został zakreślony żółtym flamastrem. „Jeśli jeden z bliźniaków zapada na schizofrenię, istnieje czterdziestoośmioprocentowe prawdopodobieństwo, że drugi też na nią zachoruje i często dzieje się to w odstępie roku". Oprócz tego czekał na niego również e-mail od generalsully@ hotmail.com, jeszcze jeden radosny wist. *Och, Miles*, przeczytał. *Czy ty się czasami zastanawiasz, co sobie myślą o tobie ludzie, kiedy tak biegasz ze swoimi plakatami, kiepskimi, starymi*

fotkami i ponurą historyjką o szalonym i złym bracie bliźniaku?
Nigdy nie przychodzi ci do głowy, że ludziom wystarczy jeden
rzut oka na to twoje popaprane „ja", żeby nabrać wody w usta?
Że mogą sobie pomyśleć: Może on wcale nie ma brata bliźniaka?
Może mu odbiło?

Dosyć tego, pomyślał Miles, kiedy przeczytał ten e-mail,
i zaczerwienił się z upokorzenia. Był taki wściekły, że wyrzucił
książkę o Alfredzie Sullym przez okno, sprawiając, że zatrze-
potała mało satysfakcjonująco w powietrzu i wylądowała na
środku parkingu. Dosyć! – obiecał sobie. Skończyłem z nim.
Nie będę więcej wkładał w to ani czasu, ani serca!
Zapomni o Haydenie. Zajmie się własnym życiem.

Przypomniał sobie teraz tamto postanowienie. Naszło go wy-
raziście, kiedy tak siedział w samochodzie, nieogolony, nieumy-
ty, porządkując małe plakaty, które wydrukował na zwyczajnym,
powlekanym papierze. CZY KTOŚ MNIE WIDZIAŁ? – głosił
napis na górze. Pod spodem fotografia Haydena. I wreszcie:
NAGRODA! Choć tu akurat Miles pewnie lekko nagiął prawdę.

Przekrzywił wsteczne lusterko i przyjrzał się sobie krytycznie. Swoim oczom. Wyrazowi twarzy. Wygląda jak szaleniec?
Naprawdę jest wariatem?

Był jedenasty czerwca. 68° 18' N, 133° 29' W. Słońce miało
tu zajść nie wcześniej jak za pięć tygodni.

7

Podczas czekania na swoją kolej w wypożyczalni samochodów „Enterprise" Ryan jeszcze raz sprawdził papiery. Kartę ubezpieczeniową. Prawo jazdy. Karty kredytowe. Wszystkie te śmieci, które oficjalnie dowodziły, że istniejesz jako osoba.

W tym szczególnym przypadku Ryan istniał oficjalnie jako Matthew P. Blurton, wiek dwadzieścia cztery lata, z Bethesdy w stanie Maryland. Uważał, że nie wygląda na dwadzieścia cztery lata, ale nikt go ani razu o to nie zapytał, więc przypuszczał, że pewnie jego wygląd nie budzi podejrzeń.

Siedział sobie grzecznie, rozmyślając o piosence, której właśnie uczył się grać na gitarze. Umiał przywołać w głowie obraz tabulatury, a teraz trzymał dłoń ułożoną na udzie, wnętrzem do góry, i jego palce podrygiwały dyskretnie, w miarę jak odtwarzał kolejne pozycje na progach, dopasowując się do różnych kombinacji jak w języku migowym.

Wiedział, że powinien bardziej uważać; wszystko schrzani, jeśli nie będzie uważał. To prawdopodobnie powiedziałby mu Jay – jego ojciec.

Tak więc podniósł głowę, żeby sprawdzić, co się dzieje dookoła. Przy kontuarze stała Afroamerykanka w średnim wieku, ubrana w granatowy płaszcz i mały fioletowy kapelusik; Ryan zauważył, że ukradkiem wyciągnęła banknot z torebki.

– Moja babcia ma dziewięćdziesiąt osiem lat! – mówiła ta

pani. Przyglądała się banknotowi, jakby grała w bezika, marszcząc czoło, po czym wyciągnęła zniszczoną, jakby starożytną kartę kredytową. – Dziewięćdziesiąt osiem lat!

– Mmmm-hmmm – mruknął młody mężczyzna zza kontuaru, który także był Afroamerykaninem. Wbił wzrok w ekran komputera, po chwili wystukał coś histerycznie na klawiaturze. – Dziewięćdziesiąt osiem lat – powtórzył. – To bardzo długie życie!

– Z pewnością – odparła kobieta.

A Ryan wyczuł, że lada chwila bez skrępowania pogrążą się w towarzyskiej pogawędce. Zerknął na zegarek.

– Ciekawe, jak długo ja będę żył – zadumał się młodzieniec przy komputerze i Ryan zobaczył, że kobieta przytakuje.

– Tylko Bóg to wie – powiedziała. Położyła swoją kartę kredytową i prawo jazdy na kontuarze. – Widzi pan, w tym wieku nie jest łatwo. Ona już prawie nie mówi, ale za to dużo śpiewa. I się modli. Modli, rozumie pan?

– Mmmm-hmmm – odmruknął młodzieniec i znowu coś wystukał. – A miewa zaniki pamięci?

– Ale gdzie tam! – żachnęła się kobieta. – Wszystko świetnie pamięta. A w każdym razie rozpoznaje tych ludzi, których chce rozpoznać.

Oboje się zaśmiali i Ryan mimo woli uśmiechnął się do nich. A potem – przynajmniej częściowo z tego powodu, że się głupkowato uśmiechał do tej podsłuchiwanej rozmowy – poczuł się samotny.

W Iowa, gdzie dorastał, praktycznie nie było czarnoskórych i od czasu przyjazdu na wschód Ryan zauważył, że czarnoskórzy są jakby zawsze dla siebie mili, że łączą ich braterskie stosunki. Może to był stereotyp, ale jednak nieoczekiwanie za czymś zatęsknił, kiedy ten mężczyzna i ta kobieta tak się zaśmiewali. Po głowie krążyła mu mętna wizja rozluźnienia, ciepła, wewnętrznego poczucia, że jest się członkiem wspólnoty. Naprawdę istniało coś takiego? Nie wiedział.

Ostatnimi czasy roztrząsał pomysł nawiązania kontaktu z rodzicami i nawet ułożył sobie w głowie list. *Drodzy mamo i tato*, oczywiście.

Drodzy mamo i tato, przepraszam, że od tak dawna się z Wami nie kontaktowałem. Pomyślałem, że powinienem Was zawiadomić, że ze mną wszystko dobrze. Jestem w Michigan...

I potem, no jasne, będą chcieli to wiedzieć albo sami się domyślą. *Jestem w Michigan u wujka Jaya i wiem już, że to on jest moim biologicznym ojcem, więc chyba co do tej jednej sprawy moglibyśmy przestać udawać...*

To już zaczęło brzmieć wrogo. *Jestem w Michigan u wujka Jaya. Posiedzę u niego jakiś czas, dopóki sobie nie przemyślę pewnych spraw. Piszę piosenki, coś tam zarabiam. Wujek Jay rozkręca biznes, a ja mu w tym pomagam...*

Już nawet sama wzmianka o „rozkręcaniu biznesu" to był zły pomysł, od razu zapachniało lewizną. Z jaką branżą wiązał się ten „biznes"? Natychmiast sobie pomyślą, że to narkotyki albo coś w tym guście, a zresztą przysiągł Jayowi, że nikomu nic nie powie.

– Przysięgnij na Boga, Ryan – powiedział mu Jay przy okazji wspólnego siedzenia na kanapie w jego chacie w Michigan i wspólnego łupania w gry wideo. – Mówię poważnie. Musisz przysiąc, że nikomu nie piśniesz słowa.

– Możesz mi zaufać – zapewnił Ryan. – Zresztą komu miałbym powiedzieć?

– Nieważne komu – odparł Jay. – To jest mega-super- -poważna impreza. I poważni ludzie być może się do niej przyłączą, jeśli rozumiesz, co mam na myśli.

– Jay – powiedział Ryan. – Rozumiem. Naprawdę.

– Mam nadzieję, koleś – odrzekł Jay i Ryan przytaknął z powagą, choć po prawdzie niewiele rozumiał z tych wszystkich projektów, w które obaj się angażowali.

Wiedział, że oczywiście to jest coś nielegalnego, że to jakiś przekręt, ale konkretnego celu już nie ogarniał. Jednego dnia robił za Matthew P. Blurtona, musiał wynająć samochód w Cleveland, pojechać do Milwaukee i zwrócić auto na lotnisku, potem z kolei musiał wsiąść do samolotu, legitymując się jako Kasimir Czernewski, lat dwadzieścia dwa, i polecieć do Detroit, a potem jeszcze za pomocą Internetu musiał przelać czterysta dolarów z konta bankowego Czernewskiego w Milwaukee na konto Fredericka Murraha, lat pięćdziesiąt, z okręgu miejskiego West Deer w Pensylwanii. Czy to po prostu była bardzo skomplikowana wersja gry w trzy karty, w ramach której jedna osoba podszywała się pod drugą, ta druga pod trzecią i tak dalej? Zakładał, że musi chodzić o jakiś zysk finansowy, ale jak dotąd nie widział na to żadnych dowodów. On i Jay mieszkali w małej chatce myśliwskiej, praktycznie zwykłej szopie, z mnóstwem nowoczesnego sprzętu komputerowego, ale cała reszta miała niewielką wartość, na ile się orientował.

A jednak Jay wydawał się taki poważny i pryncypialny. Miał proste włosy sięgające ramion, jak surfer, zdaniem Ryana, czarne z kilkoma przedwcześnie posiwiałymi pasmami, i do tego workowate łachy z wyprzedaży armijnych jak jakiś nastolatek na gigancie. Trudno go było sobie wyobrazić, jak porzuca wizerunek brata łaty, a tymczasem teraz zupełnie znienacka zrobił się zaskakująco zasadniczy.

– Przysięgnij na Boga, Ryan – wyrąbał Jay. – Mówię poważnie – dodał i Ryan skinął głową.

– Jay, weź mi zaufaj – powiedział. – No przecież mi ufasz, nie?

– Jasne, że ci ufam – odparł Jay. – Jesteś moim synem, no nie? – I potem obdarzył go szerokim uśmiechem, który wciąż oszałamiał Ryana czy wręcz zapierał mu dech w piersiach, mimo że tego nie chciał, bo to było tak, jakby prawie się zakochał czy coś – „Jesteś moim synem" i potem ten zdecydowany kontakt

wzrokowy, budzący niepokój i zarazem zadowolenie, i wtedy Ryan, czerwieniąc się, odparł coś w stylu:
– Tak, pewnie tak. Jestem twoim synem.

To była jedna z tych rzeczy, nad którą wciąż pracowali – jak rozmawiać o tych sprawach – i wszystko to było nadal bardzo żenujące, zaczynali o tym mówić i potem żaden z nich nie wiedział, co powiedzieć dalej, bo domagało się to specyficznego języka, który nie byłby ani zbyt analityczny, ani zbyt sentymentalny czy też krępujący.

Zasadniczy fakt był taki: Jay Kozelek był biologicznym ojcem Ryana, ale Ryan dowiedział się o tym dopiero teraz. Jeszcze kilka miesięcy wcześniej myślał, że Jay jest jego wujkiem. Młodszym bratem matki, z którym ta była skłócona.

Istnienie Ryana stanowiło rezultat typowych błędów parki smarkaczy: tak brzmiała krótka wersja. A konkretnie: dwoje szesnastolatków pojechało do kina, a potem zapomnieli się na tylnym siedzeniu samochodu. To się stało w Iowa; rodzina dziewczyny, czyli matki Ryana, była surowa, religijna i odrzucała aborcję, a z kolei starsza siostra Jaya, Stacey, chciała mieć dziecko, ale coś miała nie tak z jajnikami.

Jay zawsze uważał, że sprawę trzeba stawiać uczciwie, ale Stacey bynajmniej nie podzielała jego zdania. Była o dziesięć lat starsza od Jaya i niezależnie od wszystkiego nie miała o nim dobrego zdania – w kwestii jego morale, zapatrywań na życie, narkotyków i tak dalej.

„Na wszystko potrzeba czasu i miejsca", powiedziała Jayowi, kiedy Ryan był niemowlęciem.

A później jeszcze spytała: „Czemu to dla ciebie takie ważne, Jay? Dlaczego wszystko musi się zawsze kręcić wokół ciebie? Nie mógłbyś czasem pomyśleć o innych ludziach?"

„On jest szczęśliwy", oznajmiła Jayowi Stacey. „Ja jestem jego mamą, a Owen jest jego tatą i jest z tego powodu szczęśliwy".

Niedługo potem przestali rozmawiać. Jay miał jakieś kłopoty z prawem, pokłócili się i to wystarczyło. Prawie się o nim nie mówiło, kiedy Ryan dorastał – a jeśli już, to tylko w charakterze negatywnego przykładu. „Twój wujek Jay, ten recydywista". Ten menel. Nigdy nie posiadał niczego, czego nie dałby rady unieść na własnych plecach. Miał kontakt z narkotykami, kiedy był nastolatkiem, i to mu zniszczyło życie. Niech to będzie ostrzeżenie. Nikt nie wie, gdzie on się podziewa.

I tak oto Ryan nie poznał prawdy – że Stacey tak naprawdę jest jego ciotką, że rzadko widywany wujek Jay to jego „rodzony ojciec", że jego biologiczna matka popełniła samobójstwo, kiedy była na drugim roku studiów, wiele lat wcześniej, kiedy Ryan miał trzy lata i mieszkał w Council Bluffs, w stanie Iowa, ze swoimi rzekomymi rodzicami, Stacey i Owenem Schuylerami, a Jay podróżował z plecakiem po Ameryce Południowej...

Ryan nie miał o niczym pojęcia, dopóki sam nie poszedł na studia. Pewnego wieczoru Jay zadzwonił do niego i wszystko mu opowiedział.

Był na drugim roku studiów, tak jak w swoim czasie jego prawdziwa matka, i może właśnie dlatego spadło to na niego jak cios. Całe moje życie to kłamstwo, pomyślał, wiedząc, że to melodramatyczne, niedojrzałe, ale obudził się tamtego ranka po tym, jak Jay do niego zadzwonił, i odkrył, że jest w akademiku, w narożnym pokoju na trzecim piętrze Willard Hall, że jego współlokator, Walcott, śpi pod skłębioną kołdrą na wąskim łóżku pod oknem i że do środka wlewa się już szarówka.

Była może szósta trzydzieści, może siódma. Słońce jeszcze nie wzeszło i Ryan przewrócił się na drugi bok, twarzą do ściany, do chłodnego, starego gipsu z licznymi, cieniutkimi spękaniami w beżowej farbie, i zamknął oczy.

Nie spał dobrze po rozmowie z wujkiem Jayem. Ze swoim ojcem.

Na początku to zabrzmiało jak żart, ale potem Ryan pomyślał: Czemu on to robi, czemu on mi to mówi? – choć sam nie powiedział nic prócz jakichś: „Aha. Uhm. Super". Same monosylaby wypowiadane tonem idiotycznie uprzejmym i niezobowiązującym. „Doprawdy?"– spytał w którymś momencie.

– Tak sobie pomyślałem, że chyba powinieneś wiedzieć – powiedział Jay. – Znaczy się pewnie będzie lepiej, jeśli nic nie powiesz rodzicom, ale możesz podjąć własną decyzję. Ja tylko sobie pomyślałem, że to mi się nie podoba. Jesteś mężczyzną, jesteś dorosły, uważam, że masz prawo wiedzieć.

– Doceniam to – odparł Ryan.

Ale po tych iluś godzinach, w trakcie których to zasypiał, to się budził i z kilkaset razy przemiędlił wszystkie fakty w głowie, zupełnie nie miał pojęcia, co powinien zrobić z tą informacją. Siedział teraz na łóżku i gładził palcami brzeg koca. Wyobrażał sobie rodziców – tak zwanych „rodziców" – Stacey i Owena Schuylerów, jak śpią w domu w Council Bluffs, i wyobrażał sobie własny pokój, do którego się wchodziło z tego samego korytarza, książki, które wciąż stały na półkach, jego letnie ubrania, które wciąż wisiały w szafie, i swojego żółwia, Veronikę, siedzącego na kamieniu pod lampą grzewczą, wszystko razem jak muzeum jego dzieciństwa. Rodzice być może nawet nie uważali się za oszustów, może przez prawie cały ten czas w ogóle nie pamiętali, że stworzony przez nich świat jest z gruntu fałszywy.

Im więcej się nad tym zastanawiał, tym bardziej to wszystko wyglądało na fikcję. I nie chodziło tylko o jego fałszywą rodzinę, ale o „strukturę rodziny" w ogólności. Chodziło o samą tkankę społeczną przypominającą przedstawienie teatralne, w którym brali udział wszyscy bez wyjątku. Tak, rozumiał teraz, co miała na myśli jego nauczycielka historii, kiedy opowiadała o „konstruktach", „tkankach znaków", „lakunach". Kiedy tak siedział na łóżku, był świadom istnienia innych pokoi, szeregów i stosów pokoi, innych studentów, którzy wszyscy mieszkali tutaj i czekali, aż ich posortują, tak przetworzą, by mogli obejmować różne posady, i wepchną na ich indywidualne ścieżki. Zdawał sobie sprawę z istnienia tych wszystkich innych nastoletnich chłopaków, którzy kiedyś spali w tym właśnie pokoju, całymi dziesiątkami, bo ten akademik był jak wagon, który zapełniał się, pustoszał i znowu zapełniał, rok za rokiem, i na krótko Ryan wręcz byłby w stanie oderwać się od swojego ciała, wypaść z czasu i przyglądać się temu ich zunifikowanemu strumieniowi, kiedy tak wchodzili, a potem wychodzili, robiąc miejsce innym.

Wstał, zdjął swój ręcznik ze wspornika łóżka i stwierdził, że właściwie to mógłby się przejść do wspólnej łazienki, wziąć prysznic, bo wiedział, że powinien wziąć się w garść i pouczyć do testu z chemii, groziło mu D, w najlepszym razie C –, O Boże, pomyślał...

I być może to właśnie był ten moment, kiedy się uwolnił od swojego życia. Jego „życie" znienacka wydało się takie abstrakcyjne i marne.

Pierwotnie tylko wyszedł po kawę. Było już prawie wpół do ósmej, ale campus jeszcze nie zdążył się rozbudzić. Z chodnika słyszał studentów muzyki w ich przegrodach, gamy i ćwiczenia na rozgrzewkę mieszały się dysonansowo, klarnet, wiolonczela, trąbka, fagot oplatały się wokół siebie i wszystko razem brzmiało jak dobrze dopasowana ścieżka dźwiękowa, jak melodia, którą się słyszy w filmie, kiedy bohater lada chwila ma doznać załamania nerwowego i w udręce ściska czoło.

Nie ścisnął sobie czoła w udręce, ale po raz kolejny pomyślał: Całe moje życie to kłamstwo!

Istniało wiele rzeczy, do których cała sytuacja wprowadzała zamęt, wiele rzeczy, które rodziły gniew i wrażenie, że go zdradzono, a jednak z jakiegoś powodu Ryan najbardziej intensywnie myślał o swojej biologicznej matce i jej śmierci. Boże! Samobójstwo. Ona się zabiła! Czuł, jak zalewa go tragizm tej historii, mimo że to wszystko należało już do przeszłości. A jednak wściekał się na myśl, że Stacey i Owen mieli gdzieś to, czy on wie czy nie. Że się o tym dowiedzieli i tylko cmokali z dezaprobatą, podczas gdy on prawdopodobnie był wtedy w salonie, przed telewizorem, trzylatek oglądający jakiś banalny program edukacyjny, a oni być może kręcili głowami i myśleli o tym, jaką to wyświadczyli mu przysługę, że wychowali go jak własnego syna, że włożyli tyle pieniędzy i wysiłku w przeobrażenie go w dziecko, które mogło zdobyć stypendium na Uniwersytecie Northwestern, w kogoś, kto będzie w stanie zająć miejsce na najwyższym szczeblu, że tak ciężko pracowali, żeby go ukształtować. Nic jednak nie wskazywało na to, że kiedykolwiek się zastanawiali, czy nie wyjawić mu prawdy o jego prawdziwych rodzicach; żadnych wskazówek, że do nich dotarło, że to ważne; żadnego poczucia, że rozumieli, jak bardzo wprowadzili go w błąd.

Może to było melodramatyczne, a jednak czuł, jak to mu się przesącza do wnętrza przez sam środek żołądka, rozdygotanie towarzyszące uwalnianiu się adrenaliny. Po części wiązało się to również z wiszącym nad nim testem z chemii, który miał oblać, a po części z faktem, że był to jeden z tych zimnych, metalicznych październikowych poranków, bardzo wietrzny, i po Clark Street przemykały chmary liści niczym stada lemingów tratowane raz po raz przez rozpędzone samochody. Ten widok nasunął mu na myśl termin poznany podczas zajęć z psychologii. „Stan fugi". Może tak należało nazwać połączenie źle brzmiących arpeggio z konserwatorium i liści na ulicy. „Fuga". Dysocjacyjne zaburzenie nerwicowe, któremu towarzyszą nagłe, nieoczekiwane ucieczki z domu albo z miejsca pracy, a także niemożność przypomnienia sobie własnej przeszłości, niepewność co do własnej tożsamości, względnie przeświadczenie, że się posiadło nową tożsamość. I do tego spory stres albo osłabienie.

To faktycznie brzmiało interesująco, bardzo atrakcyjnie pod

pewnymi względami, niemniej przypuszczał, że jeśli ktoś uznał, że się znalazł w stanie fugi, w takim razie to nie był prawdziwy stan fugi.

Groziło mu także oblanie psychologii.

I były jeszcze kwestie przywłaszczenia sobie pieniędzy, niespłaconego kredytu studenckiego, a także list od dziekana: ZADŁUŻENIE. ŻĄDANIE ZAPŁATY. Byłoby bardzo trudno wyjaśnić rodzicom, co zrobił z tymi pieniędzmi, jak mu się udało zapomnieć o zapłaceniu czesnego i dlaczego przeputał tę pożyczoną kasę na ciuchy, na płyty CD i kolację w meksykańskiej knajpie przy Foster Avenue. Jak to się stało? Nawet nie umiał powiedzieć.

I tak oto jechał wypożyczonym chevroletem aveo przez pociemniały korytarz Międzystanowej 80 pod koniec stycznia i rozmyślał o tym, że mógłby napisać piosenkę o samotnej jeździe autostradą i że nikt nie zna mojego imienia, jestem tak daleko od ciebie czy coś w tym stylu. Tylko nie tak tandetnie.

Droga mamo i drogi tato, zdaję sobie sprawę, że wybory, których dokonywałem ostatnio, nie bardzo uwzględniały Wasze uczucia, i dlatego przepraszam za ból, jakiego Wam przysporzyłem. Wiem, że należało skontaktować się z Wami wcześniej. Wiem, że na tym etapie jest już we wszystko zaangażowana policja, że prawdopodobnie uznano mnie za „zaginionego", ale chcę, żebyście wiedzieli, że nie miałem zamiaru wprowadzać zamieszania i smutku do Waszego życia. A jednak to zrobiłem.

Obecnie mieszkam w motelu w -----------, na ścianie w biurze kierownika wisi napis odbity na ksero, jedna z tych mądrości, które ludzie z jakiegoś niejasnego powodu lubią wieszać nad komputerami czy gdzieś.

Oto treść tego napisu:

To nie okoliczności życia,
Wydarzenia życia
Ani też ludzie, którzy mnie w życiu otaczają,
Uczyniły mnie takim, jaki jestem.
One tylko pokazują to, jaki jestem.

I tak sobie myślę, mamo, że Tobie to powiedzonko bardzo by się spodobało, że właśnie coś takiego mogłabyś mi powiedzieć, słysząc moje wymówki. Wyobrażam sobie, że pokazałem Wam znienacka, kim jestem, i że była to dla Was nieprzyjemna niespodzianka. Nie jestem tym synem, o którym marzyliście, kiedy braliście mnie jako niemowlę, wychowywaliście jak własne dziecko i próbowaliście ze mnie zrobić dobrego człowieka. Ale chyba jestem kimś innym. Jeszcze nie wiem kim, ale...

Ale oto zameldował się w motelu, bo miał raz obciążyć rachunkiem za nocleg MasterCard Matthew P. Blurtona, a poza tym Holiday Inn zapewniał darmowy, bezprzewodowy Internet: miał sprawdzić pocztę Matthew P. Blurtona, a potem zalogować się na Instant Messenger i sprawdzić, czy Jay przypadkiem nie próbuje się z nim skontaktować.

Miał również komórkę Matthew P. Blurtona, ale Jay był ostrożny z komórkami i dlatego pod żadnym pozorem nie wolno mu było dzwonić do Jaya, nie wolno mu było dzwonić do domu.

Stale się bał, że matka go wytropi. Całymi latami twierdziła, że nie ma pojęcia, gdzie Jay się podziewa, ale gdyby jej syn zaginął, tak naprawdę zaginął, to czyby się nie załamała i nie próbowała namierzyć Jaya? Czy nie uznałaby, że Jay – prawdziwy ojciec Ryana – ma prawo wiedzieć? Przez większość tych miesięcy, podczas których mieszkał z Jayem w jego chacie w lasach Michigan, sypiając na kanapie i udając się na „misje", bo tak Jay nazywał to, co robili z kartami kredytowymi, numerami ubezpieczenia i rozmaitymi wykazami z Internetu, wydawało się, że to wszystko jest jak najbardziej słuszne, a jednak Ryan czasami wyobrażał sobie Stacey i Owena w Council Bluffs.

Siedzieli przy kuchennym stole, wbijali zęby widelców w zapiekanki Stacey, podnosili widelce do ust. Zawsze zaliczali się do tych rodzin, które milczą przy kolacji, mimo że Stacey przez cały czas, kiedy Ryan chodził do liceum, upierała się, że muszą jadać razem, jakby to ich w jakiś sposób do siebie zbliżało, że tak siedzą przy jednym stole i zgodnie pakują jedzenie do ust, dopóki Ryan nie odsuwał wyczyszczonego talerza i nie pytał: „Tato, czy mogę wstać?"

Jest jej teraz smutno? – zastanawiał się Ryan. Zamartwia się, boi, popłakuje? Czy raczej się wścieka?

Był taki okres w liceum, kiedy mu odbiło, kiedy związał się z dziewczyną, którą Stacey uważała za „nieodpowiednią", kiedy wagarował, dużo kłamał i miał różne tajemnice; działała wtedy z lodowatą prędkością, na przykład posłała go do leśnej głuszy w ramach programu edukacyjnego dla zbuntowanych nastolatków, spakowała go w samym środku nocy w jedną płócienną torbę, gdy tymczasem pod drzwiami stali ci ludzie, „wychowawcy", żeby pospiesznie wsadzić go do furgonetki i zawieźć na dwutygodniową sesję dyscyplinującego, samopomocowego prania mózgu.

O tym też sobie przypomniał. Potrafił sobie wyobrazić stanowczość matki, jej gniew, jak wysyła posłańców, żeby go namierzyli i sprowadzili z powrotem do tego życia, z którego uciekł.

Usiadł przy biurku w swoim pokoju w Holiday Inn i otworzył laptopa. Prawdopodobnie nie było sensu rozwodzić się nad takimi rzeczami, niemniej ni stąd, ni zowąd wpisał swoje nazwisko do wyszukiwarki i jeszcze raz przejrzał stare artykuły i inne takie. Na przykład:

Żadnych postępów w sprawie zaginionego studenta college'u

CHICAGO – Policja w Chicago utknęła w martwym punkcie w sprawie studenta Uniwersytetu Northwestern, który zniknął bez śladu wczesnym rankiem 20 października. Na podstawie informacji od anonimowego informatora nurkowie przeszukali zimne wody jeziora Michigan w pobliżu campusu, ale niczego nie znaleźli. Sierżant Rizzo oświadczył, że śledztwo utknęło w martwym punkcie i że sprawa jak dotąd się nie rozwija.

Co nie tylko wzbudziło w nim poczucie winy, ale również go rozczarowało. Gliniarze najwyraźniej nie byli najlepsi w swoim fachu. „Bez śladu!" Chryste! Przecież nie zmienił wyglądu. Nikt mu nie włożył jutowego worka na głowę i nie wywiózł w siną dal furgonetką czy czymś tam. Wyszedł z campusu, pojechał kolejką na dworzec autobusowy i z pewnością mnóstwo ludzi go widziało tamtego dnia. Czy oni są naprawdę tacy tępi? Jest aż taki nijaki?

Niepokoił go także wątek samobójczy – jak szybko zagnali nurków do jeziora! Sprawka Stacey, uznał. Wiedziała, że jego biologiczna matka była samobójczynią, więc wniosek był prosty: od razu sobie o tym pomyślała.

To jej musiało chodzić po głowie od dłuższego czasu. Za każdym razem, kiedy rozmawiał z nią przez telefon, pytała, jak on się czuje, dlaczego jest taki cichy, czy coś się stało, i teraz widział, że cały czas łączyła jedno z drugim.

Komputer brzdęknął, sygnalizując, że ktoś się zalogował do Instant Messenger, więc Ryan spojrzał na ekran, bo mniej więcej w tym czasie Jay miał się z nim skontaktować – zawsze kiedy wybierał się na jedną ze swych wypraw, odbywali krótką rozmowę za pośrednictwem IM, żeby z grubsza omówić sprawy, ale kiedy otworzył okienko komunikatora, zobaczył tylko bełkot.

Czy raczej ktoś coś do niego napisał, ale zastosował litery, jak się domyślał, należące do cyrylicy. Jakiś Rosjanin?

490490: Раскрытие способностей к телекинезу с помощъью гипноза... данном разделе Вашему вниманию предлагается фрагменты видеозаписей демонстраций парапсихологических явлений.

Przyjrzał się uważnie rzędom czcionek. Jay miał jakiś problem z komputerem? Czy to niezrozumiały kawał Jaya? Po chwili wystukał:

BLURTON: A może tak spróbujesz po angielsku, koleś?

Kursor migotał. Zaczerpywał tchu. A potem:

490490: Господин Ж??? J???

Ale odjazd, pomyślał.

BLURTON: Jay?

Żadnej odpowiedzi. 490490 zamilkł, choć to milczenie sprawiało wrażenie czujnego, przez martwotę pokoju motelowego, zasunięte zasłony i kamienną twarz telewizora wpatrzoną w łóżko, daleki szum półciężarówek przejeżdżających po międzystanowej. Przyszło mu na myśl, że chyba powinien się wylogować.
Ale w tym momencie 490490 znowu zaczął pisać.

490490: Pan J. Pan J. się odnalazł. Jak miło. Widzę, gdzie pan jest.

8

Lucy się obudziła i była sama w łóżku. Po śpiącym George'u Orsonie pozostała tylko skotłowana przestrzeń, poduszka z wgnieceniem, odsunięta kołdra i Lucy usiadła, przytłoczona przez wnętrze pokoju. Słońce utworzyło brzeżek dookoła zasłon, zobaczyła czujne drzwi szafy, mroczny, srogi zarys toaletki i jakieś szare refleksy, ruchy w owalnym lustrze, ale po chwili się zorientowała, że to przecież ona sama, samotna w łóżku.
– George?

Minął prawie tydzień i wciąż mieszkali w tym starym domu w Nebrasce i Lucy już się trochę denerwowała, mimo że George Orson starał się ją uspokoić.
– Nie ma się czym przejmować – powiedział. – Jest jeszcze tylko kilka spraw, które wymagają uporządkowania...
Nic więcej jednak nie wyjaśnił. Od samego przyjazdu dawkował jej siebie. Zamykał się na długie godziny w pokoju na dole, który nazywał „gabinetem". Raz uklękła przed zamkniętymi na zamek drzwiami, przystawiła oko do dziurki od klucza pod gałką z ciętego szkła i zobaczyła go przez tę *camera obscura*: siedział za wielkim biurkiem, zgarbiony nad laptopem, z twarzą ukrytą za ekranem.
I naturalnie przyszło jej do głowy, że z ich planem coś nie wyszło.
Czegokolwiek dotyczył ten „plan".
Co do którego Lucy nie miała żadnej pewności.

Odsunęła zasłony, do środka wlało się światło i jakby zrobiło się lepiej. W powietrzu unosiła się ziemista woń piwnicy, szczególnie zauważalna rano, kiedy Lucy się budziła z posmakiem czegoś jakby podziemnego w ustach, z posmakiem przegniłej tkaniny, ale okna nie chciały się otworzyć, bo ktoś zamalował je farbą i było oczywiste, że ten dom od dawna kisił się w kurzu.

– Zamówiłem eksterminatora, nie martw się – powiedział jej George Orson – i raz na kilka miesięcy przychodzi sprzątaczka. Ten dom ani na moment nie został opuszczony – dodał trochę zaczepnie, ale Lucy chciała tylko wiedzieć, ile czasu minęło, odkąd w tym domu naprawdę ktoś mieszkał, ile czasu minęło od śmierci matki George'a Orsona?

Zastanowił się z niechęcią.

– Nie wiem – odparł. – Z osiem lat?

Nie rozumiała, dlaczego on się tak zachowuje, jakby nawet tak trywialne pytanie stanowiło brutalną ingerencję w jego prywatność.

Niemniej wiele ich rozmów ostatnimi czasy tak wyglądało; Lucy stała przy oknie w za dużym T-shircie i majtkach, wyglądając na żwirowaną drogę wiodącą do garażu za domem i wieży latarni morskiej, na dziedziniec przed pokojami tworzącymi motel i dwupasmową, asfaltową szosę, która wiła się zakolami, łącząc ostatecznie z autostradą międzystanową.

– George? – powiedziała głośniej.

Podreptała boso przez korytarz, po czym zeszła do kuchni i tam też go nie było, ale zauważyła, że umył swoją miseczkę i łyżkę po płatkach, a potem ułożył schludnie na suszarce.

I dlatego wyszła z kuchni, przeszła przez pokój jadalny do „gabinetu"...

„Gabinet". Dla Lucy to słowo brzmiało z brytyjska, pretensjonalnie, jak ze starego kryminału.

Gabinet. Pokój bilardowy. Oranżeria. Sala balowa.

Ale tam też go nie znalazła.

Drzwi były otwarte, w oknach wisiały story, na podłodze leżały dywany i był jeszcze mosiężny kandelabr udekorowany dyndającymi łzami ze szkła.

– Tak moja matka pojmowała elegancję – powiedział George Orson, kiedy po raz pierwszy pokazał jej ten pokój, a ona rejestrowała to wszystko z rękoma skrzyżowanymi na piersi. Domyślała się, że elegancja w wydaniu jego matki nie była prawdziwą elegancją, aczkolwiek na niej skądinąd wywarła spore wrażenie. Piękny, orientalny dywan, tapeta ze złotkiem, ciężkie drewniane meble, półki pełne książek – nie śmieciowych broszur, tylko prawdziwych książek w twardych okładkach, z płóciennymi grzbietami i grubymi kartkami, od których biło intensywną, drzewną wonią.

Czy istniały jakieś rozróżnienia, zastanawiała się, jakaś subtelna definicja dobrego gustu albo pochodzenia, dzięki której nazwanie pokoju „gabinetem" było okay, ale nie okay było mieć lampę nazywającą się „kandelabr"?

Było jeszcze wiele rzeczy, których musiała się nauczyć, jeśli chodzi o warstwy społeczne, powiedział jej George Orson, bo studenckie czasy na Yale wyczuliły go na takie rzeczy.

W takim razie co o niej mówiło to, że jej własne doświadczenia z kandelabrami, studiami i tak dalej były tak ograniczone? Sama wywodziła się z bardzo, bardzo długiej linii ubogich prostaków, irlandzkich, polskich i włoskich chłopów – całych pokoleń zer.

Jej rodzinę dawało się narysować w dwóch wymiarach, niczym bohaterów kreskówki. Ojciec: uprzejmy hydraulik z piwnym brzuchem, nudny mały człowieczek o owłosionych rękach i łysej głowie. Matka: natapirowana i bezduszna, pijąca kawę przy kuchennym stole przed wyjściem do pracy w szpitalu, pielęgniarka, zwyczajna licencjonowana pielęgniarka po kursach zawodowych. Siostra: prostacka i korpulentna jak ojciec, sumiennie zmywająca naczynia albo składająca pranie, która nie narzekała, kiedy Lucy, nadęta i rozleniwiona, wylegiwała się na kanapie i czytała powieści autorstwa najmodniejszych młodych pisarek, starając się stwarzać wokół siebie aurę intelektualnego poirytowania...

Chcąc nie chcąc, rozmyślała o tej swojej utraconej kreskówkowej rodzinie, kiedy rozglądała się po pustym gabinecie. O swym dawnym życiu byle kogo, które porzuciła, żeby zdobyć to nowe.

W gabinecie stało stare dębowe biurko z sześcioma szufladami z każdej strony, wszystkimi bez wyjątku pozamykanymi na zamki. I szafka na akta, też zamknięta. I jeszcze był laptop George'a Orsona, zabezpieczony hasłem. I sejf w ścianie, ukryty za oprawionym w ramy portretem dziadków George'a Orsona.

– Dziadek i babcia Orsonowie – powiedział George Orson, odnosząc się do tej ponurej pary, z bladymi twarzami, ubranej na ciemno, przy czym kobieta miała jedno oko jasne, a drugie ciemne. – To się nazywa heterochromia – wyjaśnił. – Bardzo rzadkie zjawisko. Jedno oko niebieskie, drugie brązowe. To prawdopodobnie dziedziczne, ale babcia zawsze powtarzała, że tak jej się zrobiło, bo brat ją uderzył, kiedy była mała.

– Hmmm – tak zareagowała wtedy Lucy, a teraz, sama w tym pokoju, jeszcze raz przyjrzała się fotografii, odnotowując heterochromatyczne spojrzenie, jakim kobieta obdarzyła fotografa. Dogłębnie nieszczęśliwe, niemalże błagalne.

A potem odsunęła zasuwkę, tak jak ją nauczył George Orson, i stara fotografia odsunęła się od ściany jak drzwi szafki, odsłaniając wnękę, w której mieścił się sejf.

– No – powiedziała Lucy, kiedy zobaczyła go po raz pierwszy. Sejf wydawał się dość stary, miał taki owalny mechanizm do nastawiania szyfru podobny do pokręteł w staroświeckich radioodbiornikach. – Otworzysz go? – spytała, a George Orson zaśmiał się nieco niepewnie.

– Szczerze mówiąc, nie potrafię – odrzekł.

Ich spojrzenia się spotkały; nie była do końca pewna, jak ma rozumieć jego wyraz twarzy.

– Nie doszedłem, jaka to kombinacja – wyjaśnił. A potem wzruszył ramionami. – Tak czy siak, jestem pewien, że nic tam nie ma.

– Jesteś pewien, że nic tam nie ma – powtórzyła.

I popatrzyła na niego, a on wytrzymał jej spojrzenie i to była jedna z tych chwil, kiedy jego oczy pytały: Nie ufasz mi? A wtedy jej oczy odpowiadały: Właśnie się zastanawiam.

– W każdym razie... – powiedział George Orson. – Mocno wątpię, czy jest pełen złotych dublonów i klejnotów. – I tu obdarzył ją swoim uśmiechem z dołeczkami. – Jestem przekonany, że kombinacja objawi się gdzieś wśród tych dokumentów – dodał i dotknął jej nogi czubkiem palca wskazującego, figlarnym gestem, jakby to miało przynieść szczęście. – Jeśli znajdziemy klucz do szafki na dokumenty.

Teraz jednak, kiedy Lucy tak stała w gabinecie, nie potrafiła się powstrzymać i musiała jeszcze raz obejrzeć sejf. Nie potrafiła się powstrzymać, musiała wyciągnąć rękę i sprawdzić rączkę z mosiądzu i kości słoniowej, żeby tylko się upewnić, że owszem, sejf wciąż jest zamknięty, zawarty na głucho, nie do spenetrowania.

Co nic znaczy, że okradłaby George'a Orsona. Że miała obsesję na punkcie pieniędzy...

Ale musiała przyznać, że to jest powód do zmartwień. Musiała przyznać, że nie mogła się doczekać, kiedy wreszcie wyjedzie z Pompey w Ohio i będzie bogata razem z George'em Orsonem. I że prawdopodobnie właśnie na tym polegała część uroku tej przygody.

We wrześniu, kiedy zaczęła drugą klasę liceum, dwa miesiące po śmierci rodziców, była tylko cierpiącą na depresję uczennicą, która chodziła na nadprogramowe lekcje z historii amerykańskiej prowadzone przez George'a Orsona.

Był nowym nauczycielem, nową osobą w ich miasteczku, i już podczas pierwszych lekcji rzucało się w oczy, że to facet na poziomie, bo te czarne ciuchy, ten niesamowity zwyczaj nawiązywania kontaktu wzrokowego z ludźmi i jeszcze te zielone oczy, i to, że uśmiechał się do nich w taki sposób, jakby wspólnie robili coś zakazanego.

– Historia amerykańska, ta historia, której uczyliście się do tej pory, jest pełna kłamstw – powiedział im George Orson i zawiesił głos przy słowie „kłamstwa", jakby rozkoszował się jego smakiem. Lucy zgadywała, że on pewnie pochodzi z Nowego Jorku, z Chicago czy z innego podobnego miejsca i że nie pobędzie u nich długo, ale i tak bardziej uważała na tych lekcjach, niż pierwotnie myślała.

A później któregoś dnia podsłuchała chłopaków, którzy rozmawiali o samochodzie George'a Orsona. Sama zauważyła to maserati spyder, małe, srebrne, z otwieranym dachem, prawie jak zabawka, bo mieściły się w nim tylko dwie osoby.

– Przyjrzeliście mu się? – dosłyszała, jak mówił jeden z chłopaków, Todd Zilka, którego nie cierpiała. Był wielkim, atletycznie zbudowanym facetem, który trenował futbol, a oprócz tego miał ojca prawnika i w szkole radził sobie na tyle dobrze, że przyjęli go do Ogólnokrajowego Stowarzyszenia Wybitnych Uczniów, który to fakt sprawił, że Lucy przestała chodzić na ich zebrania. Gdyby była bardziej odważna, toby zrezygnowała, wyrzekłaby się członkostwa. To właśnie Todd Zilka zaczął ją w gimnazjum przezywać wszawą Lucy, co samo w sobie nie byłoby aż takim wielkim halo, gdyby nie to, że ona i jej siostra naprawdę nabawiły się wszawicy i zostały ku ich wielkiemu zawstydzeniu relegowane ze szkoły, dopóki nie uporają się z tą zarazą, i potem jeszcze przez wiele lat ludzie wciąż przezywali ją wszawą Lucy; niewykluczone, że to będzie jedyna rzecz, jaką w związku z nią sobie przypomną podczas szkolnego zjazdu absolwentów dwadzieścia lat później.

„Toddzilla", tak Lucy nazywała Todda Zilkę na swój prywatny użytek, bo nie dysponowała aż takimi wpływami, żeby to przezwisko do niego przylgnęło.

To, że taka kreatura jak Toddzilla mogła prosperować i stać się powszechnie lubianą osobą, było jednym z dobrych powodów, żeby na zawsze wyjechać z Pompey w Ohio.

Niemniej przysłuchiwała się ukradkiem, kiedy wypluwał z siebie te durne opinie na użytek swoich durnych kumpli.

– No bo chciałbym wiedzieć – mówił – skąd jakiś dziadowaty belfer wytrzasnął kasę na taki samochód. Wiecie, że to import z Włoch? Pewnie kosztował z siedemdziesiąt kawałków!

I to jej dało do myślenia. Siedemdziesiąt tysięcy dolarów stanowiło kwotę, która robiła wrażenie. Jeszcze raz pomyślała o George'u Orsonie stojącym pod tablicą, jak w opiętej, czarnej koszuli opowiadał o tym, że Woodrow Wilson wierzył w supremację białych, albo cytował Anaïs Nin: „Widzimy rzeczy nie takimi, jakie są, lecz takimi, jacy sami jesteśmy. Bo aktu widzenia dokonuje «ja» ukryte za «okiem»".

A potem któregoś popołudnia, niedługo później, Toddzilla podniósł rękę i George Orson zachęcił go gestem, jakby zaraz mieli wdać się w dyskusję na temat konstytucji.

– Tak...? Yyy... Todd? – powiedział George Orson i Toddzilla uśmiechnął się szeroko, ukazując wielkie, ukształtowane przez ortodontę zęby.

– No bo ja, panie O... – powiedział Todzilla, który zaliczał się do tych nastoletnich jajcarzy, którzy uważali, że fajnie jest zwracać się do nauczycieli i innych dorosłych wyświechtanymi, „jajcarskimi" przezwiskami. – No bo ja, panie O. – kontynuował Toddzilla – chciałbym wiedzieć, skąd pan wziął ten swój samochód? Jest zajebisty.

– Aaa – odparł George Orson. – Dziękuję.

– Co to za marka? Maserati?

– Owszem. – George Orson popatrzył na pozostałych uczniów i Lucy się wydało, że przez ułamek sekundy ona i on patrzyli wprost na siebie, że połączył ich jakiś sakrament, że milcząco się zgodzili, że Toddzilla to prymityw. A potem George Orson przeniósł uwagę na swoje biurko, na plan zajęć czy coś tam.

– No to dlaczego został pan nauczycielem, skoro stać pana na taki samochód? – ciągnął swoje Toddzilla.

– Jak to powiedzieć... Ucząc w szkole, chyba się spełniam – odparł George Orson. Z kamienną twarzą.

Spojrzał jeszcze raz na Lucy, przy czym kąciki jego ust uniosły się tak wysoko, że w policzkach porobiły mu się dołeczki. Towarzyszyła temu jakaś drapieżność, błysk tajemnego rozweselenia, co być może dostrzegła tylko ona. Uśmiechnęła się. On jest zabawny, pomyślała. Interesujący.

Ale Toddowi to się nie spodobało. Później, w sali lekcyjnej i w stołówce, usłyszała, jak powtarzał to samo pytanie krytycznym tonem:

– Jak to możliwe, że uczy w liceum i stać go na taką brykę? – chciał wiedzieć Toddzilla. – Spełniam się? Chyba na dydku. Moim zdaniem to jakiś bogaty zbokol czy ktoś w tym stylu. Zwyczajnie lubi się kleić do nastolatków.

Hmmm, pomyślała wtedy, bodajże po raz pierwszy. Ją też zaintrygował pomysł, że George Orson mógłby być bogaty. Zaintrygował tak samo jak jego delikatne, a przy tym męskie, żylaste dłonie.

Wyjechali z Pompey tym maserati i może to był powód, dla którego czuła się taka pewna siebie. Uważała, że dobrze wygląda w tym samochodzie, ludzie gapili się na nich, kiedy mknęli międzystanową, jakiś facet w SUV-ie przyglądał się jej, kiedy go mijali, i ostentacyjnie do niej mrugał, jak aktor z niemego filmu albo jakiś mim. Puszczał do niej oko. A ona ze swej strony ostentacyjnie nie zwróciła na niego uwagi, mimo że przecież kupiła sobie nawet jaskrawoczerwoną szminkę, niby tak dla żartu, ale kiedy przyjrzała się sobie w bocznym lusterku, była wewnętrznie zadowolona z efektu.

Kim byś była, gdybyś nie była Lucy?

To pytanie często przerabiali, kiedy George Orson nie odcinał się od niej w „gabinecie".

Kim byś była?

Któregoś dnia George Orson znalazł w garażu stary łuk i strzały i poszli razem na plażę, żeby spróbować postrzelać. Nie potrafił znaleźć prawdziwej tarczy, więc spędził sporo czasu na ustawianiu różnych przedmiotów, do których Lucy mogła celować. Piramida z puszek po napojach, na przykład. Stara piłka plażowa, która dała się nadmuchać tylko w połowie. Duże kartonowe pudło, na którym wyrysował koła czarnym markerem.

I kiedy Lucy nakładała strzałę na cięciwę i z napiętym łukiem starała się namierzyć cel, George Orson zadawał jej pytania:

– Wolałabyś być nielubianym dyktatorem czy raczej popularnym prezydentem?

– To łatwe – odparła Lucy.

– Wolałabyś być biedna i mieszkać w jakimś pięknym miejscu czy raczej być bogata i mieszkać w brzydkim miejscu?

– Moim zdaniem biedni ludzie nie mieszkają w pięknych miejscach – odparowała.

– Wolałabyś utonąć, zamarznąć na śmierć czy raczej zginąć w pożarze?

– George, skąd u ciebie te makabryczne pomysły? – spytała.

A wtedy on uśmiechnął się półgębkiem.

– Chciałabyś iść na studia nawet wtedy, gdybyś miała tyle pieniędzy, że nigdy nie musiałabyś się starać o pracę? Pytam o to – kontynuował George Orson – czy chcesz iść na studia, bo chcesz być wykształconą osobą, czy raczej wybierasz się na studia, bo chcesz zrobić karierę?

– Hmmm – mruknęła Lucy i próbowała wycelować w piłkę plażową, która zataczała się jak pijak na wietrze. – Chyba raczej chcę być wykształconą osobą. Ale pewnie wybrałabym inny kierunek, gdybym miała tyle pieniędzy, że nigdy nie musiałabym pracować. Coś mało praktycznego.

– Rozumiem – odparł George Orson. Stanął za nią i próbował jej pomóc wycelować, a ona czuła dotyk jego klatki piersiowej na swoich plecach. – Czyli na przykład co? – spytał.

– Na przykład historię – powiedziała i uśmiechnęła się do niego z ukosa, jednocześnie uwalniając strzałę, która pomknęła chwiejnym, niepewnym łukiem i wylądowała na piasku w odległości mniej więcej stopy od piłki plażowej.

– Jesteś blisko! – szepnął George Orson, wciąż się do niej przyciskając, obejmując ją ręką w pasie, wodząc ustami po jej uchu. Czuła jego wargi, które muskały ją lekko jak ptasie skrzydła. – Bardzo blisko – dodał.

Znowu jej się to przypomniało, kiedy wyszła na zewnątrz w T-shircie do spania, z włosami przypłaszczonymi z boku głowy, kompletnie nie mając w sobie nic pociągającego.

– George? – zawołała jeszcze raz.

I podreptała boso w stronę garażu, stawiając ostrożnie stopy na żwirowanym podjeździe. Była to drewniana, podobna do szopy konstrukcja ze wszystkich stron obrośnięta wysokimi chwastami, a kiedy Lucy podeszła bliżej, spłoszyła stadko pasikoników. Ich suche skrzydełka wydawały dźwięk jak grzechotniki; ściągnęła włosy w koński ogon i trzymała teraz w zaciśniętej dłoni.

Odkąd tu przyjechali, ani razu nie wsiedli do maserati.

– Za bardzo rzuca się w oczy – wytłumaczył George Orson. – Nie ma sensu, żebyśmy ściągali na siebie uwagę – powiedział, a kiedy następnego dnia Lucy się obudziła, jego już nie było w łóżku, w domu też go nie było i znalazła go dopiero w garażu. Stały tam dwa samochody. Maserati po lewej stronie, zakryte oliwkową plandeką, a po prawej stary, czerwono-biały pick-up ford bronco, pewnie z lat siedemdziesiątych albo osiemdziesiątych. Maska pick-upa była podniesiona i George Orson nachylał się do środka.

Był ubrany w stary kombinezon mechanika i Lucy omal nie parsknęła głośnym śmiechem. Nie potrafiła sobie wyobrazić, skąd on wziął taki strój.

– George – powiedziała. – Wszędzie cię szukałam. Co ty robisz?

– Naprawiam ciężarówkę – odparł.

– Aha.

I mimo że zasadniczo wciąż był sobą, to jednak wyglądał – no właśnie jak? – jak przebieraniec w tym brudnym kombinezonie, z nieuczesanymi, sterczącymi włosami, z palcami czarnymi od smaru, i na ten widok coś ją zabolało.

– Nie wiedziałam, że potrafisz naprawiać samochody – powiedziała Lucy, a George Orson obdarzył ją przeciągłym spojrzeniem, smutnym, uznała, jakby przypomniał mu się jakiś błąd, który popełnił w zamierzchłej przeszłości.

– Prawdopodobnie jest mnóstwo rzeczy, których o mnie nie wiesz – odparł.

Co dało jej do myślenia teraz, kiedy zawahała się przed wejściem do garażu.

Ciężarówka zniknęła, a ją przeszył dreszcz niepokoju, kiedy tak gapiła się na gołą, cementową posadzkę, na plamę oleju w kurzu, gdzie przedtem stał stary bronco.

Wyjechał – zostawił ją samą – zostawił ją...

Maserati jeszcze tam stało, wciąż nakryte plandeką. Czyli nie została porzucona aż tak zupełnie.

Ale z kolei wiedziała, że przecież nie ma kluczyków do wozu. A nawet gdyby je miała, to i tak nie potrafiłaby się posłużyć ręczną skrzynią biegów.

Wałkowała to w głowie, omiatając wzrokiem półki: puszki z olejem, butelki z płynem do wycieraczek barwy nuklearnego błękitu, słoiki wypełnione śrubkami, nakrętkami, gwoździami i uszczelkami.

Nebraska okazała się jeszcze gorsza niż Ohio, jeśli to w ogóle było możliwe. Panowała tu jakaś dziwna głuchota, mimo że szyby w oknach potrafiły brzęczeć na wietrze, który sunął długimi wionięciami po chwastach, pyle i wyschniętym dnie jeziora, i mimo że od czasu do czasu nad domem nieoczekiwanie rozlegał się alarmujący akustyczny łoskot, bo jakiś wojskowy samolot przebijał barierę dźwięku, i jeszcze było to grzechotanie pasikoników przeskakujących z jednego badyla na drugi...

Przeważnie jednak nad wszystkim zalegała cisza, martwota końca świata, i człowiekowi się wydawało, że znalazł się w samym środku kuli ze sztucznym śniegiem, tyle że zamiast szkła otacza go szczelnie niebo.

Lucy wciąż jeszcze była w garażu, kiedy wrócił George Orson. Odsunęła plandekę z maserati, usiadła za kierownicą i dalej żałowała, że nie wie, jak uruchomić samochód bez kluczyków. Trudno o lepszy numer, pomyślała, gdyby George wrócił i stwierdził, że jego ukochane maserati zniknęło, bo to mu się należy, i z zadowoleniem wyobrażała sobie jego minę, gdyby wjeżdżała z powrotem na podjazd, już dobrze po zmroku...

Wciąż snuła swoje wizje na ten temat, kiedy George Orson wjechał starym bronco w pustą przestrzeń obok niej. Wydawał się zdziwiony, kiedy otworzył drzwi – dlaczego maserati miało zdjętą plandekę? – ale kiedy zobaczył, że ona siedzi w środku, jego mina przeobraziła się w satysfakcjonujący wyraz panicznego strachu.

– Lucy? – spytał.

Miał na sobie dżinsy i czarny T-shirt, bardzo nieciekawy – jego wersja tubylczego stroju – i Lucy z niechęcią przyznała, że ani trochę nie wyglądał na kogoś bogatego. Nie wyglądał nawet jak nauczyciel, z nieogoloną twarzą, z za długimi włosami, ze szczękami zwartymi z podejrzliwości; w rzeczy samej dałoby się o nim powiedzieć, że wygląda jak ktoś groźny i w średnim wieku. Przelotnie przypomniał jej się ojciec jej przyjaciółki Kayleigh, który był rozwiedziony, mieszkał w Youngstown i za dużo pił; zabrał ich do parku rozrywki w Cedar Point, kiedy miały po dwanaście lat, i teraz miała w myślach jego obraz na parkingu, jak opierał się o maskę samochodu, z papierosem w ustach, a one szły w jego stronę, przypomniała sobie, jak zauważyła jego umięśnione ramiona i wbite w nią oczy; pomyślała wtedy: Czy on się gapi na moje cycki?

– Lucy, co ty robisz? – spytał George Orson, a wtedy spojrzała na niego twardo.

Oczywiście prawdziwy George Orson wciąż tam był, pod spodem, musiał się tylko doprowadzić do ładu.

– Właśnie zamierzałam odjechać twoim samochodem, ukraść go i pojechać do Meksyku – odpowiedziała.

I w tym momencie jego twarz się uporządkowała w tego George'a Orsona, którego Lucy znała, w tego George'a Orsona, który uwielbiał, kiedy była ironiczna.

– Skarbie – powiedział. – Ja tylko skoczyłem do miasta, nic więcej. Musiałem zrobić zakupy, chciałem ci ugotować dobry obiad.

– Nie lubię, jak się mnie olewa – oświadczyła uroczyście Lucy.

– Spałaś – wyjaśnił. – Nie chciałem cię budzić.

Przesunął dłonią po włosach z tyłu głowy – tak, dotarło do niego, że się skudliły – a potem wyciągnął rękę, otworzył drzwi maserati i usiadł na siedzeniu pasażera.

– Zostawiłem kartkę – powiedział. – Na stole w kuchni. Pewnie jej nie znalazłaś.

– Nie znalazłam – potwierdziła.

Oboje milczeli i nic nie mogła poradzić na to, że po wnętrzu jej klatki piersiowej rozlewało się to leniwe poczucie zobojętnienia, samotność końca świata, a potem ułożyła dłonie na kierownicy, jakby jednak dokądś jechała.

– Nie podoba mi się, kiedy muszę tu siedzieć sama – dodała.

Popatrzyli na siebie.

– Przepraszam – powiedział George Orson.

Jego dłoń opadła na jej dłoń i czuła delikatny ciężar jego ręki i to, że przecież George Orson był prawdopodobnie jedynym człowiekiem na całym świecie, który ją kochał.

9

Dawniej, kiedy jeszcze sobie nie uroił, że jego telefon jest na podsłuchu, kiedy obaj z Milesem mieli ledwie po dwudziestce, Hayden dzwonił nawet całkiem często. Raz na miesiąc, czasami częściej.

Telefon dzwonił w środku nocy. O drugiej. O trzeciej.

– To ja – mówił Hayden, choć kto inny mógłby dzwonić o takiej porze? – Dzięki Bogu, że wreszcie odebrałeś. Miles, musisz mi pomóc, nie mogę zasnąć.

Czasami był nakręcony, bo akurat przeczytał jakiś artykuł poświęcony zjawiskom parapsychicznym albo reinkarnacji, poprzednim wcieleniom, spirytualizmowi. Normalka.

Czasami zaczynał bredzić na temat ich dzieciństwa, opowiadał jakieś historie o zdarzeniach, których Miles nie pamiętał – o zdarzeniach, które sam wymyślał, Miles był tego prawie pewien.

Niemniej nie było sensu się z nim sprzeczać. Kiedy Miles wyrażał zastrzeżenia albo wątpliwości, Hayden potrafił błyskawicznie zrobić się zaczepny, wojowniczy, a wtedy kto potrafił przewidzieć, co się wydarzy? Kiedyś wdali się w zażartą kłótnię na temat jego „wspomnień" – Hayden trzasnął słuchawką i nie dzwonił potem przez dobre dwa miesiące. Miles wychodził z siebie. Bo wtedy wciąż jeszcze wierzył, że to tylko kwestia czasu, zanim wytropi Haydena, tylko kwestia czasu, zanim Hayden da się pojmać czy w jakiś inny sposób zmusić do powrotu do domu. Miał wizję Haydena, uspokojonego i być może pod wpływem leków, jak obaj mieszkają w jakimś małym mieszkanku i spokojnie grają razem w gry wideo po powrocie Milesa z pracy. Jak razem rozkręcają jakiś biznes. Wiedział, że to bzdury.

Kiedy jednak Hayden znowu się wynurzył z niebytu, Miles był szalenie ugodowy. Niesamowicie mu ulżyło, dlatego przysiągł sobie, że już nigdy więcej nie będzie się sprzeczał z bratem, cokolwiek Hayden będzie wygadywał.

Była czwarta nad ranem i Miles siedział na łóżku, z całej siły ściskając słuchawkę, z mocno bijącym sercem.

– Po prostu mi powiedz, gdzie jesteś – powiedział. – Nie jedź nigdzie.

– Miles, Miles – odparł Hayden. – Jak mi się podoba, że tak się zamartwiasz!

Twierdził, że mieszka w Los Angeles; mówił, że ma bungalow tuż przy Bulwarze Zachodzącego Słońca w Silver Lake.

– Nie znajdziesz mnie, jeśli przyjedziesz mnie szukać – powiedział. – Ale tu właśnie jestem, jeśli wiedząc to, poczujesz się lepiej.

– Ulżyło mi – odparł Miles, po czym wyjął jedną z żółtych samoprzylepnych karteczek i zapisał: „B. Zach. Sł." i „Silver Lake".

– Mnie też ulżyło – odrzekł Hayden. – Jesteś jedynym człowiekiem, z którym mogę pogadać, wiesz o tym, prawda?

Miles usłyszał, jak Hayden robi długi wdech, i pomyślał, że pewnie pali jointa.

– Jesteś jedyną osobą na świecie, która nadal mnie kocha.

Hayden dużo rozmyślał o ich dzieciństwie – czy raczej o swoim dzieciństwie, bo prawda była taka, że Miles nie pamiętał żadnego z incydentów, które tak prześladowały brata. Niemniej zachowywał te obiekcje dla siebie. To był pierwszy raz, jak Hayden zadzwonił do niego od czasu ich kłótni, i Miles gapił się w milczeniu na małą karteczkę, gdy tymczasem Hayden gadał.

– Dużo myślałem o panu Breeze – powiedział. – Pamiętasz go?

I tu Miles się zawahał.

– No wiesz... – wybąkał i Hayden wydał z siebie zniecierpliwione prychnięcie.

– Ten hipnotyzer, nie pamiętasz? – podpowiedział. – Był dość bliskim znajomym mamy i taty, zawsze przychodził na imprezy w tamtych czasach. Wydaje mi się, że przez jakiś czas chodził z ciotką Helen.

– Uhu – mruknął niezobowiązująco Miles. – I nazywał się Breeze?

– To pewnie był jego pseudonim artystyczny – stwierdził Hayden. Jego głos stał się surowy. – Jezu, Miles, nic nie pamiętasz. Ale ty zawsze byłeś ślepy i głuchy na wszystko, zdajesz sobie sprawę?

– Chyba tak – zgodził się Miles.

Według Haydena incydent z udziałem pana Breeze'a miał się rzekomo zdarzyć podczas jednego z przyjęć zwyczajowo wyprawianych przez ich rodziców. Był późny wieczór, pora kładzenia się do łóżek, i Hayden zszedł do kuchni w piżamie, bo nie mógł zasnąć, był cały spocony od leżenia na górnym łóżku, wentylator pod sufitem wiał wprawdzie prosto na niego, ale on i tak nie mógł zasnąć, bo przeszkadzały mu dźwięki muzyki, śmiech i szum rozmów dorosłych, które przesączały się przez deski podłogi do jego snów. A co do Milesa to on na pewno spokojnie spał na dolnym piętrze. Nieczuły na wszystko, jak zawsze.

Obydwaj, Miles i Hayden, mieli po osiem lat, ale byli mali jak na swój wiek i Hayden wyglądał ślicznie i uroczyście, kiedy tak pił w kuchni szklankę wody. Pan Breeze podniósł go i postawił na stołku obok blatu.

– Powiedz mi, chłopczyku – zagaił swoim bardzo, ale to bardzo głębokim głosem – czy ty wiesz, co to jest „kryptomnezja"?

I tu pan Breeze spojrzał Haydenowi w oczy, jakby podziwiał swoje odbicie w kałuży, wystawił palec wskazujący i zawiesił go w powietrzu przed czołem Haydena, ale go nie dotknął.

– Czy przypominają ci się czasem rzeczy, które ci się nie przydarzyły? – spytał.

– Nie – odparł Hayden. Bez uśmiechu patrzył mu w oczy tak, jak zawsze patrzył w oczy dorosłym: impertynencko.

Pojawiła się ciotka Helen. Została, obserwowała.

– Portis, nie męcz dziecka – powiedziała.

– Ja go nie męczę – odparł pan Breeze. Był ubrany w czarne dżinsy i kwiecistą kowbojską koszulę; wokół ust miał zmarszczki, które wyglądały tak, jakby ktoś je zaprasował żelazkiem. Przyglądał się dobrotliwie twarzy Haydena.

– Ty się mnie nie boisz, prawda, młody człowieku? – spytał.

Z sąsiedniego pokoju dobiegały ich odgłosy przyjęcia, jakaś piosenka bluesowo-rockowa, kilkoro ludzi kołysało się w powolnym tańcu; na podwórku pijana pani szlochała z goryczą, podczas gdy pijany przyjaciel próbował jej coś radzić.

– My sobie tylko zapuścimy żurawia w jego poprzednie wcielenia – powiedział ciotce Helen pan Breeze. I uśmiechnął się promiennie do Haydena. – Co ty na to, Hayden? Wszyscy ci ludzie, którymi kiedyś byłeś, dawno, dawno temu, za górami, za rzekami! – Pan Breeze miękko, wyczekująco wciągnął powietrze, ledwie słyszalnie. – Tak rzadko mam okazję pracować z dzieckiem – dodał.

Ten cały pan Breeze był pijany jak bela, wyobrażał sobie Miles. I ciotka Helen pewnie też. I wszyscy inni dorośli w domu.

Ale nawet pijany pan Breeze mocno przyszpilał Haydena do miejsca samymi źrenicami swoich oczu.

– Chciałbyś, żeby cię zahipnotyzowano, no przyznaj się, Hayden? – spytał.

Hayden rozchylił usta i zaswędział go język.

– Tak – usłyszał własny głos.

Wzrok pana Breeze'a wbił się w Haydena, tak jak jeden kawałek puzzle'a sczepia się z drugim.

– Chcę, żebyś mi opowiedział, jak to było, kiedy umarłeś – polecił pan Breeze. – Tamta chwila – powiedział. – Opowiedz mi o niej.

Pan Breeze wziął Haydena i rozerżnął go tak, jak rybak mógłby rozerżnąć brzuch pstrąga. Tak o tym opowiadał Hayden.

– Nie moje ciało fizyczne – wyjaśnił. – To był mój duch. Jakkolwiek chcesz to nazwać. Moja dusza. No wiesz. Wewnętrzne „ja".

– Jak to cię rozerżnął? – spytał z niepokojem Miles. – Nie rozumiem.

– Nie w sensie seksualnym – odparł Hayden. – Miles, ty zboczeńcu, wiecznie węszysz we wszystkim coś erotycznego.

Miles odsunął słuchawkę od nieprzyjemnego, spoconego miejsca na jego uchu. Dochodziła już piąta nad ranem.

– No i...? – spytał.

– No i tak to się zaczęło – odparł Hayden. – Pan Breeze powiedział mi, że żyłem w przeszłości więcej razy niż wszyscy inni ludzie, jakich kiedykolwiek spotkał...

– Prawdziwy urodzaj – powiedział Haydenowi pan Breeze. – Jesteś wybitnie płodny.

Te wcielenia skupiły się w Haydenie jak ikra...

– Czyli rybie jaja – powiedział Hayden. – To właśnie znaczy ikra.

– No przecież wiem – odparł Miles, a Hayden westchnął.

– Chodzi o to, Miles, że nikt sobie nie zdaje sprawy, że jak już się raz otworzy te rzeczy, to się ich potem nie zamknie. To właśnie staram ci się wytłumaczyć. Gdyby większość ludzi musiała żyć ze wspomnieniami, z którymi ja muszę żyć, wielu z nich by się zabiło.

– Masz na myśli swoje koszmary – powiedział Miles.

– Tak – odparł. – Tak kiedyś na to mówiliśmy. Teraz już wiem lepiej.

– Jak tamte pirackie historyjki – domyślił się Miles.

– Pirackie historyjki... – powtórzył Hayden i wkurzająco zawiesił głos. – Tak o tym mówisz, jakby to było baraszkowanie po Nibylandii.

Tak zwane pirackie historyjki zaliczały się do koszmarów sennych, które w dzieciństwie często nawiedzały Haydena, ale od lat o nich nie rozmawiali. To była prawda, że często budził się z wrzaskiem. Okropnym, przeraźliwym wrzaskiem. Miles do teraz miał go w uszach.

W tym konkretnym koszmarze Hayden był chłopcem, który się znalazł na statku piratów. Miles podejrzewał, że w charakterze chłopca okrętowego. Hayden pamiętał zwój ciężkiej liny, w którym mościł się do snu. Leżał tam, próbując odpocząć, ale przeszkadzało mu łopotanie żagli i trzask masztów, i jeszcze woń mokrego drewna i wodorostów, a kiedy lekko unosił powieki, widział bose, brudne stopy piratów, nieodmiennie pokryte wrzodami. Kulił się z nadzieją, że nikt go nie zauważy, bo czasami piraci wymierzali mu kopniaki, a potem chwytali go za koszulę albo włosy i szarpali, zmuszając do wstania.

„Zawsze chcą, żebym ich całował", opowiadał Milesowi Hayden, właśnie w tamtych czasach, kiedy miał osiem, dziesięć lat i budził się z wrzaskiem. „Zawsze chcą, żebym ich całował w usta". Krzywił się: ich oddechy, zepsute zęby, brudne brody.

– Oblecha – powiedział teraz Miles. I przypomniało mu się, że już wtedy uważał, że w snach Haydena jest coś nienaturalnego. Piraci całowali Haydena, a czasami obcinali mu pukiel włosów – „na pamiątkę po twych całusach, młodzianku" – a jeden z nich odciął mu nawet kawałeczek małżowiny.

Ten właśnie pirat nazywał się Bill McGregor i jego Hayden bał się najbardziej. Bill McGregor był najgorszy z nich wszystkich; przychodził nocą, kiedy inni spali, przemierzając pokład powolnymi, brzmiącymi głucho krokami i szepcząc basowo. „Chłopcze", mruczał. „Gdzieś ty się podział, chłopcze?" Po tym, jak odciął Haydenowi kawałek ucha, stwierdził, że chce więcej. Za każdym razem, kiedy łapał Haydena, odcinał z niego jakiś mały kawałek. Skórę z łokcia, czubek palca, kawałek wargi. Ściskał wijącego się Haydena, odcinał mu coś i potem to zjadał.

„A kiedy skończę się tobą zabawiać", szeptał Bill McGregor, „zakradnę się do ciebie od tyłu i..."

I dokładnie to zrobił, twierdził Hayden. Była wiosenna noc i Bill McGregor zakradł się do niego od tyłu, zakrył Haydenowi oczy, poderżnął mu gardło i cisnął go na deski pokładu, a potem Hayden, młócąc ramionami, spadł do morza, ściskając się dłońmi za szyję, jakby próbował sam się udusić, z krwią tryskającą spomiędzy palców. Widział strumień kropelek krwi lecący w górę, a sam spadał głową w dół do oceanu – zauważył księżyc i gwiaździste niebo znikające mu pod nogami, odgłos połykania, kiedy zderzył się z wodą, uciekające przed nim ryby, kiedy zapadał się głębiej, pasma wodorostów, rozwijające się wiry krwi z tętnicy, jego usta, które otwierały się i zamykały, wiotczejące kończyny.

Dokładna chwila jego śmierci.

Tak, Miles oczywiście o tym wiedział. Hayden miewał ten sen regularnie, kiedy byli dziećmi, raz na tydzień, czasem dwa razy. Wskakiwał do dolnego łóżka i wsuwał się pod kołdrę Milesa – i jeśli Miles w tym momencie jeszcze się nie obudził, potrząsał nim.

– Miles – mówił. – Miles! Koszmary! O Boże! Koszmary! – I okręcał się wokół brata, jakby na powrót znaleźli się w brzuchu matki.

Miles był zawsze dumny z faktu, że jest dobrym bratem. Nigdy się nie złościł, niezależnie od tego, jak często słyszał historyjkę o Billu McGregorze i tak dalej.

Ale kiedy napomknął coś na ten temat, Hayden przez długi czas nic nie mówił.

– Racja, racja – stwierdził w końcu. – Jakim ty dobrym bratem byłeś dla mnie.

Siedzieli i słuchali nawzajem swoich oddechów. Od strony Haydena rozległo się bulgotanie fajki wodnej. Żadna niespodzianka.

Tak, Miles wiedział, do czego pije Hayden. Uważał, że on będzie trwał przy nim choćby nie wiadomo co. Uważał, że powinien był ot, tak zerwać relacje z matką i resztą rodziny i stanąć po jego stronie, niezależnie od tego, jak ekstremalne staną się jego opowieści, kłótnie i oskarżenia.

Nie był to temat, na który Miles potrafił prowadzić swobodną rozmowę, ale z Haydenem raczej nie dawało się go uniknąć. Prędzej czy później każda rozmowa zataczała krąg i cofała się do różnych obsesji, do jego koszmarów, wspomnień, pretensji do rodziny...

„Jego patologiczne kłamstwa", tak nazywała je matka. „On jest bardzo, ale to bardzo pogmatwanym człowiekiem, Miles", mówiła przy różnych okazjach. Ostrzegała go, że zbyt łatwo daje się oszukiwać, że za bardzo ulega wpływowi Haydena – że jest jego „małym lokajczykiem", stwierdzała kwaśnym tonem.

Mówiła to wszystko w tym okresie, kiedy usiłowała wpakować Haydena do szpitala.

„Sam się przekonasz, Miles, on cię któregoś dnia zdradzi tak samo, jak zdradził wszystkich innych ludzi. To tylko kwestia czasu, syneczku".

I dlatego kiedy Hayden zadzwonił i powiedział, że potrzebuje pomocy, że potrzebuje pomocy brata – „Tylko chwilę pogadać, nie mogę zasnąć, Miles, proszę, pogadaj ze mną" – wtedy, no cóż, Miles, chcąc nie chcąc, przypomniał sobie ostrzeżenie matki.

Szczególnie ciężko robiło się wtedy, gdy Hayden wyjątkowo mocno obstawał przy swojej wersji ich życiorysów, przy własnej wersji zdarzeń. Zdarzeń, które nigdy nie miały miejsca, Miles był tego całkiem pewien.

– Ale jest jedna rzecz, z którą mam kłopot – wyznał Haydenowi. Już od wielu godzin gadali o swoim dawnym życiu i piratach i mimo że Miles był wyczerpany, to jednak starał się być dobroduszny i racjonalny. – Bo trochę mi wtedy zabiłeś ćwieka z tym facetem – powiedział. – Z tym panem Breeze. Szczerze mówiąc, nie pamiętam, żebyś mi kiedykolwiek wcześniej o nim opowiadał, a wydaje się, że byś musiał.

– Opowiadałem ci o nim – zapewnił Hayden. – Z całą pewnością.

To się działo kilka tygodni po tym, jak dostał obsesji na punkcie tej historii z „hipnotyzerem w kuchni". Miles utknął na parkingu przy autostradzie; rozmawiał przez opuszczoną szybę, przez płatny telefon dla kierowców. Była prawdopodobnie druga w nocy. Na kierownicy miał rozłożoną mapę Stanów Zjednoczonych.

– ...może problem polega na tym, że tyle wyparłeś z naszego dzieciństwa – mówił Hayden. – Zastanawiasz się nad tym czasami?

– No wiesz... – odparł Miles. Upił łyk wody z butelki.

– To nie tak, że to nie była dla mnie niekończąca się ciężka próba – powiedział Hayden. – Pamiętasz Bobby'ego Bermana? Pamiętasz Amosa Murleya?

– Tak – odparł Miles, tym razem zgodnie z prawdą, to były znajome nazwiska z ich dzieciństwa, znajomi ludzie z koszmarów Haydena. Bobby Berman był małym chłopczykiem, który lubił się bawić zapałkami i zginął w pożarze szopy na narzędzia za własnym domem; Amos Murley był nastolatkiem, który został wcielony do armii unionistów podczas wojny domowej i umarł, kiedy czołgał się przez pole bitwy, po tym, jak mu odstrzelono nogi poniżej kolan. Matka zwykła ich nazywać „wymyślonymi bohaterami" Haydena.

„Och, Hayden", mówiła z rozdrażnieniem w głosie. „Dlaczego nie możesz wymyślać historyjek o szczęśliwych ludziach? Dlaczego wszystko musi być takie okropne?"

I wtedy Hayden się czerwienił, z oburzeniem wzruszając ramionami. Nic nie mówił. Dopiero dużo później zaczął twierdzić, że śniły mu się jego poprzednie wcielenia. Że tak naprawdę ci jego „bohaterowie" to był on sam. Że to straszne życie, które wiódł z ich rodziną, było tylko jednym ze wszystkich jego okropnych wcieleń.

Ale dopiero po śmierci ojca Hayden zaczął rozumieć prawdziwą naturę swej przypadłości.

Przynajmniej taka była wersja zdarzeń, którą obecnie przyjął. Dopiero wtedy, gdy zabrakło ojca, matka powtórnie wyszła za mąż, a do ich domu wprowadził się ten ohydny Marc Spady. Dopiero wtedy zaczął ogarniać zasięg tego, co pan Breeze „otworzył" w jego wnętrzu.

– Na takie coś nie byłem przygotowany, rozumiesz? – powiedział. – Zrozumiałem, że to nie tylko ze mną tak jest, ale z każdym.

Mówił, że zaczął powoli wszystko pojmować. Dotarło do niego, że nie jest jedyną osobą, która miała poprzednie wcielenia. No przecież! Powoli, czy to w tłumie, czy w restauracjach, w twarzach zauważonych w telewizji, w drobnych gestach szkolnych kolegów i krewnych – powoli zaczął miewać niejasne przebłyski rozpoznania. Czyjeś oko zerkające z ukosa – palce kasjera ocierające się o wnętrze jego dłoni – odbarwiony przedni ząb nauczycielki geometrii – głos ich ojczyma, Marca Spady'ego, o którym Hayden twierdził, że jest dokładnie tym samym, zgrzytliwym głosem pirata Billa McGregora.

Od czasu śmierci ojca Hayden zaczął kojarzyć wszystkie twarze. Gdzie on już widział tę twarz? W którym życiu? Bez wątpienia niemal każda dusza napotykała inne w tej czy innej permutacji, wszystkie połączone, splątane, ich ścieżki krzyżowały się wstecz w prehistorii, w przestrzeni kosmicznej i w nieskończoności jak jakiś przerażający wzór matematyczny.

Miles uważał, że to wszystko ewidentnie miało coś wspólnego ze śmiercią ojca. Przedtem Hayden był zwyczajnym chłopcem obdarzonym wybujałą wyobraźnią, który miewał koszmary senne, i pan Breeze, jeśli w ogóle istniał, był tylko jednym z nietuzinkowych znajomych ojca, który schlał się na przyjęciu.

– Och, oszczędź mi tego – powiedział Hayden, kiedy Miles próbował mu to zasugerować. – Jakie to płytkie! – dodał. – Usłyszałeś to od mamy? Że stałem się tak zwanym schizofrenikiem, bo nie umiałem sobie poradzić ze śmiercią taty? Wiem, że nie lubisz, jak podważam twoją inteligencję, ale zlituj się. To takie prostackie.

– No cóż... – odparł Miles. Nie chciał się wdawać w sprzeczkę na ten temat, ale było oczywiste, że w miesiącach po śmierci ojca Hayden uległ jakiejś prywatnej transformacji. To się zaczęło, kiedy mieli po trzynaście lat, rok po tym, jak zaczęli razem pracować nad atlasem, i Hayden robił się coraz bardziej posępny, zagniewany, wycofany. Milesowi się wydawało, że brat jest bardziej uwrażliwiony na specyficzne wspomnienia i pamiątki po zmarłym – na wszystkie te nieznaczące obiekty rozsiane po całym domu, teraz emanujące nieobecnością ojca. I Hayden zaczął je gromadzić. A to papierek po gumie do żucia, z którego ojciec mimochodem zrobił origami w kształcie ptaka, a potem je zostawił na swojej szafce wśród drobnych. A to ołówek ze śladami jego zębów, a to skarpetka bez pary, karteczka z terminem wizyty u dentysty...

Jego głos nagrany na sekretarce, który zapomnieli zmienić, dopóki któregoś dnia Hayden nie zadzwonił do domu; telefon dzwonił i dzwonił, aż wreszcie odpowiedział mu głos ojca:

„Dzień dobry. Dodzwoniłeś się do domu rodziny Cheshire..."
Po sekundzie człowiek się orientował, że to zwykłe nagranie.
Ale przez tę sekundę! Przez tę sekundę serce danej osoby
mogło podskoczyć, taka osoba mogła sobie wyobrazić, że to
wszystko to był zły sen, że zdarzył się cud.

– Tato? – spytał Hayden, odzyskując głos.

On i Miles byli wtedy na lodowisku w centrum rekreacyj-
nym, dzwonili do matki, żeby po nich przyjechała, i Miles stał
obok Haydena, kiedy ten mówił do automatu.

– Tato?

I Miles zdążył zobaczyć przelotne światełko nadprzyrodzonej
nadziei przemykające przez twarz Haydena, zanim ta twarz się
zawarła, światełko zaskoczonej radości, która niemal natychmiast skarlała, gdy do Haydena dotarło: dał się omamić. Ojciec
wciąż nie żył, był jeszcze bardziej martwy niż przedtem.

Miles wyczuł to wszystko, wszystko to, co przemknęło przez
umysł Haydena, jakby za sprawą telepatii, doświadczył emocji brata w ten dawny sposób, do którego przywykł, kiedy byli
mali, kiedy płakał z bólu, bo palec Haydena został przytrzaśnię-
ty drzwiami, kiedy śmiał się z jakiegoś kawału, jeszcze zanim
Hayden go opowiedział, kiedy wiedział, jaki Hayden ma wyraz
twarzy, mimo że nie znajdowali się w jednym pokoju.

Ale tak już teraz nie było.

To, co było widoczne w twarzy Haydena, boleśnie szczypało –
bo nie wiedzieć czemu, znienacka zaczął patrzeć z nienawiścią,
jakby empatia Milesa była tym samym co obrzydliwe obmacy-
wanie. Jakby Milesowi należała się kara, bo był świadkiem, jak
Hayden zdradził się ze swoim hurraoptymizmem.

– Zamknij się, debilu – powiedział Hayden, mimo że Miles
nic nie powiedział, i odwrócił się, nawet nie chcąc spojrzeć
Milesowi w oczy.

Klamka zapadła: już nigdy więcej nie będzie szczęśliwy.

Czy było naiwnością myśleć, że zanim ojciec umarł, cała ich czwórka była dość zadowolona z życia? Miles zastanawiał się nad tym, kiedy jechał autostradą, kiedy mijał Illinois, Iowę, Nebraskę – do Los Angeles wciąż miał tysiące mil.

Było miło, pomyślał. Może nie?

Kiedy dorastali, w Cleveland panowała sielankowa atmosfera, przynajmniej zdaniem Milesa. To tam ich rodzice zamieszkali na początku małżeństwa, po wschodniej stronie miasta, w starym, wygodnym, dwupiętrowym domu przy ulicy obrzeżonej wielkimi, srebrnymi klonami. Była to przyjemnie zaniedbana dzielnica zamieszkana przez klasę średnią, nieco na północ od rezydencji przy Fairmount Boulevard, trochę na południe od slumsów po drugiej stronie Mayfield Road, i Miles pamiętał, że wtedy uważał to miejsce za całkiem niezłe. On i Hayden w okresie dorastania mieli kolegów, którzy byli zarówno dogodnie biedniejsi, jak i dogodnie bogatsi od nich, i ojciec powiedział im, że powinni uważnie się przyglądać domom i rodzinom swoich rówieśników.

– Uczcie się, jak może wyglądać inne życie – tłumaczył. – Zastanawiajcie się nad tym jak najwięcej, chłopcy. Ludzie wybierają sobie życie; chcę, żebyście to sobie zapamiętali. I jakie życie wybierzecie dla siebie?

Nie ulegało wątpliwości, że ojciec sam często szukał odpowiedzi na to pytanie. Był właścicielem firmy, którą nazywał „agencją talentów", choć w rzeczywistości sam służył za cały personel. Czasami pracował na przyjęciach urodzinowych dla dzieci albo na galowych otwarciach nowych centrów handlowych jako Niebieski Klown, robiąc zwierzątka z balonów, żonglując, malując twarze, prowadząc wspólny śpiew i tak dalej. Czasami występował pod pseudonimem Niesamowity Cheshire, magik. („Zachwycę waszych klientów i gości magicznymi sztuczkami! Imprezy targowe! Imprezy firmowe! Wyjątkowe uroczystości!") Jeszcze kiedy indziej dawał się poznać jako doktor Larry Cheshire, dyplomowany hipnotyzer, specjalista od rzucania palenia i mówca motywacyjny, względnie jako Lawrence Cheshire, dyplomowany hipnoterapeuta.

Miles i Hayden nigdy w życiu nie widzieli, jak występował w którejś z tych ról, mimo że czasami znajdowali jego zdjęcia w rozmaitych przebraniach, walające się po całym domu, a nawet fragmenty materiałów promocyjnych, nad którymi akurat pracował: „Niebieski Klown i jego lalki zapraszają na magiczną godzinę opowiadania bajek..." albo „Warsztaty hipnozy Larry'ego Cheshire pomogą ci odkryć moc twojego umysłu..."

Zdarzało się, że słyszeli, jak rozmawiał przez telefon, siedząc przy stole w kuchni ze swoim dużym, czarnym notesem, w którym zapisywał umówione spotkania, nieruchomiejąc i gryząc w zamyśleniu ołówek. Uważali, że to niesamowicie śmieszne, że on tak zmienia głos, w zależności od tego, z kim właśnie prowadzi rozmowę. Że jest taki pełen zapału i chłopięco durnowaty jako Niebieski Klown, że jest oziębie rzeczowy jako doktor Larry Cheshire, że w imieniu Niesamowitego Cheshire wypowiada się dźwięcznym, aktorskim barytonem, a z kolei hipnoterapeucie Lawrence'owi Cheshire dorabiał głos bezuczuciowy, kojąco monotonny.

Słyszeli to, ale nie czuli wtedy więzi z tym człowiekiem, którego znali, który był tak skrajnie odmienny od tych różnych facetów w kostiumach i makijażu, w kapeluszach i peruczkach, jakie nakładał na swoją łysą głowę widywaną przez nich na co dzień. Miles nie pamiętał, by ojciec kiedykolwiek robił coś, co zasługiwałoby na miano „teatralnego", i w rzeczy samej był chyba nawet niezwykle przygaszony i smutny w normalnym życiu. Miles podejrzewał, że po prostu dlatego, że kiedy wracał z pracy do domu, był zmęczony występowaniem przed ludźmi.

Tak czy owak, był dobrym tatą. Troskliwym na swój powściągliwy sposób.

Grywali razem w karty – Miles, Hayden i ojciec – albo w gry

planszowe i komputerowe. Kilka razy wybrali się pod namiot i na wędrówki. Miles i Hayden w dzieciństwie szczególnie lubili świat owadów, który ojciec pomagał im znajdować w ten sposób, że przewracał duże kamienie i kłody. Identyfikował te stworzenia, a potem recytował to, co o nich wyczytał w swoim przewodniku Petersona w wydaniu kieszonkowym.

Lubił czytać na głos. *Dobranoc, księżycu* to pierwsza książka, którą Miles zapamiętał. *Powrót króla* był ostatnią, ojciec zakończył ją jakiś tydzień przed śmiercią.

Mimo że mieli prawie po trzynaście lat, lubili jednak spać obok niego, kiedy ucinał sobie popołudniową drzemkę. Wszyscy trzej, Miles, Hayden i ojciec, leżący rzędem na królewskim łożu, w skarpetkach, Hayden z jednej strony, Miles z drugiej, i jeszcze w nogach gnieździła się ich suka, zwinięta w kłębek, z pyskiem wspartym na ogonie. Matka robiła im zdjęcia, kiedy tak razem spali. Czasami tylko stawała w drzwiach i patrzyła. Uwielbiała to, że są tacy spokojni, mówiła. Jej chłopcy. Byłaby dobrą matką, uważał Miles, gdyby ojciec wciąż żył.

Ojciec miał pięćdziesiąt trzy lata, kiedy umarł. Oczywiście to było zupełnie nieoczekiwane, choć wyszło wtedy na jaw, że miał strasznie wysokie ciśnienie i nie bardzo dbał o siebie. Był potajemnym, ale jednak nałogowym palaczem, dorobił się nadwagi i nie zwracał uwagi na to, co je. „Cholesterolu po sam dach", mruczała do ludzi matka podczas pogrzebu i Miles wyczuwał, że ona przedziera się przez gąszcze, labirynty żalu i ewentualnych kroków zapobiegawczych, które można było podjąć, alternatywnych przyszłości, teraz niemożliwych, ale nadal zaprzątających jej myśli. „Mówiłam mu, że się martwię", wyznawała ludziom, szczerze, z zapałem, jakby się spodziewała, że będą ją winić. „Ostrzegałam go".

Podczas kilku następnych tygodni Miles spędził dużo czasu na rozmyślaniach o tym wszystkim, o śmierci ojca. Czy go zawiedli, czy byli wobec niego obojętni, czy mogli się zachować w jakiś sposób, który zmieniłby bieg zdarzeń? Zamykał oczy i starał się sobie wyobrazić, jak to jest, kiedy się ma „rozległy zawał". Czy po prostu robisz się pusty, zastanawiał się, czy twój mózg opróżnia się jak kubek, z którego wylała się woda?

Próbował sobie wyobrazić, jak by to mogło być, próbował sobie wyobrazić ojca stojącego przed widownią, kiedy dopadły go pierwsze skurcze. Być może ból w lewej ręce. Ucisk w klatce piersiowej. Zgaga, pewnie sobie pomyślał. Jestem taki zmęczony. Miles wyobrażał sobie, jak ojciec przykłada dłonie do peruczki i z całej siły ją naciąga.

Miles uważał, że zna podstawowe fakty. Pamiętał, jak rozmawiał o tym z Haydenem tamtej nocy, kiedy umarł ojciec.

Ojciec wyjechał na weekendową imprezę w Indianapolis i umarł podczas jednego ze swoich pokazów hipnozy.

Byłby z tego niezły kawałek do gazety, stwierdził Hayden. Jeden z tych zabawnych, zaprawionych ciężką ironią artykulików o ludziach, o których się czyta w rubryce „Też z tej ziemi".

Występ odbywał się w sali konferencyjnej kompleksu biurowego na obrzeżach miasta; było to ćwiczenie „budowania zespołu" dla ludzi z tej firmy, prawdopodobnie jakiś bombowy pomysł, na który wpadł menedżer działu kadr. Ekstra! – pomyśleli. Ojciec prawdopodobnie przekonał ich gadką o tym, „jak należy pomagać ludziom w odkrywaniu mocy ich umysłów", i wybierał ochotników z grupy, ludzi, którzy dzielnie chcieli zostać zahipnotyzowani, a potem prowadził ich na przód sali i kazał im siadać na składanych krzesełkach, na oczach kolegów, i później wszyscy patrzyli w napięciu, jak ojciec wprowadzał kolejno wszystkich w indywidualne transy.

Wszyscy byli zachwyceni. Co za ubaw! Ludzie na widowni chichotali nerwowo w oczekiwaniu, że zobaczą swoich kolegów zahipnotyzowanych, głęboko zrelaksowanych, podatnych absolutnie na wszystko, i to na oczach wszystkich.

Ojciec pocił się lekko w trakcie mówienia. Przyciskał dłoń do czoła, potem do karku.

„Panie i panowie", powiedział i przełknął suchość w gardle.

„Panie i..."

„Panie i pa...nowie".

I wtedy wszyscy ucichli, bo podniósł palec – jeszcze chwilę, proszę, oznaczał ten gest – a potem usiadł na składanym krzesełku obok zahipnotyzowanych ochotników. Publiczność zarżała. Ostatni facet w rzędzie był głupkowatym komputerowcem o wijących się lokach i obwisłej szczęce i to on szczególnie śmieszył widzów, bo pogrążył się w tak głębokim transie.

Czekali na dalszy rozwój wydarzeń. Ojciec przyłożył dłoń do podbródka i wydawał się o czymś myśleć. Zacisnął powieki w uroczystej kontemplacji.

Znowu rżenie.

Prawdopodobnie właśnie wtedy umarł.

Siedział na składanym krzesełku – ciało nie utraciło równowagi, dlatego publiczność wciąż czekała.

Jeszcze kilka chichotów, ale zasadniczo pełna napięcia cisza. Wstrzymywanie oddechu.

Ciało ojca nieznacznie zapadło się w sobie. Przechyliło. I – wreszcie – się przewróciło. Metalowe krzesełko złożyło się i runęło na posadzkę wyłożoną płytkami, z towarzyszeniem metalicznego trzasku i jego echa.

Jakaś pani krzyknęła ze zdziwieniem, ale publiczność nadal siedziała na miejscach, niepewna, niepewna. To jakiś element występu? Etap budowania zespołu?

A w tym czasie zahipnotyzowani ludzie już się ocknęli. Ostatecznie nie da się utknąć w transie. To tylko mit.

Zahipnotyzowani ochotnicy zaczęli się wiercić, otwierać oczy i zerkać przed siebie.

„Obudźcie się, obudźcie się!" – tak zwykł wołać ojciec Milesa i Haydena rankiem, kiedy byli mali. „Budźcie się, moje małe śpiochy", szeptał i lekko dotykał ich uszu opuszkami palców.

Żadne z ich trójki – ani Miles, ani Hayden, ani matka – oczywiście nie byli świadkami tego wydarzenia, a jednak Milesowi zawsze się wydawało, że je widział, okiem swojego umysłu. Jakby ono zostało nakręcone jako jeden z tych ziarnistych, topornych filmów edukacyjnych, które nauczycielki z gimnazjum Roxboro odkurzały w deszczowe dni. *Martin Luther King. Układ rozrodczy. Mumie egipskie.*

Jakiś czas później Miles przypadkiem wspomniał tę scenę, scenę śmierci ojca, i matka przyjrzała mu się uważnie.

– Miles, o czym ty gadasz, do diabła? – zapytała. Siedziała przy kuchennym stole, nieruchomo, tyle że papieros drżał jej w palcach. – Hayden ci to powiedział? – spytała i przyjrzała mu się z niepokojem. Jej uczucia względem Haydena zaczynały krzepnąć.

– Wasz ojciec umarł w swoim pokoju w hotelu, kochanie – wyjaśniła. – Pokojówka go znalazła. Zatrzymał się w Holiday Inn. I to się stało w Minneapolis, nie w Indianapolis, jeśli chcesz wiedzieć, brał udział w zjeździe Krajowego Związku Hipnotyzerów. Nie występował wtedy.

Upiła łyk kawy, potem ostro zadarła głowę, bo do kuchni wszedł Hayden, ubrany w bokserki i T-shirt, świeżo przebudzony, mimo że była już druga po południu.

– Proszę, proszę – powiedziała. – O wilku mowa.

Już wtedy Miles zaczął sobie uświadamiać, że wiele jego „wspomnień" to były historyjki, które opowiedział mu Hayden – zaszczepione sugestie, ziarna, do których jego mózg dokładał „tło", „szczegóły" i „akcję". Nawet wiele lat później Miles pamiętał ostatnie chwile swego ojca bardzo żywo w wersji, którą odmalował mu Hayden.

Z perspektywy czasu wyglądało to tak, jakby Miles prowadził dwa życia – jedno podporządkowane narracji Haydena, drugie było tym, które wiódł oddzielnie, życiem mniej lub bardziej normalnego nastolatka. Hayden zatapiał się coraz głębiej w świat swoich poprzednich wcieleń, który otworzył przed nim pan Breeze, stając się coraz bardziej odizolowany, a tymczasem Miles pomagał tworzyć kronikę szkoły i grał w lacrosse w szkolnej drużynie w szkole Hawkena, gdzie dyrektorem do spraw przyjęć był Marc Spady. Hayden chodził na terapię i zarywał noce, Miles spokojnie dostawał B i C ze wszystkich przedmiotów i jeździł ćwiczyć przed egzaminem na prawo jazdy z Markiem Spadym, trenując jazdę na wstecznym między pomarańczowymi pachołkami na parkingu, gdy tymczasem ojczym stał w odległości kilku jardów od samochodu i wołał:

– Uważaj, Miles! Uważaj!

W tym czasie życie Haydena podążało w innym kierunku. Jego koszmary stawały się coraz bardziej wyraziste – piraci, krwawe bitwy wojny domowej i jeszcze ta płonąca szopa, w której Bobby Berman bawił się zapałkami, gdzie płomienie wyssały mu tlen z płuc – a to oznaczało, że Hayden rzadko sypiał. Matka urządziła mu nową sypialnię na poddaszu i ustawiła w niej specjalne łóżko z płóciennymi paskami na nadgarstki i kostki, żeby go uchronić przed lunatykowaniem albo pokaleczeniem się we śnie. Jednej nocy wybił szyby w kuchni gołymi dłońmi i wszystko zalał krwią. Był taki czas, kiedy matka i Marc Spady budzili się i widzieli go, jak stał nad nimi z młotkiem, chwiejąc się i mamrocząc coś do siebie.

Tak więc to było dla jego bezpieczeństwa, dla bezpieczeństwa ich wszystkich, to nie była kara, niemniej Miles był zdumiony, że Hayden dobrowolnie zaakceptował ten nowy układ. „Nie martw się o mnie, Miles", powiedział, choć sam Miles nie był pewien, czym dokładnie miał się niby martwić. Hayden dostał do swojego nowego pokoju gry wideo i telewizję kablową i w rzeczy samej Miles bywał o to zazdrosny. Pamiętał wieczory, kiedy obaj leżeli w pokoju Haydena na poddaszu, na jego łóżku, i grali w Super Mario na starym systemie Nintendo, bok w bok, trzymając dżojstiki i gapiąc się na miniaturowy ekran ustawiony na toaletce Haydena.

– Nie martw się, Miles – powiedział Hayden. – Ja o wszystko zadbam.

– To dobrze – odrzekł.

Hayden miał już wtedy za sobą armię psychologów i terapeutów, jak mówiła matka. Najrozmaitsze leki. Olanzapina, haloperidol. Ale to nie miało znaczenia, mówił Hayden.

– Ja nikomu nie mogę mówić prawdy – powiedział, zagłuszając bulgotliwą muzykę Super Mario w tle. – Jesteś jedynym człowiekiem, z którym mogę rozmawiać, Miles – dodał.

– Uhu – odparł Miles, zasadniczo skupiony na podróży swego Mario przez ekran.

Siedzieli na łóżku, nakryci jedną kołdrą, Hayden przysunął się i przystawił zlodowaciałą stopę do nogi Milesa. Dłonie i stopy Haydena były zawsze blade i lodowate z powodu złego krążenia; zawsze je wtykał pod ubranie Milesa.

– Wytnij to! – zawołał Miles i w grze zabił go jakiś grzyb-potwór. – Człowieku! Zobacz, do czego mnie doprowadziłeś!

Ale Hayden tylko się na niego gapił.

– Uważaj, Miles – powiedział, a Miles przyglądał się, jak na ekranie wykwita napis KONIEC GRY.

– Co? – spytał Miles i znienacka popatrzyli sobie w oczy. Miles widział to znaczące spojrzenie, które domagało się od niego jakiejś wiedzy o czymś.

– Powiedziałem im o Marcu Spadym – wyrąbał Hayden i dmuchnął miękkim oddechem. – Powiedziałem im, kim jest Spady i co nam zrobił.

– O czym ty mówisz? – spytał Miles i wtedy Hayden gwałtownie zadarł głowę.

W drzwiach stała matka. Była pora kładzenia się spać i przyszła przypasać Haydena do łóżka.

Miles dotarł wreszcie do Kalifornii. Po raz pierwszy od dłuższego czasu znał miejsce pobytu Haydena. Minęły cztery lata z okładem. Miles nawet nie wiedział, jak brat wygląda, ale oczywiście wyobrażał sobie, że wciąż są bardzo podobni, bo przecież byli bliźniakami.

Był koniec czerwca, tuż po ich dwudziestych drugich urodzinach, matka i Marc Spady już nie żyli i Miles błąkał się między jedną posadą a drugą od czasu, kiedy wyleciał ze studiów. Dotarł do krańca I-70 w środku Utah i stamtąd ruszył I-15 na południe, w stronę Las Vegas.

Do obrzeży Los Angeles dotarł rankiem,

Znalazł motel Super 8 blisko Chinatown i przespał tam cały dzień na cienkim materacu, za szczelnie zasuniętymi zasłonami, żeby nie przepuszczały kalifornijskiego słońca, wsłuchując się w szum miniaturowej lodówki. Było już ciemno, kiedy się obudził; obmacał nocny stolik, znalazł kluczyki do samochodu, budzik i wreszcie telefon.

– Halo? – powiedział Hayden.

Trudno było uwierzyć, że znajduje się zaledwie kilka mil dalej. Miles prześledził zawczasu trasę, którą miał dotrzeć do miejsca, gdzie brat mieszkał – obok Elysian Park w stronę zbiornika Silver Lake.

– Halo? – powtórzył Hayden. – Miles?

I tu Miles zaczął się zastanawiać.

– Tak – odparł. – To ja.

10

Intruz włamuje się do twojego komputera i zaczyna skrzętnie gromadzić okrzemki twojej tożsamości.

Nazwisko, adres i tak dalej; strony, które odwiedzasz, kiedy błąkasz się po Internecie, loginy i hasła, datę urodzenia, panieńskie nazwisko matki, ulubiony kolor, blogi i portale informacyjne, które lubisz czytać, przedmioty, które kupujesz, numery kart kredytowych, które wprowadzasz do baz danych...

Oczywiście wcale niekoniecznie chodzi tu o ciebie. Ty wciąż jesteś odrębną ludzką istotą, masz duszę i historię, przyjaciół, krewnych i znajomych z pracy, którzy się o ciebie troszczą i za ciebie poręczą: znają twoją twarz, głos i osobowość, a ty z kolei wiesz, że twoje życie to nieprzerwana nić, wiarygodna, rozwojowa, opowieść, którą sam sobie opowiadasz, z którą się budzisz i z którą czujesz się względnie szczęśliwy – szczęśliwy w ten nijaki, powszedni sposób, nawet nieuwzględniający prawa do szczęścia w tym wkraczaniu w kolejne, puste godziny, które prawdopodobnie nie będą niczym więcej jak serią rutynowych czynności: prysznic, nalewanie kawy do filiżanki, ubieranie się, przekręcanie kluczyka w stacyjce, jazda ulicami, które są tak znajome, że nawet nie pamiętasz niektórych zakrętów i przystanków – mimo że owszem, wciąż jesteś obecny, twój umysł z pewnością świadomie kieruje procedurą hamowania przy skręcaniu za ten konkretny róg, obracania kierownicy i odbijania w lewo, do autostrady, chociaż pamięć zupełnie nie rejestruje tych czynności. Gdyby cię poddano hipnozie, być może takie prozaiczne sytuacje dałoby się odzyskać, bo zostałyby opisane w papierach i zmagazynowane, niewykorzystane i bezużyteczne w pomieszczeniu na tyłach za gabinetem jakiegoś urzędnika od neurologii. Czy to ważne? Jakkolwiek by było, wciąż pozostajesz sobą, przez te wszystkie godziny i dni; wciąż jesteś niepodzielną...

Ale teraz wyobraź sobie siebie w kawałkach.

Wyobraź sobie wszystkich tych ludzi, którzy znali cię zaledwie przez rok albo miesiąc, albo wręcz tylko w czasie jednego spotkania, wyobraź sobie tych ludzi razem w jednym pomieszczeniu, jak próbują stworzyć twój całościowy portret, tak jak archeolog scala fragmenty zrujnowanej fasady albo kości jaskiniowca. Pamiętasz opowieść o ślepcach i słoniu?

Mimo wszystko trudno się rozeznać w tym, z czego się składasz.

Wyobraź sobie, że rozebrano cię na poszczególne części, wyobraź sobie na przykład, że nic z ciebie nie zostało oprócz odciętej dłoni w turystycznej lodówce. Niewykluczone, że wśród twoich bliskich jest ktoś, kto rozpoznałby nawet taki maleński kawałek. Po liniach we wnętrzu twojej dłoni. Po budowie kłykci, po pomarszczonej skórze na środkowych stawach palców. Po odciskach, po bliznach. Po kształcie paznokci.

W tym czasie intruzi pracowicie wynoszą malutkie drobinki ciebie, okruchy informacji, o których prawie nie myślisz, a w każdym razie niewiele więcej niż o płatkach skóry, które nieustannie gubisz, niewiele więcej niż o milionach mikroskopijnych roztoczy, które pełzają po tobie, karmiąc się twoimi wydzielinami i komórkami.

Nie czujesz się jakoś szczególnie bezbronny, bo masz firewalla i stale aktualizujesz ochronę antywirusową, a większość tych drapieżców jest niemalże komicznie ciamajdowata. W pracy dostajesz e-maila, który jest tak debilny, że aż podsyłasz go kilku znajomym. Od *Miss Emmanuela Kunta, czekaj na odpowiedź*, czytasz w temacie i jest coś niemalże uroczego w tym niezdarnym sformułowaniu. „Ty szanowny", mówi panna Emmanuela Kunta.

Ty szanowny!

Wiem, że ten mail to dla ciebie zdziwienie, bo się nie znaliśmy, ale ja mam wiarę, że wola Boga, żeby my się dzisiaj poznać i dziękuję jemu za to, że ja teraz mogę powiadomić ciebie o moim wielkim pragnieniu wejścia w długi związek i finansową transakcję z naszą wspólną korzyścią.

Emmanuela Kunta to moje imię, zamieszkana w Abidżanie, mając 19 lat jestem też jedyną córką zmarłych pana i pani Godwin Kunta, razem z moim młodszym bratem Emmanuelem Kuntą, który ma też 19 lat bo my jesteśmy bliźnięta.

Mój ojciec był pośrednik złota w Abidżanie (Wybrzeże Kości Słoniowej). Przed jego nagłą śmiercią 20 lutego w prywatnym szpitalu tu w Abidżanie przywołał mnie do swojego łoża i powiedział mi o dwadzieścia milionów dolarów Stanów Zjednoczonych (20 000 000 USD), które złożył w firmie powierniczącej tu w Abidżanie (Wybrzeże Kości Słoniowej) jako inwestycję biznesową, do jakiej użył mojego imienia jako ukochanej córki i jedynego syna jako najbliższych krewnych przy złożeniu tych pieniędzy bo nasza matka umarła trzynaście lat temu w śmiertelnym wypadku samochodowym. I że powinniśmy szukać zagraniczny partner w każdym kraju, który chcemy to tam przeniesiemy te pieniądze w celach inwestycyjnych na nasze przyszłe życie.

Pokornie dopraszam się o pomoc od ciebie, żebyś pomógł nam przenieść i zabezpieczyć te pieniądze w swoim kraju na inwestycję i służył jako opiekun funduszu bo my jeszcze jesteśmy uczniowie i żebyś nam zorganizował nasz przyjazd do swojego kraju

w celu powiększenia naszego wyszktałcenia. Dziękujemy jeśli zde-
cydujesz się pomóc takim sierotom jak my. Oferuję ci 20% całej
kwoty za twoją uniżoną pomoc i 5% jest przeznaczone na zwrot
wszelkich kosztów co poniesiesz podczas transakcji.
Proszę, ty musisz nadać tej transakcji poufność w swoim ser-
cu dla celów bezpieczeństwa i proszę odpowiedz przez mój pry-
watny mail.

Szczerze oddana
Miss Emmanuela Kunta

Całkiem śmieszne. Miss Emmanuela Kunta to prawdopodobnie jakiś tłusty, trzydziestoletni biały facet, który siedzi
w suterenie domu matki, otoczony lepkim od brudu sprzętem
komputerowym, i uprawia phishing w poszukiwaniu frajera.
Kto robi takie rzeczy? – chciałbyś wiedzieć i jak się okazuje,
wszyscy twoi koledzy z pracy znają podobne anegdotki o tego
typu macherstwach, rozmowa przez jakiś czas oplata się wokół
tego tematu... dochodzi piąta...

A jednak z jakiegoś niejasnego powodu podczas jazdy do
domu zaczynasz o niej myśleć. Miss Emmanuela Kunta z Abidżanu, Cote d'Ivoire, sierota po bogatym pośredniku w handlu
złotem, idzie jakąś ulicą, wśród tłumów i straganów z pięknie
ułożonymi owocami, i mija właśnie wielką niebieską misę, na
której leży stos papai, kiedy słyszy, że woła za nią mężczyzna
w różowej koszuli – odwraca się i jej brązowe oczy emanują
smutkiem. Czekaj na odpowiedź.

Tu, na północy stanu Nowy Jork, zaczyna padać śnieg. Zjeż-
dżasz z autostrady na plac przed stacją benzynową, wsuwasz
kartę kredytową przy pompie paliwowej, chwila przerwy (jedna
chwila proszę), bo twoja karta czeka na autoryzację, a potem
zostaje zaakceptowana i możesz zacząć nalewać paliwo. Omiata cię gęsta zamieć śniegowych płatków, kiedy wsadzasz pisto-

let do baku, i wtedy przyjemnie jest pomyśleć o migotliwych światłach hoteli i samochodów jadących autostradą biegnącą skrajem Laguny Ebrie, która opasuje Abidżan, o palmach na tle indygowego nieba i tak dalej. Czekaj na odpowiedź.

W tym czasie w innym stanie być może nowa wersja ciebie już zaczęła się scalać, ktoś wykorzystuje twoje nazwisko i twoje numery, jakaś cząstka ciebie się rozleciała i rozlatuje się też...

A ty strzepujesz śnieg z włosów, wracasz do samochodu i odjeżdżasz w stronę nagromadzenia codziennych, banalnych spraw – trzeba ugotować obiad, zrobić pranie, pomóc dzieciom w pracy domowej, pooglądać telewizję na kanapie, razem z psem, który opiera pysk na twoich kolanach, wykonać odkładany telefon do siostry w Wisconsin, przygotować się do spania, szczoteczka, nitka, kilka różnych pigułek, które pomogą ci wyregulować ciśnienie i funkcjonowanie tarczycy, peeling do twarzy i jeszcze inne rytuały stanowiące – masz tego coraz większą świadomość – jednostki miary, na podstawie których parcelujesz swoje życie.

Część druga

Nie wiem, jaką posiadł tajemnicę, ale ja też poznałem pewien sekret – ten mianowicie, że dusza to tylko sposób istnienia, nie zaś stały stan; że każda dusza może być duszą człowieka, jeśli ten odnajdzie jej falowanie i za nim podąży. Niewykluczone, że życie przyszłe to zdolność świadomego bytowania w dowolnie wybranej duszy, w dowolnej liczbie dusz nieświadomych brzemienia, które sobie raz po raz przekazują.

VLADIMIR NABOKOV,
Prawdziwe życie Sebastiana Knighta,
przeł. Michał Kłobukowski, Muza,
Warszawa 2003

11

Ryan akurat wrócił ze swojej wyprawy do Milwaukee, kiedy przez wiadomości przewinęło się, że jest nieboszczykiem. „Utopił się", mówili.

„Osoby, które go znały, twierdzą, że Schuyler, student stypendysta, był mocno przygnębiony miernymi wynikami w nauce, i policja spekuluje, że…"

Kiedy Ryan czytał tę notkę pośmiertną, Jay siedział na kanapie; siekał wysuszony pączek marihuany, oddzielając nasiona.

– To ciekawe, wiesz? – powiedział Jay.

Garbił się nad stolikiem, już naćpany, w marzycielskim nastroju. Do krojenia marihuany używał staromodnej tablicy Ouija i Ryan gapił się teraz na nią z góry – w środku alfabet, w rogach słońce i księżyc – jakby szukał tam jakiegoś przesłania.

– Praktycznie każdemu roi się coś takiego, sam powiedz. Że budzisz się któregoś ranka i wszyscy myślą, że nie żyjesz. I co wtedy? Klasyczny scenariusz, nie jest tak? Co byś zrobił, gdybyś mógł w całości porzucić swoje dawne „ja". To jedna z wielkich tajemnic dorosłości. Dla większości ludzi.

– Mmm – mruknął Ryan i opuścił wydruk, który dał mu Jay. Notka pośmiertna. Złożył ją na pół, a potem, niepewny, co właściwie robić, schował do kieszeni.

– Wcale nie tak łatwo to osiągnąć, wiesz? – ciągnął Jay. – Naprawdę trzeba stawać na uszach, żeby cię oficjalnie uznali za zmarłego.

– Aha? – odparł Ryan i Jay spojrzał na niego zezem.

– Uwierz mi, synu – powiedział. – Zbadałem sprawę i to nie jest proste. Zwłaszcza w dzisiejszych czasach, bo mają te testy DNA, karty dentystyczne i co tam jeszcze. Prawda jest taka, że to dość skomplikowana sztuczka, żeby się wymiksować, a tu proszę, ty w to wskoczyłeś gładko jak w masełko.

– Ha – rzucił Ryan, bo nie był pewien, co powiedzieć.

Jay dalej siedział na swoim miejscu, w dresie i filcowych kapciach, rozparty, spoglądał na niego wyczekująco.

Za dużo tego, żeby tak od razu wszystko ogarnąć.

Nie do końca rozumiał, jak mogli stwierdzić coś takiego, nie mając ciała, ale z relacji zamieszczonej w gazecie wynikało, że zgłosił się jakiś świadek, który twierdził, że zauważył Ryana na skałach na brzegu jeziora, tuż za klubem studenckim. Tenże świadek zeznał, że widział, jak on zanurkował do jeziora – zgodnie z jego pobieżnym opisem młody mężczyzna wspiął się na wielkie, pokryte graffiti głazy, którymi usiany jest tamtejszy brzeg, a potem znienacka skoczył...

Co, zdaniem Ryana, brzmiało kompletnie niewiarygodnie i łatwo byłoby to podważyć. A jednak policjanci orzekli, że dokładnie tak było, bo zapewne bardzo chcieli zamknąć sprawę jak najprędzej i przejść do tych o wiele ważniejszych.

Zatem teraz, wyobrażał sobie, jego rodzice jechali do Evanston na „uroczystość pogrzebową" i zgadywał, że zapewne kilku jego kolegów z liceum też mogło przyjechać. Prawdopodobnie całkiem sporo ludzi z jego akademika – oczywiście Walcott i kilku innych z jego piętra, może znajomi z pierwszego roku, z którymi ostatnimi czasy już się nie widywał. Jacyś wykładowcy. Kilku pracowników administracji, dziekani, zastępcy dziekanów czy ktoś tam, funkcjonariusze, których zadanie polegało na pokazaniu się i zademonstrowaniu głębokiego żalu.

Nie trzeba dodawać, że sam Jay – „wujek Jay" – pojawić się tam nie mógł.

– Cieszę się, powiem uczciwie, że twoja matka nie wie, jak mnie namierzyć – powiedział. – A pewnie czuje, że powinna do mnie zadzwonić w tym momencie. Zawrzeć wreszcie pokój po tych wszystkich latach. Nie zdziwiłbym się, gdyby mnie nawet zaprosiła na pogrzeb. Jezu! Wyobrażasz to sobie? Nie widziałem jej, odkąd się urodziłeś, człowieku. Nawet sobie nie wyobrażam jej miny, gdybym się tam teraz pokazał. Zdecydowanie to nie jest coś, czego teraz potrzebuje, biorąc pod uwagę okoliczności.

– Zgadzam się – odparł Ryan.

Osobiście wolał sobie nie wyobrażać, jaki wyraz twarzy będzie miała jego matka.

Naprawdę wolał sobie nie wyobrażać twarzy swoich rodziców, kiedy wreszcie dotrą do Chicago, zameldują się w hotelu i przebiorą w stosownie ponure ubrania na pogrzeb. Skompresował ten obrazek i wcisnął głęboko w zakamarki umysłu.

– Facet? – zagaił Jay. – Może byś tak usiadł, człowieku? Martwisz mnie.

Obaj znajdowali się na werandzie chaty Jaya; od żelaznego piecyka opalanego drewnem biły fale usypiającego ciepła, a Jay patrzył na Ryana ze starej ogrodowej kanapy, odgarniając kosmyki, które opadły mu na oczy. Patrzył na niego bacznym, współczującym spojrzeniem – takim spojrzeniem, jakim obdarzasz ludzi, którym dopiero co ujawniłeś jakiś trudny albo tragiczny fakt – ale nie takie spojrzenie Ryan miał teraz ochotę oglądać.

– Jesteś zmartwiony – stwierdził Jay. – Udajesz, że tak nie jest, ale ja to wiem,

– Emm – mruknął Ryan. I nagle dotarło do niego. Zmartwiony? – Niezupełnie – powiedział. – Chodzi tylko... tego jest za dużo, żeby jakoś to poskładać w głowie.

– Otóż to – odrzekł Jay.

I kiedy Ryan wreszcie usiadł obok niego, położył mu dłoń na

ramieniu. Zacisnął rękę. Uścisk okazał się zaskakująco żywioło-
wy, a po chwili przyciągnął do siebie Ryana, przytulił tak mocno,
jak robią to zapaśnicy, unieruchamiając mu ręce. Z początku
było im niewygodnie, a jednak w ciężarze i sile dłoni było coś,
co poniekąd przynosiło pocieszenie. Byłby dobrym tatą dla
małego dzieciaka, pomyślał Ryan i w ramach eksperymentu
oparł głowę na ramieniu Jaya. Tylko na sekundę. Zadygotał
nieznacznie, a wtedy Jay przycisnął go do siebie jeszcze mocniej.

– Na pewno będzie trzeba trochę czasu, żebyś się oswoił –
powiedział łagodnie. – Gruba sprawa, co?

– Ano chyba tak – mruknął Ryan.

– No bo popatrz – ciągnął Jay. – Musisz sobie uświadomić,
że na poziomie psychologicznym to jest jakaś strata. To przecież śmierć. I może tak nie myślisz, ale pewnie będziesz musiał, jakby to... przetrawić jak prawdziwą śmierć. Przejść przez
to, jak się przechodzi przez etapy Kübler-Ross. Zaprzeczenie,
gniew, negocjacja, depresja... Musisz sobie poradzić z całym
mnóstwem emocji.

– Otóż to – odparł Ryan.

Nie był do końca pewien, jakich emocji obecnie doświadczał.
Jakiego etapu. Przyglądał się, jak Jay wyławia piwo ze styropianowej turystycznej lodówki stojącej u ich stóp. Wziął puszkę,
którą mu podał. Oderwał zatyczkę, a Jay się przyglądał, jak
wlewa płyn do ust.

– Ale nie padło ci na głowę czy coś? – odezwał się Jay po
chwili milczenia. – Nic ci nie jest, no powiedz?

– E tam – rzucił Ryan.

Siedział tam, gapiąc się na starą tablicę rozłożoną na stoliku. Litery alfabetu układające się na niej jak jakaś staromodna
klawiatura. Uśmiechnięte słońce w lewym rogu. Wykrzywio-
ny księżyc w prawym. W dolnych rogach były chmury, a w nich
ukrywały się twarze, których wcześniej nie zauważył. Pozbawione rysów, nieodróżnialne, a jednak, tak przypuszczał, po-

woli wyłaniały się skądś za tymi chmurami. Czekając z boku, aż ktoś je przywoła.

– Wiesz, że zawsze możesz na mnie liczyć – powiedział Jay. – Ostatecznie jestem twoim ojcem. Zawsze możemy pogadać.

– Wiem – odparł Ryan.

Wypili jeszcze kilka piw, potem podawali sobie fajkę wodną i po jakimś czasie Ryan zaczął czuć, że ta myśl się w nim ukorzenia. Był nieboszczykiem. Opuścił swoje dotychczasowe „ja". Przyłożył wargi do ustnika fajki, a Jay podgrzał komorę. Ta świadomość otwierała się powolnym ruchem, jak jeden z tych poklatkowych filmów przyrodniczych, na którym kiełki przebijają się przez glebę, prostują wątłe łodyżki i rozwijają liście, a potem kwiaty obracają głowy, powoli, śladem wędrującego po niebie słońca.

Jay wciąż mówił spokojnym, kojącym, towarzyskim tonem. Był człowiekiem, który miał dużo do opowiedzenia, i Ryan siedział zasłuchany.

Jay rzekomo sam kiedyś próbował sfingować własną śmierć.

To się działo w Iowa, w czasach kiedy dorastał, zanim poznał tę dziewczynę, która w końcu zaszła w ciążę i urodziła Ryana.

Było to latem po dziewiątej klasie, Jay spędził mnóstwo czasu na planowaniu. Mieli znaleźć jego ciuchy i buty w parku nad rzeką i zamierzał też dopilnować, żeby ktoś usłyszał, jak woła o pomoc. Postanowił, że będzie się ukrywał aż do zmierzchu, a potem ukradkiem powędruje na południe, a jak już się znajdzie daleko od miasta, zacznie zatrzymywać ciężarówki i tym sposobem dotrze na Florydę, tam wsiądzie na gapę na statek płynący do Ameryki Południowej, do jakiegoś miasta na wybrzeżu w pobliżu lasu deszczowego albo Andów, gdzie mógłby żyć z naciągania łatwowiernych turystów.

– Idiotyczne, jak sobie to teraz przypominam – powiedział Jay. – Ale wtedy mi się wydawało, że to całkiem niezły plan.

Zarechotał; jego ramię wciąż opasywało ramię Ryana. A potem oparł o nie twarz, z czułością, i Ryan poczuł gorący, mroczny, warzywny zapach dymnego oddechu Jaya na karku.

– Sam nie wiem – podjął Jay. – Chyba musiała mnie wtedy żżerać rozpacz, bo źle mi szło w szkole. Uczeń ze mnie był kiepski. Nie tak jak Stacey. Ja się po prostu cały czas nudziłem i czułem, że wszystkich rozczarowuję, i tak strasznie nienawidziłem swojego życia... Rodzice zawsze sadzali Stacey na piedestale. Jakby ona była modelem, według którego trzeba żyć, no wiesz. Nie to, żebym gardził jej osiągnięciami czy coś, ale rozumiesz, to było trudno znieść. Mama i tato stawiali ją za wzór, jakby to była jakaś bogini. Stacey Kozelek! Stacey Kozelek dostawała w szkole same A. Była taka pilna! Miała plan na życie! A ode mnie oczekiwano, że będę cały „Och-ach, klękajcie narody. Jaka ona niesamowita". – Wzruszył ramionami z wyraźną niechęcią. – Nie chcę gadać nic złego na twoją mamę. To nie była jej wina, no wiesz... harowała jak wół. I tylko pogratulować. Ale jeśli idzie o mnie, to ja w ogóle tego nie chciałem. Nigdy nie chciałem dojść do takiego punktu w życiu, w którym będę wiedział, co się zaraz zdarzy, i będę się czuł jak większość ludzi, którzy po prostu nie mogą się doczekać, kiedy wreszcie wpadną w rutynę i nie będą musieli myśleć o następnym dniu, następnym roku czy następnych dziesięciu latach, bo wszystko jest już dla nich zaplanowane. Nie rozumiem, dlaczego ludziom wystarcza tylko jedno życie. Pamiętam, jak na lekcji angielskiego rozmawialiśmy o takim jednym wierszu napisanym przez, no tego... O! David Frost. „Dwie drogi w żółtym lesie szły w dwie różne strony" – znasz ten wiersz, prawda? „Dwie drogi w żółtym lesie szły w dwie różne strony, żałując, że się nie da jechać dwiema naraz i być jednym podróżnym, stałem, zapatrzony w głąb pierwszej z dróg, aż po jej zakręt oddalony, gdzie wzrok niknął w gęstych krzakach i konarach..."* Strasznie

---

* Robert Frost, *Droga nie wybrana* w: *55 wierszy*, przeł. St. Barańczak, Arka, Kraków 1992.

mi się ten wiersz spodobał, ale pamiętam, jak sobie pomyślałem: Dlaczego? Dlaczego nie można pojechać obiema? Mnie się to wydawało mocno niesprawiedliwe.

Urwał i zaciągnął się fajką, a Ryan, który słuchał tego pogrążony w sennym rozmarzeniu, czekał. Na zewnątrz padał śnieg, a on czuł swoje serce, słyszał jego ciche szszsz.

– Ale nie zaszedłem daleko – dodał Jay. – Gliniarze złapali mnie tuż po północy, jak wędrowałem po autostradzie, już po godzinie policyjnej wyznaczonej w naszym okręgu dla nastolatków, i mama z tatą czekali na mnie, kiedy dotarłem do domu. Wkurzeni jak nie wiem co. Nikt nie pomyślał, że mogłem umrzeć. Nawet nie znaleźli moich ciuchów, które porzuciłem nad rzeką. Poszedłem tam następnego dnia i one tam były, buty, koszula i spodnie. Po prostu sobie leżały.

Zasłuchany w gadaninę Jaya Ryan rozparł się na kanapie i zamknął oczy.

Ulga. Prawdziwa ulga być nieboszczykiem, coś znacznie lepszego od samobójstwa, nad którym się zastanawiał podczas tamtych jesiennych miesięcy, zanim zadzwonił do niego Jay. Już od początku semestru wiedział, że wyleci ze studiów. Nazwaliby to zawieszeniem w prawie do pobierania nauki i prawdopodobnie mniej więcej w tym samym czasie rodzice by się dowiedzieli, że roztrwonił pieniądze z kredytów, które wziął jako student, zamiast spłacić to, co był winien uczelni. Przez całą tamtą jesień czuł, że nieunikniona apokalipsa nadciąga, że jest tuż-tuż, że to kwestia zaledwie tygodni, widział oczyma wyobraźni różne upokorzenia i nasiadówki w gabinetach różnych urzędników, zdziwienie i rozczarowanie rodziców, kiedy się dowiedzą, jak bardzo spieprzył sprawę.

Pewnego późnego wieczoru wpisał do internetowej wyszukiwarki termin „bezbolesne samobójstwo" i znalazł jakieś stowarzyszenie na rzecz pomocy samobójcom, które zalecało uduszenie się poprzez wdychanie helu w plastikowym worku.

Szczególnie dręczyło go to, jak trudno mu będzie spojrzeć w oczy matce. Była taka szczęśliwa, kiedy się dostał do dobrego college'u. Wciąż pamiętał, jaką miała obsesję na punkcie procesu składania podań. Począwszy od jego pierwszej klasy w liceum, zapisywała sobie jego stopnie, średnie, jak można je poprawić? Które przedmioty robią najlepsze wrażenie? Jak wypadały jego testy w porównaniu i czy mógłby coś ulepszyć, gdyby zapisał się na letnie kursy „Jak rozwiązywać testy?" Którzy nauczyciele – źródło potencjalnych rekomendacji – go lubili? Jak mógłby sprawić, żeby lubili go jeszcze bardziej? O czym miał napisać w podaniu na uczelnię? Jakie powinno być to podanie, żeby się okazało skuteczne?

Przez długi czas strasznie się bał wyrazu jej twarzy, kiedy wreszcie się dowie, że znowu zawalił – jej zgryźliwego, czujnego milczenia, kiedy się wprowadzi z powrotem do swojego dawnego pokoju, podczas rozmów o wyborze lokalnego college'u albo zdobyciu jakiejś pracy na rok czy coś...

Pod pewnymi względami pewnie było dla niej lepiej, że organizowała mu pogrzeb.

Lepiej dla wielu ludzi. Odkrył, że jego nekrolog krąży w Internecie, a kiedy wrzucił swoje nazwisko do wyszukiwarki, przekonał się, że wielu jego znajomych wspomina o nim na swoich blogach, i znalazł też serię wzruszających pożegnalnych notek na własnej stronie na Facebooku. „Spoczywaj w spokoju", pisali ludzie. „Nie zapomnę cię", pisali. „Szkoda, że coś tak strasznego zdarzyło się komuś tak fajnemu jak ty".

Co, musiał przyznać, prawdopodobnie było lepsze niż nieprzyjemne, żenujące pójście w zapomnienie, do którego na pewno by doszło, gdyby został odesłany w niełasce do domu w Council Bluffs, bo liczba e-maili i wiadomości otrzymywanych za pośrednictwem komunikatorów by topniała, bo on i jego znajomi mieliby coraz mniej wspólnego ze sobą, niektórzy może wzięliby go na języki albo wręcz go olali, jako gościa, którego wybębnili ze studiów, a po jakimś czasie może w ogóle przestaliby zawracać sobie nim głowę; ich życie toczyłoby się do przodu i po roku mieliby trudności z przypomnieniem sobie, jak on się nazywał.

Lepiej dla wszystkich zainteresowanych, że doszło do takiej cezury.

Lepiej, pomyślał, zacząć wszystko od nowa.

Pracowicie montował nowe tożsamości. Matthew Blurton. I Kasimir Czernewski.

Jay nazywał je „klonami". A czasami „awatarami". Bo to jest tak, jakbyś grał w grę wideo, mówił Jay, który sam spędzał mnóstwo czasu na błąkaniu się po bezkresnych, wirtualnych krajobrazach World of Warcraft, Call of Duty albo Oblivion. „Tak to z grubsza jest", tłumaczył ze wzrokiem wbitym w wielki ekran, na którym z mieczem w ręku nacierał na jakiegoś wroga. „To zasadniczo ta sama idea", dodał. „Tworzysz swojego bohatera. Wyprawiasz go na misje po całym świecie. Obserwujesz, pilnujesz każdego kroku i dostajesz za to nagrodę". A potem jego kciuki zaczęły gwałtownie pracować na przyciskach dżojstika, bo znowu wdał się w jakąś bitwę.

Ryan uznał koncepcję za sensowną, mimo że sam nie był aż takim fanem gier wideo jak Jay.

Dla niego te nazwiska bardziej przypominały muszle – tak właśnie je sobie wyobrażał – puste twory, do których się wchodziło i które z czasem zaczynały twardnieć. Z początku tożsamość była ulotna jak babie lato: nazwisko, numer ubezpieczenia, fałszywy adres. Ale niebawem dochodziło jeszcze zdjęcie, prawo jazdy, historia zatrudnienia, historia kredytowa, karty kredytowe, zakupy i tak dalej. I dane nazwisko zaczynało żyć własnym życiem, nabierało materialności. Zaznaczało swoją obecność w świecie w sposób poniekąd bardziej znaczący w porównaniu z tymi drobniutkimi zmarszczkami, które tworzył na powierzchni rzeczywistości przez dwadzieścia lat jako Ryan Schuyler.

Zdążył się nawet przywiązać do Kasimira Czernewskiego, który urodził się na Ukrainie; zrobił sobie przedziałek na środku i włożył ciemne okulary, kiedy robili mu zdjęcie do prawa jazdy. A Jay mu pokazał, jak łatwo ustalić niektóre inne elementy: fałszywy adres (mieszkanie w Wauwatosa, na przedmieściach Milwaukee), zawód („prywatny detektyw" pracujący w domu i specjalizujący się w kradzieżach tożsamości), NIP oraz fałszywa strona internetowa jego fałszywej firmy. Co jakiś czas ktoś nawet pisywał na adres podany na stronie Kasimira.

Szanowny panie Czernewski!
Znalazłem pańską stronę, bo szukam pomocy w związku z tym, że chyba ktoś się pode mnie podszywa. Jestem przekonany, że jakaś osoba, względnie grupa osób, wykorzystuje moje nazwisko w celu popełnienia oszustwa. Otrzymuję rachunki za zakupy, których nigdy nie dokonałem, i z kilku moich kont oszczędnościowych zniknęły pieniądze, których wcale nie wypłacałem...

Sam Jay miał co najmniej setkę stworzonych osobiście „awatarów" – praktycznie całą wioskę zmyślonych ludzi, którzy dyskretnie przeprowadzali najrozmaitsze transakcje z fikcyjnych adresów we Fresno i Omaha, z Lubbock w Teksasie i Cape May w New Jersey. Obejmowało to praktycznie całą mapę i Jay twierdził, że wszystko tak się na siebie nakłada, tak się ze sobą splata, że gdyby nawet wyszło na jaw, że któryś adres nie istnieje, to i tak ślad prowadziłby do kolejnej fałszywki, do kolejnego klona, do dalszego ciągu labiryntu, z którego wszystkie wyjścia kończyły się ślepymi zaułkami.

Bo kto by wpadł na to, że te wszystkie byty rodzą się w leśnej chacie na północ od Saginaw, w stanie Michigan?

Śnieżyca jeszcze zgęstniała i Ryan miał szczęście, że zdążył wrócić do chaty, zanim rozpętała się na dobre. Miejsce było dość odizolowane: bardzo daleko od autostrady i żeby tam dotrzeć, człowiek musiał najpierw lawirować po lokalnych dwupasmówkach i na koniec jechał wąską asfaltową drogą, przy której nie było nic oprócz plątaniny drzew i cieni, aż wreszcie pojawiała się chata i stara, kanciasta furgonetka Econoline Jaya.

Chata nie wyróżniała się niczym szczególnym. Zwykły parterowy domek obłożony balami, z jedną sypialnią i werandą, na której stały stara kanapa i piecyk, zabezpieczona moskitierą; do takich miejsc w latach siedemdziesiątych jeździli weekendowi wędkarze. W środku śmierdziało mokrym drewnem cedrowym i zapleśniałymi kocami, dlatego Ryan miał skojarzenia z niemal już zapomnianymi domkami kempingowymi dla skautów.

Za werandą rozciągała się polana; płatki śniegu spadały beztrosko, a słabe podmuchy wiatru tworzyły z nich fantazyjne ogony stające się ostatecznie zalążkami hałd. W Milwaukee nie padało, kiedy Ryan stamtąd wyjeżdżał, ale teraz już mogło sypać. Mogło też sypać w Evanston pod Chicago, do którego jego rodzice mieli niebawem dotrzeć na pogrzeb, senna warstwa kleiła się już pewnie do nawierzchni lotniska O'Hare, gotowa na przyjęcie samolotu.

Jay zdrzemnął się na werandzie w cieple bijącym od piecyka, z papierosem zaciśniętym w palcach; Ryan wyjął go delikatnic, zimny popiół oderwał się i spadł na podłogę.

– Mmm – wymamrotał Jay i przycisnął policzek do własnego ramienia, jakby to była poduszka.

Ryan wstał i poszedł do dużego pokoju, w którym nad skupiskiem stolików – podtrzymujących dziesiątki komputerów, skanerów, faksów i inny sprzęt – unosiła się nieprzerwanie cirrusowa warstwa dymu, ściągnął moherowy koc z kanapy, wrócił na werandę i przykrył Jaya.

Sam był lekko pijany, lekko naćpany, ale i tak wyjął jeszcze jedno piwo ze styropianowej lodówki. Starał się za bardzo nie denerwować, ale coraz mocniej do niego docierało, że to, co się zdarzyło, jest naprawdę na stałe.

Usiadł przed jednym z komputerów, stawiając piwo obok klawiatury, wszedł do Internetu i wrzucił swoje nazwisko do wyszukiwarki, żeby sprawdzić, czy ktoś jeszcze napisał na swoim blogu o jego śmierci czy coś w tym stylu.

Ale nie pojawiło się nic nowego.

Niedługo, pomyślał, jego nazwisko będzie dawało coraz mniej wyników. Po upływie kilku dni strumyk wspomnień będzie ciurkał coraz wolniej i nie minie dużo czasu, jak wszelka wzmianka o nim zostanie zarchiwizowana i schowana głęboko pod sedymentacyjnymi pokładami informacji, plotek i wpisów pamiętnikarskich, aż wreszcie Ryan Schuyler zasadniczo całkiem zniknie jako osoba.

Rozmyślał o swoim ojcu.

Kiedy chodził do ostatniej klasy liceum, ojciec – jego przybrany ojciec, Owen – przechodził dziwną huśtawkę nastrojów, miał chyba jakąś męską chandrę, bo skończył już czterdzieści pięć lat, i podczas gdy matka Ryana dostawała odpału na punkcie uczelni i tak dalej, Owen przyglądał się wszystkiemu milcząco. Od czasu do czasu ciężko wzdychał, nabrał takiego zwyczaju.

– Co? – pytał wtedy Ryan.

A on na to:

– Eee... nic. – I znowu wzdychał.

Któregoś wieczoru stali przy kuchennym zlewie, zmywali naczynia, matka w salonie oglądała swój ulubiony sitcom i Owen wydał kolejne ze swych melancholijnych westchnień.

Ryan wycierał naczynia i układał w szafce.

– Co? – spytał.

Owen pokręcił głową.

– Eee... nic – powiedział, a potem zastygł w miejscu, kontemplując naczynie do zapiekanek, które właśnie szorował. Wzruszył ramionami. – Głupoty – odezwał się po chwili. – Właśnie się zastanawiałem, ile jeszcze razy będziemy tu razem stali i zmywali naczynia.

– Mmm – przytaknął Ryan, bo zmywanie naczyń nie było czymś, za czym by rzeczywiście tęsknił, ale dotarło do niego, że Owen oddaje się właśnie jakimś smętnym kalkulacjom.

Owen tymczasem przestąpił z nogi na nogę. I skrzywił się do jakiejś opornej nitki makaronu, która nie chciała się zdrapać.

– Raczej nie będziemy się często widywali, jak już pójdziesz na studia – stwierdził. – I to tyle. Widzę, jak już cię nosi. I nie ma w tym nic złego, wcale nie twierdzę, że w tym jest coś złego! – zapewnił. – Sam żałuję, że mnie tak nie nosiło, kiedy byłem w twoim wieku. Bo sądząc po tym, jak przędę, pewnie nawet nie zobaczę oceanu przed śmiercią. Ale założę się, że ty je wszystkie zobaczysz. Siedem mórz i wszystkie kontynenty. Chcę po prostu, żebyś wiedział, że dla mnie to coś wspaniałego.

– Może – odparł wtedy Ryan i zażenowany niską samooceną Owena, tym, że on tak biadoli nad sobą i swoim wiekiem, poczuł się jakoś niemiłosiernie oficjalnie. – Sam nie wiem. Ale na pewno jeszcze nieraz będziemy razem zmywali – dodał lekkim tonem.

A jednak z perspektywy czasu nie potrafił nie rozmyślać o takich chwilach – kuchnia w ich domu w Council Bluffs, naczynia w zlewie, poszczególne sztućce, które wycierał i które teraz wspominał z niewytłumaczalną czułością, poszczególne talerze...

Wszystkie te rzeczy, które zostawił za sobą. Pancerna, czarna gitara akustyczno-elektryczna marki Takamine, którą Owen i Stacey kupili mu na urodziny, notes pełen chwytów i tekstów piosenek, które próbował napisać, nawet płyty CD ze składankami utworów, które sam kompilował, niesamowite miksy,

jakich prawdopodobnie nie umiałby już odtworzyć. Infantylna, chora nostalgia i w ogóle, co za kretyństwo, że odzywał się
w nim ból, kiedy pomyślał o tej gitarze albo o swoim żółwiu
Veronice, która przecież nie była nawet normalnym zwierzę-
ciem. Kim on dla niej był, co ona zapamiętała?

Wszystkie te przedmioty, z których każdy był czymś w rodzaju awatara – podtrzymywały w sobie jego dawne „ja", jego
dawne życie.

Okay, pomyślał. Siedział, wgapiając się w ekran komputera, w zdjęcie i nekrolog w „Daily Nonpareil", lokalnej gazecie
Council Bluffs. Okay.

Życie, które wiódł do tej pory, naprawdę się skończyło.

Nie zostanie więcej ani zobaczony, ani usłyszany. Przynajmniej jako on sam.

12

Lucy i George Orson szli bitą drogą wiodącą do niecki, w której kiedyś było jezioro. W Nebrasce wciąż panowała susza. Nie padało od Bóg wie jak dawna, ich stopy wzbijały obłoczki kurzu. Minął kolejny tydzień i wciąż nic nie wskazywało na to, że zaraz stąd wyjadą, wbrew zapewnieniom George'a Orsona. Coś się popsuło, podejrzewała Lucy. Był jakiś problem z pieniędzmi, choć on nie chciał się do tego przyznać. „Nie martw się", stale powtarzał. „Wszystko jest w najlepszym porządku, tylko sprawy idą trochę wolniej, niż się spodziewałem, z trochę większymi oporami". A potem dostawał napadu ponurego śmiechu, czym ani trochę nie dodawał jej otuchy. Ten śmiech brzmiał dziwnie, zupełnie do niego nie pasował.

Mniej więcej od tygodnia George Orson nie był sobą. I sam się do tego przyznawał: „Przepraszam", mówił jej, kiedy się separował, kiedy się oddalał do jakiejś odległej galaktyki, pogrążony w transie prywatnych kalkulacji.

– George – pytała – o czym myślisz? O czym teraz myślisz? I wtedy jego wzrok odzyskiwał ostrość.

– O niczym – odpowiadał. – O niczym ważnym. Tylko czuję się dziwnie niewyraźnie. Ostatnio nie jestem sobą, tak mi się wydaje...

Co było tylko figurą retoryczną, wiedziała, ale to jej nie przestawało chodzić po głowie. Zamęczała się tym „nie jestem sobą", zwłaszcza że faktycznie coś tu się obsuwało, to było zauważalne –

jakby, pomyślała, on był aktorem, który pogubił się w motywacjach swojego bohatera. Nawet jego akcent trochę się zmienił, pomyślała. Samogłoski zrobiły się dłuższe – czy tylko to sobie wyobraziła? – i intonacja nie była już taka wyrazista, elegancka.

Oczywiście nic dziwnego, że jego głos stał się bardziej zwyczajny, bo przecież przestał być nauczycielem, już się nie produkował przed klasą. I było też naturalne, że człowiek okazuje się nieco inny przy bliższym poznaniu. Nikt nie jest dokładnie taki, jaki się wydaje.

A jednak zaczęła zwracać większą uwagę na takie rzeczy. Być może, stwierdziła, to jej wina, że nie wie, co tu jest grane. Zbyt długo tkwiła w świecie marzeń, to były prawie dwa tygodnie oglądania filmów, czytania, fantazjowania o podróżach. Tak się skupiła na tych miejscach, do których mieli pojechać w przyszłości, że nie zwracała uwagi na to, co się działo w teraźniejszości.

Na przykład: tamtego ranka weszła do łazienki, George Orson pochylał się nad umywalką, a kiedy podniósł głowę, zobaczyła, że zgolił brodę. Właściwie to – przelotnie – wręcz go nie rozpoznała, bo to było tak, jakby stał tam jakiś nieznajomy, i naprawdę zaparło jej dech w piersiach, autentycznie się wzdrygnęła.

A potem zobaczyła jego oczy, zielone oczy, i twarz się zrekonstruowała: to był George Orson.

– O mój Boże, George – powiedziała i przyłożyła dłoń do piersi. – Przestraszyłeś mnie! Ledwie cię rozpoznałam.

– Hmm – mruknął w zamyśleniu. Nie uśmiechnął się, nawet mu nie złagodniały rysy. Tylko gapił się na umywalkę, w której wyrosło gniazdo z jego zarostu. – Przepraszam – dodał roztargnionym tonem i potarł się palcami pod oczyma, a potem jeszcze przesunął wnętrzami dłoni po ogolonych policzkach. – Przepraszam, że cię przestraszyłem.

Lucy zerknęła niepewnie na niego – na tę nową twarz. On...
on płakał, zanim tam przyszła?

– George, jest jakiś kłopot? – spytała.

Pokręcił głową.

– Nie, nie – zapewnił. – Po prostu stwierdziłem, że czas na zmianę. To wszystko.

– Wydajesz się zmartwiony czy coś – powiedziała.

– Nie, nie – zaprotestował. – Po prostu mam podły nastrój. Przejdzie.

Nadal przyglądał się sobie w lustrze, a ona nadal się wahała na progu łazienki, obserwując czujnie, kiedy brał nożyczki i przycinał pasmo włosów tuż nad uchem.

– Słuchaj – odezwała się – lepiej się nie strzyc samemu. Wiem to z doświadczenia.

– Hmm – mruknął. – Przypomnij sobie, co ci ciągle powtarzam. Nie żałuję niczego, bo nie wierzę w żałowanie. – Zadarł podbródek, przyglądając się swojemu profilowi w sposób, w jaki kobieta mogłaby kontemplować makijaż. Skrzywił się do siebie. Potem uśmiechnął promiennie. Próbował zrobić zdziwioną minę. – „Żale są czymś próżnym" – powiedział wreszcie. – „A jednak historia to jeden długi żal. Wszystko mogło się potoczyć zupełnie inaczej". – Obdarzył swoje odbicie cierpkim, żałobnym uśmiechem. – Niezły ten cytat, prawda? – spytał. – Charles Dudley Warner, stary złośliwiec, znakomite źródło aforyzmów. Przyjaciel Marka Twaina. Zupełnie zapomniany w dzisiejszych czasach. – Przyciął jeszcze jeden kosmyk, tym razem z drugiej strony, prowadząc nożyczki powolną, medytacyjną linią.

– George – powiedziała Lucy. – Chodź, usiądź tu. Daj, ja to zrobię.

Wzruszył ramionami. Jego zły nastrój, czymkolwiek spowodowany, zaczął się ulatniać – domyślała się, że cytat go rozweselił, możliwość przywołania jakiejś sławnej osoby i wygłoszenia paru banałów. To go uszczęśliwiło.

123

– Okay – zgodził się w końcu. – Tylko wyrównaj. I przytnij odrobinę po bokach.

I tak oto teraz, kilka godzin później, szli w milczeniu i George Orson trzymał ją za rękę, kiedy schodzili w dół po koleinach pozostawionych przez opony, wciąż wyżłobionych w ziemię, mimo że przecież upłynęło mnóstwo czasu, odkąd jechał tędy jakikolwiek pojazd.

– Posłuchaj – odezwał się wreszcie, bo od dłuższego czasu szli, nic nie mówiąc. – Chciałem ci po prostu podziękować za to, że jesteś wobec mnie taka cierpliwa. Bo wiem, że czujesz się zawiedziona, no i były takie rzeczy, o których nie mogłem i nadal nie mogę ci powiedzieć. Choćbym nie wiem jak chciał. Są po prostu pewne aspekty, z którymi sam jeszcze się nie uporałem.

Czekała na ciąg dalszy, ale on już nic więcej nie dodał. Tylko szedł, a jego palce uspokajająco grały we wnętrzu jej dłoni.

– Aspekty? – spytała. On zabrał okulary słoneczne, a ona o nich zapomniała i teraz zezowała z rozdrażnieniem w ciemne, odblaskowe kółka na jego oczach. – Dalej nie wiem, o czym mówisz – powiedziała.

– Wiem – odparł. S m u t n y m   g e s t e m   p r z e k r z y-
w i ł   g ł o w ę. – Wiem, to brzmi jak straszne brednie i naprawdę przepraszam. Wiem, że się denerwujesz, i nie miałbym do ciebie pretensji, gdybyś się zastanawiała, czy się nie spakować i nie wyjechać. Innymi słowy, jestem wdzięczny, że jeszcze nie wyjechałaś. I właśnie dlatego chciałem ci powiedzieć, że doceniam to, że mi ufasz.

– Hmm – odmruknęła Lucy. Ale nic nie powiedziała. Nigdy nie była typem osoby, która akceptuje niejasne zapewnienia. Gdyby na przykład jej matka wygłosiła podobną przemowę na jej użytek takim rozumnym, delikatnym, pełnym nadziei głosem, Lucy natychmiast wpadłaby w złość. Miała mnóstwo powodów do obaw – to oczywiste! Przecież to debilizm, że tkwią tutaj od dwóch tygodni, a on do teraz nie wytłumaczył, do czego zmierza. Miała prawo wiedzieć! Skąd pochodziły pieniądze? Dlaczego „z oporami"? Z czym dokładnie on się starał „uporać"? Gdyby matka zaciągnęła ją na koniec świata bez słowa wytłumaczenia, kłóciłyby się od rana do nocy.

Nic jednak nie powiedziała.

George Orson nie był jej matką, a ona nie chciała, żeby nią był. Nie chciała, żeby ją postrzegał w taki sam sposób, w jaki postrzegała ją matka. Rozpuszczona. Pazerna. Pyskata. Przekonana, że zjadła wszystkie rozumy. Niedojrzała. W gorącej wodzie kąpana. O te właśnie cechy matka oskarżała ją przez całe lata.

I to właśnie słowa matki przyszły jej na myśl, kiedy George Orson wyszedł wreszcie z gabinetu późnym popołudniem. Lucy spędzała całe dnie na oglądaniu nudnych starych filmów, czytaniu książek, stawianiu pasjansów, błąkaniu się po domu i tak dalej, ale kiedy wreszcie wyściubił nos, strasznie się starała, żeby nie sprawiać wrażenia zirytowanej.

– Zrobię ci wspaniałą kolację – obiecał George Orson. – *Ceviche de pescado*. Będziesz zachwycona.

A Lucy dopiero wtedy oderwała wzrok od *My Fair Lady*, którą oglądała już po raz drugi, jakby była bez reszty pochłonięta filmem. Jakby przez większą część dnia nie znajdowała się w stanie wisielczej paniki. Pochylił się, a ona pozwoliła mu przycisnąć wargi do czoła.

– Jesteś dla mnie tą jedyną, Lucy – wyszeptał.

Chciała w to wierzyć.

Nawet teraz, w stanie takiego zawieszenia, był ten nacisk jego palców na wnętrze jej dłoni, było ocieranie się jego ramienia o jej ramię, była swojska materialność jego ciała. Jego obecność skupiona na niej. Naiwna pociecha, być może, a jednak wystarczała, żeby Lucy poczuła się spokojniejsza.

Wciąż istniała możliwość, że on się nią zaopiekuje. Może to jednak nie błąd, że przyjechałam z nim tutaj. I wizja, która wystrzeliła jak flara prosto w nagą, szarą połać nieba. Może jednak będziemy bogaci. I razem.

Wbiła wzrok w bliźniacze koleiny wyryte przez opony w poszyciu, osłaniając oczy przed wiatrem i pyłem, robiąc daszek z dłoni.

– Proszę – powiedział George Orson i wręczył jej okulary słoneczne, a ona je przyjęła.

„Dziewuchom zawsze się wydaje, że są takie mądre", powiedziała jej kiedyś matka. „A ostatecznie okazują się największymi idiotkami".

Co było jednym z powodów, dla których jeszcze nie wyjechała. Bo od tych słów wciąż bolało: „Dziewuchom zawsze się wydaje, że są takie mądre". No i sam pomysł powrotu do Ohio, znowu do chałupy i Patricii. Ani studiów, ani nic. Ależ ludzie by się nabijali z jej ego. Z tego, że tak zadzierała nosa.

To wcale nie było tak, że on ją tu trzymał wbrew jej woli. Czy nie powtarzał zawsze, że może odejść, kiedy tylko zechce?

– Posłuchaj, Lucy – powiedział jej w samym środku licznych, pełnych uników rozmów, które z nim odbywała na temat ich obecnej sytuacji. – Posłuchaj, rozumiem, że jesteś zdenerwowana, ale chcę, żebyś wiedziała, że jeśli kiedykolwiek poczujesz, że straciłaś do mnie zaufanie, jeśli kiedyś stwierdzisz, że z tego po prostu nic nie będzie, zawsze możesz wrócić do domu. Zawsze. Z żalem, ale też z szacunkiem kupię ci bilet i odeślę do Ohio. Czy dokądkolwiek.

A więc jednak.

A więc jednak istniały jeszcze alternatywy, które roztrząsała przez minione dni, tygodnie.

Prawie potrafiła sobie wyobrazić, jak wsiada do samolotu, jak idzie środkiem, jak w końcu kuli się i wsuwa na wąskie siedzenie przy zasmużonej szybie. Tylko dokąd leci? Z powrotem

do Pompey? Do jakiegoś dużego miasta? Do Chicago, Nowego Jorku czy
do jakiegoś dużego miasta, gdzie by się
pustka w głowie.
Kiedyś miała mnóstwo pomysłów odnośnie do swojej przyszłości. Zasadniczo była osobą praktyczną, która wszystko planowała z wyprzedzeniem. „Ambitna", tak nazywała ją matka i to nie był komplement.

Pamiętała taki jeden wieczór, na krótko przed śmiercią rodziców, kiedy ojciec dokuczał Patricii w związku z jej szczurami, żartując, że mogą jej przeszkodzić w zdobyciu chłopaka, i wtedy do akcji wkroczyła matka, która w tle czujnie zmywała naczynia.

– Larry – upomniała go surowym tonem – ty lepiej bądź miły dla Patricii. – Odwróciła się i emfatycznie machnęła szpatułką pokrytą pianą. – Bo ja ci powiem jedno: to Patricia się tobą zajmie, kiedy będziesz w podeszłym wieku. Jak będziesz dalej tak kopcił, to zanim stuknie ci pięćdziesiąt pięć lat, będziesz przy sobie targał zbiornik z tlenem i to nie Lucy będzie cię woziła do lekarza i przynosiła ci zakupy, zapewniam cię. Lucy sobie pójdzie, jak tylko skończy szkołę, a ty pożałujesz, że tak się nabijałeś z Patricii.

– Jezu – rzucił ojciec, a Lucy, która odrabiała lekcje przy kuchennym stole, zadarła głowę.

– Co to ma wspólnego ze mną? – spytała, mimo że matka zasadniczo miała rację. Za nic w świecie nie zostałaby w Pompey, żeby się zajmować chorym rodzicem. Wymyśliła, że zapłaci za miejsce w domu opieki. A jednak matka zachowywała się nienormalnie, porównując ją z Patricią w taki sposób, i dlatego posłała jej obrażone spojrzenie. – Nie wiem, co jest złego w tym, że ktoś chce iść na studia i może robić coś jeszcze innego.

W tamtych czasach myślała, że mogłaby wejść w prawo, w prawo korporacyjne, bo słyszała, że tam są pieniądze. Albo w zarządzanie inwestycjami i obligacjami: Merrill Lynch, Goldman

Sachs, Lehman Brothers, jedno z miejsc tego typu. Wyobrażała sobie te lśniące biura, całe ze szkła, politurowanego drewna i niebieskawego światła, okna na całą ścianę z konturami Manhattanu unoszącymi się w powietrzu na zewnątrz. Ściągnęła nawet ze stron korporacyjnych informacje na temat praktyk i tak dalej, aczkolwiek gdy teraz o tym myślała, to już się nie łudziła, że przyjmują na praktyki absolwentów liceów z Ohio. Matka była zaskakująco wroga wobec tego pomysłu.

– Nie wiem, czy zniosłabym prawnika w rodzinie – rzuciła beztrosko. – Nie mówiąc już o bankowcu.

– Nie ośmieszaj się – zgromiła ją Lucy.

A wtedy matka westchnęła teatralnie.

– Och, Lucy – powiedziała i poprawiła różową pielęgniarską bluzkę, szykując się do wyjścia na swoją zmianę. Była zwyczajną pielęgniarką, nawet nie miała dyplomu, nawet nie skończyła prawdziwego czteroletniego college'u. – Cała sprawa krąży wokół: „Co z tego będę miała?" Nic tylko pieniądze, pieniądze, pieniądze. Tak nie można żyć.

Lucy milczała przez chwilę. A potem odpowiedziała jej cichym głosem:

– Mamo, nie wiesz, o czym mówisz.

I teraz, kiedy razem z George'em Orsonem dotarli do starej przystani, znowu zaczęła myśleć o wyjeździe, w jej głowie znowu pojawił się samolot szybujący w stronę nieznanej, pustej przestrzeni – komiksowy samolocik sfruwający z kartki w nicość. Albo też mogła zostać.

Musiała bardzo starannie przemyśleć swoje wybory. Zdawała sobie sprawę, że George Orson jest uwikłany w jakąś nielegalną działalność; zdawała sobie sprawę, że jest mnóstwo rzeczy, których jej nie powiedział – mnóstwo tajemnic. Ale co z tego? To właśnie przede wszystkim tajemniczość przyciągnęła ją do niego, po co się tego wypierać? I dopóki same pieniądze były realne, dopóty ten element sytuacji dawało się jakoś rozegrać... Doszli do budynku stojącego przy krańcu drogi. Witryna wbudowana w prostą futrynę, nad nią szyld ze staroświeckimi literami: SKLEP OGÓLNOSPOŻYWCZY I PALIWO, a do tego pod spodem cała seria obietnic: PRZYNĘTA... LÓD... KANAP-KI... ZIMNE NAPOJE...

Sklep sprawiał wrażenie, jakby stał zamknięty od epoki dyliżansów. Do takiego miejsca mógłby wstąpić woźnica ze starego westernu.

Ale tu tak po prostu było, Lucy zauważyła już wcześniej. Przez ten suchy wiatr, ciągłe zawirowania w pogodzie, pył. To od nich wszystko robiło się takie antykowate.

George Orson stał z przekrzywioną głową, przysłuchując się cichemu poskrzypywaniu zawiasu, na którym dyndała stara tablica z reklamą papierosów. Twarz miał pozbawioną wszelkiego wyrazu, podobnie było z fasadą sklepu. Okna z powybijanymi szybami, połatane kawałkami tektury, jakieś śmieci, spłowiały papierek od cukierka, styropianowy kubek, liście i inne takie, tańczące w kręgu na asfalcie zaplamionym olejem. A dystrybutory paliwa po prostu durnie sterczały.

– Halo? Jest tam kto? – zawołał.

Czekał, niemalże z nadzieją, jakby ktoś rzeczywiście mógł mu odpowiedzieć, na przykład jakiś upiór.

– Zdrastwujtie? – zawołał. Jego stary dowcip. – Konichiwa?

Zdjął pistolet z widełek z boku pompy paliwowej i eksperymentalnie próbował go użyć. Nacisnął przycisk, który powinien był sprawić, że z węża popłynie benzyna, ale oczywiście nic nie zdziałał.

– Tak będzie wyglądał koniec cywilizacji – stwierdził. – Nie uważasz?

Za jego dziecięcych lat to jezioro było największym zbiornikiem wodnym w regionie. Dwadzieścia mil długości, sto czterdzieści dwie stopy głębokości przy samej zaporze.

– Musisz zrozumieć – powiedział jej George Orson. – Ludzie przyjeżdżali tu aż z Omaha i Denver, jechali nawet sto mil, żeby tu być. Bo tu było niesamowicie w tamtych czasach. Teraz trudno sobie wyobrazić, że to miejsce tętniło życiem. Pamiętam jeszcze, że jak się popatrzyło ze szczytu zapory, to człowiek w ogóle nie widział końca jeziora. Takie wielkie, zwłaszcza dla nieszczęśliwego dziecka z Nebraski, które nigdy nie widziało oceanu. A teraz jest tu jak na tych obrazkach z Iraku. Znajomy geolog opowiadał mi, że Eufrat wysycha, i pokazał zdjęcia: zupełnie jak tu.

– Hmm – mruknęła.

O takich właśnie rzeczach lubił opowiadać. „Znajomy geolog" – bez wątpienia ktoś, z kim studiował razem w Yale, dawno, dawno temu. Znał ludzi wszelkiego autoramentu, najrozmaitsze historyjki i szczegóły, z którymi czasami wyjeżdżał, żeby zrobić na niej wrażenie, i które, owszem, poniekąd rzeczywiście ją powalały. Sama miałaby wielką ochotę znać ludzi, z których mogli wyrosnąć geolodzy, sławni pisarze i politycy, tak jak z kolegów z klasy George'a Orsona.

Lucy złożyła podania na trzy uczelnie: Harvard, Princeton i Yale.

To były jedyne miejsca, które ją interesowały, to są najsławniejsze uczelnie, uważała, te najważniejsze...

I potrafiła sobie wyobrazić siebie na tamtejszych campusach – jak stoi pod pomnikiem Johna Harvarda, przed aulą uniwersytecką, jak spieszy przez Dziedziniec McCosha w Princeton, ściskając pod pachą książki, albo jak wędruje po Hillhouse Avenue w New Haven, po „tej najpiękniejszej ulicy w całej Ameryce", jak pisali w broszurach, w drodze na przyjęcie w siedzibie rektora...

Na samym początku sprawiałaby wrażenie równie nieśmiałej jak dotychczas i nie miałoby znaczenia, że nie ma ładnych ciuchów. Ubierałaby się z prostotą, w ciemne, skromne stroje, które może nawet uznano by za tajemnicze. W każdym razie ludzie bardzo szybko zaczęliby ją zauważać, tak jak George Orson, z powodu jej subtelnego dowcipu, wyostrzonej wrażliwości na absurd, uszczypliwych komentarzy podczas zajęć. Jej współlokatorka byłaby prawdopodobnie jakąś dziedziczką fortuny i kiedy Lucy wyznałaby wreszcie wstydliwie, że jest sierotą, może zostałaby zaproszona na wakacje w Hamptons albo Cape Cod czy w innym takim miejscu...

Nie mogła się zwierzyć z tych mrzonek George'owi Orsonowi. Bardzo krytycznie odnosił się do swojego elitarnego wykształcenia na uczelni należącej do Ligi Bluszczowej – mimo że często ten fakt przytaczał. Nie miał zbyt wysokiego mniemania o ludziach, których tam poznał. „To groteskowe wykorzystywanie uprzywilejowanej pozycji", opowiadał. „Wszyscy ci książęta i księżniczki, którzy tak się nadymali podczas czekania na przynależne im miejsce na czele kolejki. Boże, jak ja ich nienawidziłem!"

Mówił jej te rzeczy po tym, jak już się ze sobą związali, podczas wiosennego semestru, kiedy chodziła do ostatniej klasy; leżała w jego łóżku, ukrywając twarz, bo głowiła się jednocześnie, w jaki sposób ona to wszystko zakończy, kiedy będzie już musiała wyjechać do Massachusetts, Connecticut albo New Jersey. Bo przecież będzie musiała mu powiedzieć, kiedy wreszcie dostanie zawiadomienie, że została przyjęta; to będzie bolesne, ale prawdopodobnie ostatecznie z korzyścią dla nich obojga.

Kilka dni później listonosz przyniósł pierwszą odmowę. Znalazła ten list po powrocie ze szkoły – Patricia była wtedy w pracy – i potem usiadła z nim przy kuchennym stole, czując na sobie wzrok figurek z kolekcji „Niezapomniane chwile", które zgromadziła matka. Porcelanowe dzieci o krągłych główkach i wielkich oczach, a za to prawie bez nosów i ust:

w parach czytały książki, siedziały na wielkiej muffince albo trzymały szczeniaczka. Stały na plastikowym regale, który matka kupiła w drogerii. Ułożyła list przed sobą: żałowali, że nie mogą jej przekazać innej decyzji. Z przykrością zawiadamiali, że nie mogą jej przyjąć. Mieli nadzieję, że przyjmie ich najlepsze życzenia.

Z perspektywy czasu nie wiedziała, skąd jej się wtedy wzięła ta pewność siebie. Fakt, dostawała prawie same A ze wszystkich przedmiotów – średnią ocen psuło jej tylko kilka B z plusem z francuskiego, od delikatnej, lecz bezlitosnej Mme Fournier, której nie podobał się ani jej akcent, ani *embouchure*. Posłusznie wstępowała do najrozmaitszych organizacji – do Ogólnokrajowego Stowarzyszenia Wybitnych Uczniów, do „Maski i Młotka", do „Przyszłych Liderów Biznesu Amerykańskiego", do „Model ONZ" i tak dalej. Na egzaminach końcowych zdobyła dziewięćdziesiąt cztery procent.

Wszystko za mało, teraz to do niej dotarło. George Orson miał rację: człowiek powinien być specyficznie wyrachowany już od bardzo wczesnego etapu rozwoju, od podstawówki albo jeszcze wcześniej, albo wręcz prawdopodobnie należało go kształtować w tym celu od samego początku. W czasie, kiedy się osiągało wiek Lucy...

Dwie kolejne odmowy dotarły tydzień później.

Wiedziała, co to takiego, zanim je przeczytała. Zasłuchana w monotonne, nerwowe szczekanie psa sąsiada otworzyła wreszcie jeden z listów i odgadła jego treść już po pierwszym słowie.

„Po..."

Zakryła kartkę dłonią i zamknęła oczy.

Tak dobrze sobie radziła. Mimo śmierci rodziców, mimo strasznej sytuacji w domowym życiu, pustej lodówki, rachunków, które razem z Patricią ledwie potrafiły regulować, mimo nędznych groszy, które Patricia zarabiała w Circle K Convenience, i resztek z polisy rodziców, mimo że obie żywiły się

mrożonymi obiadami, zupami z puszek i ohydnymi sklepowymi
hot dogami i nachos, które Patricia przynosiła z pracy, mimo
że nie miała ani komórki, ani iPoda, ani nawet komputera, jak
większość jej rówieśników...

Mimo wszystko szła do przodu, dawało się wręcz powiedzieć,
że nosiła się z niejaką godnością i wdziękiem, że była heroiczna,
bo tak codziennie chodziła do szkoły, odrabiała wieczorem lekcje, pisała wypracowania, bo zgłaszała się do odpowiedzi i ani
razu się nie popłakała, ani razu się nie poskarżyła na to, co ją
spotkało. Czy to się nie liczyło?

Najwyraźniej nie. Jej dłoń wciąż spoczywała na słowach za-
wartych w liście, a ona wpatrywała się w tę dłoń, jakby to była
zgubiona przez kogoś rękawiczka leżąca na hałdzie śniegu.

Została wprowadzona w błąd. Czuła, jak ta świadomość
powoli się w niej ukorzenia. To życie, ku któremu dążyła – to,
które dla siebie widziała w wyobraźni – wizje i oczekiwania,
jakie zaledwie kilka tygodni wcześniej wydawały się takie ma-
terialne – to życie zostało wymazane i teraz od jej dłoni przez
całą rękę aż do ramienia pełzło odrętwienie. Szczekanie w są-
siedztwie jakby stężało w powietrzu.

Przyszłość stała się teraz miastem, w którym nigdy nie była.
Miastem na drugim krańcu kraju; jechała tam, z całym swoim
dobytkiem ułożonym na tylnym siedzeniu, trasą, którą sobie
skrupulatnie wytyczyła na mapie, ale kiedy w którymś momencie zatrzymała się na poboczu, żeby odpocząć, zorientowała się,
że miejsca, do którego jedzie, już nie ma. Miasto, do którego
jechała, zniknęło – może zresztą nigdy nie istniało – i gdyby się
zatrzymała, żeby spytać o drogę, pracownik stacji benzynowej
spojrzałby na nią nierozumiejącym wzrokiem. Nawet by nie
wiedział, o czym ona mówi.

– Przykro mi, panienko – powiedziałby łagodnym głosem. – Musiała się panienka pomylić. W życiu nie słyszałem
o takim mieście.

To poczucie wykluczenia.

W jednym życiu było takie miasto, do którego się jechało. W innym to miasto było tylko wymyślonym miejscem.

Nie miała ochoty wspominać tego okresu swojego życia, ale przyłapywała się na tym, że i tak o nim myśli. To była jedna z tych rzeczy, których George Orson nie rozumiał, jedna z tych rzeczy, których nigdy nie mogła mu powiedzieć. Nie potrafiła sobie wyobrazić, jak opisuje rozmowę telefoniczną, którą odbyła z urzędnikiem z biura rekrutacyjnego na Harvardzie – że zaczęła płakać...

– Pan nic nie rozumie – powiedziała i w tym momencie nie stało się tylko to, że sobie mimo woli jęknęła czy zaszlochała. W tym momencie jakby wszystko zaczęło dosłownie z niej wyciekać, jej ciało jakby robiło się puste, miała wrażenie, że po jej czaszce i twarzy biegają grube igły i szpilki, że zaciskają jej się serce i płuca. – Nie mam nic – powiedziała. – Jestem sierotą – wyznała i nagle tamte sensacje zniknęły, a za to nie wiedzieć czemu ubrdało jej się, że pewnie zaraz oślepnie. Nawet palce jej się trzęsły. – Moi rodzice nie żyją – dodała i wtedy pod jej gardłem otworzyła się jakaś dziwna przestrzeń, strzępiasta i ciężka.

Na tym właśnie polegał autentyczny smutek, którego wcześniej tak naprawdę nigdy nie zaznała. Wszystkie te wcześniejsze razy, kiedy niby to była smutna, wszystkie te sytuacje, kiedy płakała, wszystkie te dołki i melancholie wynikały tylko ze złego samopoczucia, były czymś przemijającym, zależnym od kaprysu. Smutek okazał się czymś zupełnie innym.

Słuchawka telefonu wyśliznęła jej się z ręki, przyłożyła dłoń do ust, bo tak jej się jakoś okropnie, bezdźwięcznie chuchnęło.

I kilka tygodni później, kiedy George Orson zaproponował, żeby razem z nim wyjechała z miasta, uznała, że to jedyna rozsądna rzecz, jaką może zrobić.

Dotarli do skraju pomostu dla łodzi, przy cementowym zboczu, które schodziło do samego dna niecki nieistniejącego jeziora. Wisiała tam tablica o treści:

W ODLEGŁOŚCI 20 STÓP
OD POMOSTÓW I PRZYSTANI
OBOWIĄZUJE ZAKAZ PŁYWANIA
I BRODZENIA W WODZIE

– Chciałem ci to pokazać – powiedział George Orson, wskazując jakiś punkt na środku tej równiny pokrytej piaskiem i skarlałymi chwastami, tam gdzie kiedyś była woda.

– Nic nie widzę – stwierdziła Lucy.

Od jakiegoś czasu przebywała we wnętrzu własnej głowy, coraz bardziej pochmurniejąc w trakcie tego schodzenia w dół, ale oczywiście George Orson nie potrafił czytać w jej myślach. Nie wiedział, że przypominała sobie największe upokorzenie swego życia, nie wiedział, że zastanawiała się nad wyjazdem, nie słyszał, że zastanawiała się, czy w tym domu są jakieś pieniądze.

Ale naturalnie potrafił odczytać jej nastrój; widziała, że próbuje dostarczyć jej jakiejś rozrywki. Bo teraz była jego kolej, żeby ją podnieść na duchu.

– Tylko poczekaj. To ci się spodoba – mówił coraz żywszym głosem, ściskając ją za rękę, ciągnąc za sobą.

Jej prywatny nauczyciel historii.

– Ta droga prowadzi do miejsca, gdzie kiedyś było miasteczko – powiedział, cały czas podczas marszu gestykulując jak jakiś prelegent. – Lemoyne. Tak się nazywało. Kiedy w latach trzydziestych zapadła decyzja, że tu będzie zalew, władze stanu wykupiły całą ziemię razem z domami; ludzie zostali wysiedleni, a teren zalano. Właściwie to nic niezwykłego. Podejrzewam, że takich miejsc są setki, jak całe Stany długie i szerokie. „Zatopione miasta", tak się chyba na to mówi. W miarę postępu w dziedzinie irygacji i zbiorników hydroelektrycznych ludzie musieli po prostu robić miejsce...

I tu urwał, sprawdzając, czy wciąż ma w niej słuchacza.

– Na tym polega postęp – dodał.

Widziała je teraz. To miasteczko. Czy raczej pozostałości po nim, nieszczególnie miasteczkopodobne. Po dnie niecki hulał pył i stojące w oddali budynki wydawały się rozmazane, jakby skryte za mgłą.

– Super – stwierdziła. – Niesamowite.

– Prywatna Atlantyda Nebraski – powiedział George Orson i spojrzał na nią, oceniając jej reakcję.

Widziała, że planuje, co teraz powiedzieć, a potem przemyśliwuje to raz jeszcze od początku.

– Tu jest mnóstwo energii – dodał i obdarzył ją jednym z tych swoich brzemiennych w tajemnicze znaczenia uśmiechów. Podpuszczał ją, ale był też poważny z powodu, który nie całkiem rozumiała.

– Energii – powtórzyła.

Jego uśmiech zrobił się szerszy – jakby się ucieszył, że dokładnie zrozumiała, do czego on zmierza.

– To energia nadprzyrodzonej odmiany. Tak się mówi. To miasteczko jest wymieniane we wszystkich pseudonaukowych książkach typu *Najbardziej nawiedzone miejsca Ameryki* czy *Tajemnicze miejsca na Wielkich Równinach*, no wiesz, o czym mówię. Co zresztą nie znaczy, że odrzucam je hurtem. Ale uważam, że jeśli jest tu jakaś energia, to prawdopodobnie raczej negatywna. Niedaleko stąd doszło do bitwy pod Ash Hollow. W 1855 roku, kiedy generał William Harney poprowadził sześciuset żołnierzy na obóz Siuksów. W masakrze zginęło osiemdziesięciu sześciu ludzi, w tym wiele kobiet i dzieci. To była część planu prezydenta Pierce'a, ekspansji na zachód, szlaku oregońskiego, rozrostu armii amerykańskiej...

Lucy zmarszczyła czoło. Miała nadzieję na więcej informacji odnośnie do ich bieżącej sytuacji, a tymczasem wszystko sprowadziło się do kolejnej dygresji. Do kolejnej porcji ględzenia o rzeczach, które go fascynowały – chałowaty New Age przemieszany ze spiskowo-antyrządowymi analizami historycznymi – choć swego czasu lubiła, jak on się rozwodził nad takimi sprawami, choćby dlatego, że wtedy mogła robić za sceptyczkę.

– No popatrz – powiedziała teraz, ponownie pozwalając sobie na kpiarski ton, bo tak dawniej zwykli ze sobą rozmawiać, oddany nauczyciel i złośliwa uczennica rzucająca mu wyzwania. – Domyślam się, że pewnie gdzieś tu są też tajne lądowiska ufoludków – dodała.

– Ha-ha – odparł.

I wyciągnął rękę, a ona poczuła, że włosy jej się jeżą na karku. Przed nimi stało kilkanaście budynków wystających ze szlamu, piasku, skrzypów i jakichś wielkich krzaków, które miały kształt biegaczy stepowych, aczkolwiek „budynki" to nie było do końca właściwe określenie.

Szczątki, pomyślała. Fragmenty konstrukcji w rozmaitych stadiach pogrążania się w ruinie – fundamenty i porozwalane kawały betonu, gruba, sześciokątna bryła, prostokątna kolumna, trójkątny fragment narożnika – przy czym do wszystkich uczepiły się ogony piasku. Kamienny mur z prostokątnym otworem po drzwiach. Sterta przegniłych, pokrytych szlamem i algami desek, które kiedyś tworzyły wychodek albo jakąś szopę, a za tą stertą zardzewiały, wygięty słupek z tabliczką z nazwą ulicy. I jakiś większy, czworościenny szkielet, schodki prowadzące do fasady z kamiennych bloczków.

– Ja cię chrzanię, George – powiedziała.

Jeszcze jedna charakterystyczna cecha ich związku, dawniej. On był tym wierzącym, a ona była ta cyniczna, ale ostatecznie dawała się przeciągnąć na drugą stronę. Dawała się wprowadzić w stan zachwytu, pod warunkiem że on był dostatecznie przekonujący.

I tym razem mu się udało.

– To był kościół – wyjaśnił George Orson.

Stali tam razem, obok siebie; pomyślała, że właściwie to on ma rację z tą „negatywną energią" czy czymś tam.

– Nie jest to dobre miejsce na przeprowadzenie jakiegoś rytuału? – spytał.

I znowu to poczuła, tę martwotę końca świata. Przypomniała jej się reakcja George'a Orsona – przejeżdżali wtedy przez Indianę czy może Iowę – na jej mętne rojenia, że jednak jeszcze będzie studiowała, że za rok znowu złoży podanie.

– Ja tam na twoim miejscu nie zawracałbym sobie głowy – powiedział, spojrzał na nią, a jego krzywy uśmiech zrobił się jeszcze szerszy. – Zanim ci stuknie czterdziestka, nie będzie miało znaczenia, czy skończyłaś studia czy nie. Wątpię, czy Uniwersytet Yale będzie w ogóle istniał.

Spojrzała na niego surowo.

– No pewnie – odparła. – A władzę nad światem przejmą małpy.

– Jak Boga kocham – upierał się przy swoim. – Wcale nie jestem pewien, czy wtedy Stany Zjednoczone będą w ogóle istniały. A jeśli już, to nie takie, jakie znamy.

– George – powiedziała. – Nie mam pojęcia, o czym mówisz.

Teraz jednak, kiedy tak stała na dnie wyschniętej niecki jeziora, na stopniach starego kościoła, gdzie w kępie pajęczynowatego mchu leżało ciało zmumifikowanego karpia – potrafiła sobie bez trudu wyobrazić, że Stanów Zjednoczonych już nie ma: że są tylko spalone miasta, autostrady dławiące się od rdzewiejących samochodów, które bezskutecznie próbowały uciec.

– Zabawne – mówił George Orson. – Matka ciągle nam powtarzała, że przy czystej wodzie da się zobaczyć iglicę wieży, co oczywiście było mitem, ale mój brat i ja stale przypływaliśmy tu pontonem i nurkowaliśmy, żeby jej szukać. I co ty na to? Przecież to był prawie sam środek jeziora i to całkiem głębokiego, musisz to sobie uzmysłowić. Dwanaście albo trzynaście sążni. Pogrążył się w tym typowym dla niego stanie rozmarzenia, a ona obserwowała jego palec, kiedy go podniósł i wycelował ku niebu.

– Pomyśl tylko! – powiedział. – Nasz ponton był wtedy jakieś siedemdziesiąt albo osiemdziesiąt stóp wyżej niż my teraz i my dawaliśmy z niego nura. Człowiek czuł się tu na dole jak rekin, obserwował czyjeś pluskające stopy i oglądał powierzchnię wody od tej strony...

Tak. Widziała to. Potrafiła sobie wyobrazić, że stoi na dnie jeziora i widzi membranę wody, wiszącą nad głową jak niebo, i jeszcze ten falujący cień pontonu, sylwetki dwóch chłopców opromienione rozproszonym, niebieskozielonym światłem, sylwetki podobne do ptaków ślizgających się w podmuchach powietrza.

Zadygotała. Wizja wody i nostalgii za dzieciństwem odpłynęła.

Blady pył fruwał poziomymi pasmami blisko ziemi, wił się cienkimi, urywanymi ścieżkami, które potem budowały mierzeje dookoła krzaków. Kurz i oślepiające słońce wyprały całe otoczenie z koloru, przez co przypominało to fotografię zrobioną z aparatu ustawionego na zbyt wysoką jasność i kontrast.

Nie miała niczego takiego w swoim dzieciństwie, żadnych sielankowych wakacji na plaży, żadnych pontonów ani też tajemniczych podwodnych miast. Pamiętała letnie dni spędzane na basenie w Pompey albo jak przebiegała przez strumień wody z węża na podwórku, razem z Patricią, tłustawą małą dziewczynką w jednoczęściowym kostiumie kąpielowym, która rozdziawiała szeroko usta, żeby chwytać wodę.

Biedna Patricia, pomyślała.

Biedna Patricia, która zmywała naczynia, robiła pranie i popatrywała smutnym wzrokiem na Lucy wylegującą się na kanapie przed telewizorem. Jakby była ponad to, żeby po sobie posprzątać. Pewnie lepiej dla nas obu, pomyślała Lucy, że wyjechałam. Może Patricia jest teraz szczęśliwsza.

– No to jak? – spytała Lucy. – Gdzie jest teraz twój brat? Dzwonisz do niego czasem, rozmawiasz z nim czy coś?

George Orson zamrugał. Sam pewnie wracał od jakichś wspomnień, domyślała się, bo jakby osłupiał, kiedy zadała mu to pytanie. Ale zaraz się wyprostował.

– Mój brat... właściwie to jego już nie ma – wyznał wreszcie. Na jego czole wystąpiły zmarszczki. – Utopił się. Gdzieś... wydaje mi się, że jakieś pięć mil na północ stąd. Miał osiemnaście lat. Tamtego roku skończył liceum, ja już studiowałem, byłem jeszcze w New Haven i podobno... – Urwał, jakby w myślach poprawiał obraz wiszący na ścianie. – Podobno poszedł popływać wieczorem i... i tyle. Nie wiadomo, co się stało, bo był sam, ale nigdy też nie udało im się stwierdzić dlaczego. Świetnie pływał.

– Ty nie żartujesz – orzekła.

– Oczywiście, że nie – odparł i obdarzył ją jednym z tych swoich lekko karcących spojrzeń. – Jak mógłbym żartować z czegoś takiego?

– Jezus Maria, George – powiedziała.

Oboje zamilkli, zadarli głowy, wgapiając się w wąskie cirrusy barwy łupka, którymi zasnute było niebo. Nieistniejąca powierzchnia wody, dwanaście sążni nad nimi.

Nie była pewna, co ma myśleć. Od jak dawna byli ze sobą? Prawie pięć miesięcy? Tyle godzin rozmów, tyle gadania o różnych wersjach historii, o filmach, o latach spędzonych w Yale, o przyjacielu geologu, o przyjacielu magiku i szalonych komputerowcach z Atlanty, wszystkie te duperele o tym i o tamtym, a tymczasem ona nie potrafiłaby zrekonstruować nawet najbardziej podstawowych faktów z jego życiorysu.

– George, nigdy mi nie powiedziałeś, że miałeś brata, który się utopił. Dziwne, nie uważasz? – spytała.

Starała się utrzymać ton ich zwyczajowych przekomarzanek, ale wbrew sobie popiskiwała i miała to okropne uczucie, że zaraz znowu dostanie tego napadu płaczu jak tamtego dnia, kiedy zadzwoniła do biura rekrutacyjnego. Zacisnęła usta, pohamowała się.

– Ja ci opowiedziałam o swoich rodzicach – dodała.

– Owszem – odrzekł George Orson. – I wiesz, że zawsze doceniałem twoją szczerość.

Wzruszył lekko ramionami; nie chciał się kłócić, nie chciał jej zrobić przykrości. Miał tik, a ona się zastanawiała, czy może dał się przyłapać na prawdzie – na tej samej zasadzie, na jakiej ludzie bywają przyłapywani na kłamstwie.

– Szczerze? – spytał. – Uznałem, że lepiej ci nie serwować historyjek o tragicznych zgonach. W końcu żyłaś z brzemieniem własnej straty. Musiałaś się oderwać od tego wszystkiego, Lucy. Opowiedziałaś mi o swoich rodzicach, prawda. Ale fakt jest taki, że ani trochę nie chciałaś o tym rozmawiać.

– Hmm – mruknęła, bo chyba miał rację; może mimo wszystko jednak ją rozumiał. Czyżby aż tak się pogubiła, jak on zdawał się o niej myśleć?

– A poza tym – ciągnął – mój brat umarł dawno temu. Raczej nie myślę o tym zbyt często, jak już, to wtedy, kiedy tu przyjeżdżam.

– Rozumiem – powiedziała i usiedli razem na skruszałych stopniach starego kościoła. – Rozumiem – powtórzyła i w jej głosie znowu zabrzmiał ten pisk, to drżenie. Przypomniał jej się tamten dzień, kiedy ojciec zabrał ją i Patricię nad jezioro Erie, na ryby, łódką wyposażoną w skaner sonarowy, który miał im pomóc znajdować duże okazy. Wyobraziła sobie George'a Orsona łowiącego swoje wspomnienia za pomocą dźwięków, namierzającego cień brata osuwającego się w odmęty ciemnej wody.

– Ale... nie tęsknisz za nim? – spytała.

– Nie wiem – odrzekł w końcu George Orson. – Oczywiście, że za nim tęsknię w pewien specyficzny sposób. Bardzo się zdenerwowałem, kiedy umarł, to naturalne; to była straszna tragedia. Ale...

– Ale co? – podjęła Lucy.

– Czternaście lat to szmat czasu – dopowiedział. – Mam trzydzieści dwa lata, Lucy. Może jeszcze tego nie rozumiesz, ale w tym czasie człowiek przechodzi wiele różnych stadiów. Stawałem się wieloma różnymi ludźmi.

– Wieloma różnymi ludźmi – powtórzyła.

– Dziesiątki razy.

– Naprawdę? – spytała. I dotarło do niej, że oto znowu omiata ją ten rozedrgany cień, wszyscy ci różni ludzie, którymi sama chciała się stać, że cały ten smutek i lęk, o których dotąd starała się nie myśleć, zamajaczyły nad nią jak góra lodowa. Czy oni teraz tylko żartują? Czy raczej był to sam środek jakiejś poważnej rozmowy?

– No to... – powiedziała. – No to... kim jesteś teraz?

– Nie bardzo wiem – odparł George Orson i długo na nią patrzył zielonymi tęczówkami pomykającymi jak płotki, lustrując jej twarz. – Ale chyba tak jest dobrze.

Nie sprzeciwiła się, kiedy nakrył dłonią jej rękę. Jej kłykcie, palce, paznokcie, opuszki palców. I kiedy dotknął jej nogi, tak jak zawsze to robił, kiedy to ona stanowiła centrum jego zainteresowania.

On mnie naprawdę kocha, pomyślała. Bo skądś musiało się brać to wrażenie, że prawdopodobnie jest jedynym człowiekiem, który naprawdę ją zna. Zna tę prawdziwą ją.

– Posłuchaj – odezwał się znowu George Orson. – A gdybym ci tak powiedział, że możesz porzucić swoje dawne „ja”? Właśnie teraz. Albo gdybym ci powiedział, że możemy pogrzebać George'a Orsona i Lucy Lattimore właśnie tutaj? Właśnie tu, w tym małym, martwym miasteczku?

On nie jest niebezpieczny, pomyślała. On nie zrobi jej nic złego. A jednak w jego twarzy, w oczach była jakaś dziwna, niepokojąca głębia. Nie zdziwiłaby się, gdyby jej powiedział, że zrobił coś strasznego. Że na przykład kogoś zamordował. Czy nadal by go kochała, czy zostałaby z nim, gdyby popełnił jakąś okropną zbrodnię?

– George – powiedziała i sama słyszała, jak ochryple i niepewnie brzmi jej głos w tej niecce po jeziorze. – Próbujesz mnie nastraszyć?

– Ani trochę – zapewnił ją, ujął jej dłonie i uścisnął mocno, przysunął twarz do jej twarzy, dzięki czemu widziała teraz, jakie jasne, żywe i szczere są jego oczy. – Nie, kochanie, przysięgam na Boga, w życiu nie próbowałbym cię straszyć. Nigdy. – A potem uśmiechnął się do niej pogodnie. – Chodzi tylko o to... och, skarbie, ja chyba nie mogę być dłużej George'em Orsonem. I jeśli mamy zostać razem, ty też nie możesz być już Lucy Lattimore.

Po drugiej stronie zachwaszczonego dna jeziora, na przeciwległym brzegu spiętrzyły się chmury, brudne i białe, blednące w stronę ciemnej szarzyzny. Tuman pyłu zawirował w dolinie, w której kiedyś były całe sążnie wody.

13

Miles siedział właśnie w barze w Inuvik, kiedy zadzwonił telefon.

Męczył już czwarte piwo i w pierwszej chwili nie bardzo rozumiał, skąd się bierze ten dźwięk – cichusieńkie, przetworzone komputerowo szczebiotanie ptaków, które zdawało się dochodzić z jakiegoś niewiadomego miejsca w otaczającym go powietrzu. Zerknął na barmana, obejrzał się przez ramię, zbadał podłogę pod swoim stołkiem, aż wreszcie się połapał, że ten szczebiot to jego telefon ukryty w kieszeni kurtki.

Kupił go w miejscowym sklepie – nazywał się „Bezprzewodowo z lodowca" – bo się zorientował, że jego komórka nie ma tu zasięgu. Jedna z wielu rzeczy, których nie wziął pod uwagę, kiedy wyjeżdżał z Cleveland. Jeden z licznych wydatków, którymi przez całe lata obciążał swoją kartę kredytową podczas pogoni za Haydenem.

Tym razem jednak okazało się, że było warto. Telefon naprawdę dzwonił.

– Halo? – powiedział i usłyszał pustkę. – Halo? Halo? – powtórzył. Nie był jeszcze przyzwyczajony do tego aparatu, nie miał pewności, że właściwie się nim posługuje.

I wtedy usłyszał głos kobiety.

– Dzwonię w związku z plakatem – wyjaśniła i na początku tak go spłoszyło to spotkanie z głosem z drugiego krańca linii, że synapsy w jego mózgu zaczęły się potykać o siebie.

– Plakatem...? – wybąkał.

– Tak – potwierdziła kobieta. – Zauważyłam taki mały plakat... o zaginionym człowieku... i był na nim ten numer telefonu. Wydaje mi się, że mam informację na temat mężczyzny, o którym była mowa na plakacie.

Była pierwszą osobą mówiącą z amerykańskim akcentem, jaką słyszał od jakiegoś czasu; wyprostował się, poklepując kieszenie w poszukiwaniu długopisu.

– Wydaje mi się, że znam człowieka, którego pan szuka – dodała.

Detektywem był koszmarnym.

O tym między innymi rozmyślał podczas jazdy do Inuvik. Praktycznie od dnia, w którym stuknęło mu dwadzieścia lat, przez kolejną dekadę szukał Haydena. Owszem, włóczył się również jak somnambulik od jednej dorywczej pracy do drugiej albo bezskutecznie usiłował zdobyć wyższe wykształcenie, ale cały ten czas wierzył, że jego „prawdziwe" powołanie jest ulokowane gdzie indziej. Że jego prawdziwym powołaniem jest zawód „detektywa", że jego prawdziwym powołaniem jest pogoń za Haydenem. I dlatego wszelkie próby powrotu do normalności były przerywane – dziurawione – okresami intensywnych nawrotów obsesji na punkcie Haydena: zbierania i przesiewania danych, wydawania pieniędzy i obciążania kart kredytowych, żeby móc podejmować długie, bezowocne wyprawy.

Niemniej prawda była taka, że przez te wszystkie lata zdziałał niewiele oprócz zgromadzenia niezliczonych notesów pełnych pytań, które nie znalazły odpowiedzi:

Czy Hayden jest schizofrenikiem? Czy rzeczywiście cierpi na jakąś chorobę umysłową, czy tylko udaje?

Nie wiadomo.

Czy Hayden naprawdę wierzy w swoje „byłe wcielenia",
a jeśli tak, to jak to się ma do jego badań nad „liniami geo-
mantycznymi", geodezją i „miastami duchami"? Czy to też
jakieś macherstwo?

Nie wiadomo.

Czy Hayden jest odpowiedzialny za pożar, w którym
zginęli nasza matka i pan Spady?

Nie wiadomo.

Po co Hayden pojechał do Los Angeles i co tak naprawdę robił jako „doradca osób czerpiących zyski z tantiem"?

Nie wiadomo.

O co faktycznie chodziło z tymi studiami magisterskimi
z matematyki na Uniwersytecie Missouri w Rolla? Jakim
cudem się dostał na studia magisterskie, skoro nie skończył licencjackich?

Nie wiadomo.

Co się stało z tą młodą kobietą, z którą się związał w Missouri?

Nie wiadomo.

Jakie są, jeśli w ogóle są, związki Haydena z H & R
Block, Morgan Stanley, Lehman Brothers, Merrill Lynch,
Citigroup itd.?

Nie wiadomo.

Dlaczego Hayden ostrzegał go przed panią Matalov i „Sezamem Matalova"?

Nie wiadomo.

Z jakiego powodu Hayden przebywa w Inuvik? Czy on rzeczywiście tu jest?

Nie wiadomo.

Miles siedział przy barze, gapiąc się na swój reporterski kołonotatnik, do którego wpisał te i inne pytania równymi, drukowanymi literkami – własnym charakterem pisma, jeszcze od dzieciństwa będącego bladą imitacją bardziej eleganckiego pisma Haydena.

Przycisnął telefon do ucha.

– Rozumiem – powiedział. – Pani ma informacje o tym... człowieku... o plakacie?

Zdał sobie sprawę, że jego głos zdradza niedowierzanie, i zupełnie go zatkało. Kobieta nic nie powiedziała.

– Jesteśmy... tak jak jest powiedziane na plakacie, jesteśmy... aaa... gotowi zaproponować nagrodę wykrztusił.

Nagroda. Przypuszczał, że uda mu się jeszcze coś wypłacić z karty kredytowej na poczet przyszłego wynagrodzenia.

Wciąż czuł się zamroczony. Osiemdziesiąt cztery godziny, przeplecione paroma sesjami snu w samochodzie na poboczu – zwinięty w kłębek na tylnym siedzeniu, z kłykciami wciśniętymi do ust, z cienkim kocykiem wepchniętym pod kark. Któregoś razu obudził się i naszło go przeświadczenie, że to, co widzi na niebie, to zorza polarna, wiotki, skręcony, podobny do dymu kształt jarzący się fluorescencyjną zielenią, choć był to także ten kolor, jakim w jego wyobrażeniach emanowałoby krążące nad człowiekiem UFO.

Kiedy wreszcie dotarł do Inuvik, czuł się tak, jakby się oderwał od własnego ciała. Wynajął pokój w motelu w centrum miasteczka – w „Eskimoskiej zagrodzie" – myśląc, że kiedy tylko się położy do łóżka, natychmiast zaśnie.

Było późno, ale słońce jeszcze świeciło. Dzień polarny, zrozumiał – ciemne, mętne, żółtawe światło, jakby ten świat był jakimś pokojem w suterenie oświetlonej czterdziestowatową żarówką – zaciągnął zasłony, dzięki czemu zrobiło się ciemno, i usiadł na łóżku.

W uszach mu dzwoniło i miał wrażenie, że skóra lekko mu się srebrzy. Buczenie kół samochodu na asfalcie przedostało się do wnętrza jego ciała, byle do przodu, byle do przodu, byle do przodu, i teraz żałował, że zabrakło mu przytomności umysłu, żeby kupić sobie piwo, zanim się tu zameldował...

Zamiast tak siedzieć i durnowato mrugać, z atlasem na kolanach. Koszmarny detektyw, znów mu się pomyślało. *Dominium Kanady*, taki tytuł miał ten atlas z prostokątnymi kwartałami Alberty, Saskatchewan, Manitoby, w barwach bzu, mandarynek i różowej gumy do żucia, z Terytoriami Północno-Zachodnimi, które górowały nad nimi miętową zielenią. Nunavut jeszcze wtedy nie istniało. To tutaj nastoletni Hayden naniósł serię runów, które przebiegały przez cały półwysep Tuktoyaktuk, a dalej maszerowały przez Morze Beauforta aż do wioski Sachs Harbour.

Miles miał w głowie wizję Haydena opatulonego w eskimoską kurtę z kapturem podbitym futrem, przeprawiającego się przez połać zamarzniętego morza na saniach ciągnionych przez psi zaprzęg; za jego plecami lód rozpadał się na kawałki podobne do elementów puzzli, z równo uciętymi brzegami. Po niebie krążyły upiornie blade ptaki, wrzeszcząc przeraźliwie: *Tekeli-li! Tekeli-li!*

Już mu przyszło do głowy, że to tylko kolejna ślepa uliczka...

Kolejne Kulm, Dakota Północna...

Kolejne Rolla, Missouri...

Kolejne upokorzenie, jak tamto w J.P. Morgan Chase Tower w Houston – ochroniarz wyprowadził Milesa z tarasu widokowego aż na plac przed budynkiem. „Ostrzegaliśmy pana", powiedział.

Wszystkie te sytuacje, kiedy był przekonany, że nareszcie jest o krok od złapania Haydena.

Podczas ostatniego etapu jazdy po Autostradzie Dempstera, jedynej drodze przecinającej koło podbiegunowe, która jest czynna cały rok, brał kofeinę w pastylkach i teraz jego serce nie chciało zwolnić. Czuł puls w membranach gałek ocznych, w podbiciach stóp, w korzeniach włosów. I mimo że był taki zmęczony – niewiarygodnie zmęczony – mimo że się wyciągnął na cienkim, motelowym materacu i przycisnął głowę do poduszki, nie wiedział, czy uda mu się zasnąć.

Próbował medytować. Wyobrażał sobie, że wrócił do swojego mieszkania w Cleveland, że tamtejsze zwyczajne, białe zasłony poruszają się na porannym wietrze, że twarz ma wciśniętą w miłą, ekstragrubą poduszkę, którą kupił sobie w „Sypialnia, łazienka i jeszcze coś", że zaraz się obudzi, pójdzie do pracy w „Sezamie Matalova" i raz na zawsze przestanie się bawić w detektywa.

Miał dwadzieścia dziewięć lat, kiedy się przeprowadził do Cleveland – wyprawa do Dakoty Północnej była jego ostatnią eskapadą – i stwierdził, że powrót do domu, do miasta dzieciństwa, da mu poczucie stabilizacji i wewnętrznej równowagi. Minęło wiele miesięcy, a on nie miał żadnych wieści od Haydena i tak się czuł, jakby rozjaśniało mu się w mózgu. Wkraczał w nowy etap życia.

Cleveland nie przędło najlepiej. Na pierwszy rzut oka jakby

wstrząsały nim ostatnie, przedśmiertne drgawki: infrastruktura się waliła, sklepy zamykano i zabijano deskami, Euclid Avenue – wielka, główna ulica – rozsypywała się, asfalt zdzierano całymi płatami i układano na stosach wzdłuż chodników, lewy pas przeobraził się w błotnisty rów wypełniony pomarańczowymi pachołkami, piękne stare budynki – domy towarowe „May Company", „Higbee's" – pustoszały, powstawały place pustych parceli i magazynów, które wyglądały jak nawiedzone.

To trwało od tak dawna, jak sięgał pamięcią – od wielu, wielu lat miasto osuwało się w ruinę i rozpacz; ludzie opowiadali nostalgicznym tonem o jego dawnej chwale, ale on wtedy nie brał takiego gadania na poważnie.

Teraz jednak wyglądało jak miejsce, które zostało najpierw zbombardowane, a potem porzucone. Kiedy po raz pierwszy wjeżdżał do centrum, doznał uczucia, że tu doszło do apokalipsy, że jest ostatnim człowiekiem na ziemi, mimo że kilka przecznic dalej jechały inne samochody, mimo że zauważył ciemną postać znikającą w drzwiach jakiejś obdrapanej knajpy. To było takie uczucie, które opanowuje człowieka, kiedy się budzi i wszyscy, których kochał, nie żyją. Wszyscy nie żyją, a mimo to świat wciąż trwa, jałowy i bezmyślny, i tylko niebo się rusza, pełne mew i skowronków. Szybowiec fruwa letargicznie we mgle unoszącej się nad boiskiem do baseballu, niczym stary balon ciśnięty do błotnistego jeziora.

Ale przecież należało choć spróbować myśleć bardziej pozytywnie! Nie wszystko musi być aż takie chore, jak mawiała jego mama.

Wynajął mieszkanie przy Euclid Heights Boulevard, niedaleko dzielnicy University Circle, właściwie to całkiem blisko ulicy, na której dorastali obaj z Haydenem.

O tym jednak nie zamierzał myśleć.

Jego mieszkanie mieściło się w starej kamienicy zwanej Hyde

Arms, jak pewien historyczny pub w Londynie. Drugie piętro, jedna sypialnia, podłogi z desek i odnowiona kuchnia, ogrzewanie i woda wliczone w czynsz, koty mile widziane.

Zastanawiał się, czy nie sprawić sobie kota, bo wbrew wszystkiemu jednak się zagnieżdżał. Wielkiego, przyjaznego kota, białego z czarnym fraczkiem, chętnie polującego na myszy, towarzysza – i ten pomysł sprawił mu przyjemność, choćby z tego powodu, że Hayden zawsze panicznie bał się kotów i był przesądny wobec ich „mocy".

Odszukał w książce telefonicznej jednego ze swych dawnych kolegów z liceum – Johna Russella – i zdziwił się, a nawet wręcz wzruszył, bo John Russell był niesamowicie uszczęśliwiony tym, że się do niego odezwał. Kiedyś grali razem na klarnetach w szkolnej orkiestrze dętej i całymi dniami trzymali się razem.

– To może skoczymy na drinka? – zaproponował John Russell. – Z chęcią się dowiem, co mnie ominęło!

To było dokładnie to, na co liczył Miles po powrocie do Cleveland. Wieczorny wypad na miasto ze starym kumplem, odnowione przyjaźnie, znajome miejsca, swobodne, choć mało poważne rozmowy. Kilka wieczorów później Miles z Johnem Russellem usiedli przy stoliku w sympatycznym, narożnym pubie blisko kina filmów artystycznych. Pub nazywał się „U Parnella" i obsługiwał ich tam prawdziwy irlandzki barman, który z uroczym akcentem spytał: „Czego mili panowie sobie życzą?" Poza tym na dwóch telewizorach osadzonych dość dyskretnie we wnękach nad butelkami z alkoholem leciał mecz baseballu, z szafy grającej płynęła muzyka rockowa, która zdawała się jakby związana z kręgami uczelnianymi, a goście byli zarówno powściągliwi, jak i zrelaksowani, mało hałaśliwi, niezbyt też wyniośli.

To może być mój bar, pomyślał Miles, wyobrażając sobie scenariusz, w ramach którego on i jego znajomi spotykają się regularnie przy drinku, a ich życie podlega stałemu rytmowi i zabawnym komplikacjom rodem z dobrze wymyślonego serialu telewizyjnego z udziałem paczki przyjaciół. On sam byłby zabawny, lekko zneurotyzowany, byłby kimś, kto mógłby się związać z inteligentną, ostrą, młodszą dziewczyną – może z tatuażami i piercingiem – która mieszałaby mu w życiu na różne sposoby, to niezwykłe, to komiczne.

– Fantastycznie cię widzieć, Miles – powiedział John Russell, przerywając Milesowi ten slalom po własnych fantazjach. – Z ręką na sercu. Aż nie chce mi się wierzyć, że to już dziesięć lat! Co ja gadam! Więcej niż dziesięć!

I tu złapał się za głowę, komicznie naśladując zdumienie. Miles zdążył już zapomnieć dawne, kujonowate gesty przyjaciela, który emocji musiał się chyba uczyć ze swoich ukochanych komiksów anime i gier wideo.

– No więc co porabiasz? – spytał John Russell i podniósł wzrok, jakby tylko czekał, aż Miles mu zaserwuje jakąś niesamowitą historię.

„Homunculus!", zdarzało mu się pokrzykiwać w ich nastoletniej przeszłości – co miało oznaczać: „Niewiarygodne!"

– I gdzieś ty się podziewał przez te wszystkie lata? – dodał.

– Dobre pytanie – odparł Miles. – Sam się czasami zastanawiam.

Nie umiał się zdecydować. Nie chciał wchodzić w sprawy związane z Haydenem, a zresztą przypuszczał, że tak czy owak zostałyby odebrane jako idiotyczne i wydumane. No bo co miał powiedzieć? „W zasadzie zmarnowałem ostatnie dziesięć lat życia na uganianiu się za swoim stukniętym bratem bliźniakiem. Chyba pamiętasz Haydena?"

Już sama wzmianka tego imienia mogła przynieść nieszczęście.

– Nie wiem – powiedział. – Właściwie to prowadziłem poniekąd... życie nomada. Robiłem mnóstwo różnych rzeczy. Potrzebowałem aż sześciu lat na skończenie college'u. Były... różne sprawy...

– Słyszałem – odparł John Russell i zrobił minę, która zdaniem Milesa miała chyba wyrażać współczucie. – Moje kondolencje z powodu rodziców.

– Dziękuję – odparł Miles. Tylko co tu można było jeszcze powiedzieć? Jak się reaguje na wyrazy współczucia, tak dawno po fakcie? – Już się z tym uporałem. – Stwierdził, że taka będzie właściwa odpowiedź. – Było ciężko, ale... już się zebrałem do kupy, minęło trochę czasu i... i chyba myślę o tym, żeby na jakiś czas osiąść w jednym miejscu. Szukam pracy, no wiesz, czegokolwiek.

– Świetnie cię rozumiem – odparł John Russell i pokiwał głową, jakby Miles wyrażał się zrozumiale.

Co za ulga! Przez cały tamten czas, kiedy się przyjaźnili, John Russell zawsze wszystko radośnie akceptował – był ideałem przyjaciela, kiedy się miało szurniętego brata, popaprane życie domowe i ograniczone umiejętności towarzyskie – i teraz osobowościowo zasadniczo się nie zmienił, mimo że pod innymi względami radykalnie się postarzał: włosy mu rzedły nad czołem i naga kopuła czaszki zrobiła się jakby jeszcze bardziej jajowata, a z kolei podbródek nie był już taki wyrazisty, do tego brzuch, biodra i siedzenie stały się cięższe, przez co nabrał kształtu kręgla. Zarabiał na życie jako doradca podatkowy.

– Raczej nie szukam czegoś określonego – ciągnął Miles. Wciąż czuł się lekko zażenowany i, nic nie umiał na to poradzić, zmuszony do defensywy. – Wystarczy jakakolwiek praca... i sam nie wiem, może wrócę na studia? Powinienem chyba podchodzić bardziej trzeźwo do życia. Zmarnowałem już mnóstwo czasu.

Ale John Russell tylko przekrzywił głowę z wyraźną sympatią.

– Kto wie? – rzucił. – Ja to właściwie czasami żałuję, że więcej nie podróżowałem, że za bardzo się ustabilizowałem. – I tu ironicznie poklepał się po brzuchu. – Wydaje mi się, że większość ludzi marnuje sobie życie w taki czy inny sposób – dodał. – No wiesz... któregoś razu próbowałem obliczyć, ile czasu zmarnowałem na gry wideo i oglądanie telewizji. Z grubsza oceniam, że jakieś dziewięćdziesiąt jeden tysięcy godzin. Co, muszę przyznać, trochę mnie przeraża, choć wcale mnie to nie powstrzymało od dalszego oglądania telewizji i grania w gry wideo, ale... to chyba smutne.

– No wiesz... – odparł Miles. – Wydaje mi się, że coś takiego raczej trudno przeliczyć.

– Naprawdę sporządziłem wykres – wyznał John Russell. – Pokażę ci kiedyś.

Miles przytaknął.

– Byłoby fajnie – powiedział i mimo woli pomyślał, że wykres Johna Russella zachwyciłby Haydena.

„Ten facet to większy popapraniec niż my, Miles", stwierdził kiedyś Hayden.

„Nie jesteśmy popaprańcami. I on też nie", zaprotestował Miles.

„Weź przestań", powiedział na to Hayden.

Miles pamiętał też, jak Haydena bawiło to, że John Russell przedstawiał się pełnym imieniem i nazwiskiem.

„Co za debilne przyzwyczajenie", powiedział. „Ale mnie się to naprawdę podoba". I potem wykonał parodię Johna Russella, jego delikatnego, kurowatego chodu. Co, Miles wbrew swojej woli, uznał za strasznie śmieszne i nawet teraz trudno mu było nie traktować Johna Russella jako postaci komicznej.

Ale nie zamierzał myśleć o Haydenie.

– Tak, tak... – powiedział.

Obaj zamówili po kuflu piwa, a teraz obaj unieśli je do ust i upili po łyku. Uśmiechnęli się do siebie i do Milesa dotarło, że strasznie chce, żeby znowu się zaprzyjaźnili, zaprzyjaźnili tak normalnie, ale zamiast tego między nimi zapadło niezręczne milczenie, a on nie wiedział, jak je wypełnić. John Russell chrząknął.

– W każdym razie ludzie wędrują różnymi drogami – stwierdził. – Jak... na przykład... słyszałeś o Claytonie Combie? Pamiętasz go, prawda?

– Jasne – odparł Miles, choć nie myślał o Claytonie Combie od lat.

Był ich szkolnym kolegą, ale obaj go nie lubili: błyskotliwy, wysportowany, przystojny, uwielbiany niemal przez wszystkich, a przy tym, ich zdaniem, wyniosły dupek. Miał najbardziej obrzydliwy, zadowolony z siebie uśmieszek, jaki Miles kiedykolwiek widział u drugiej ludzkiej istoty.

– Nie uwierzysz – powiedział konfidencjonalnym tonem John Russell. – Wszyscy myśleli, że pójdzie mu tak świetnie, a tymczasem on się zabił. Był specjalistą inwestycyjnym w ING i wybuchł tam jakiś skandal z defraudacją w tle. Twierdził, że jest niewinny, a mimo to został skazany i miał odsiedzieć piętnaście lat, ale wtedy... – Tu John Russell znacząco uniósł brwi. – Powiesił się.

– To okropne – podsumował Miles.

I to było okropne, ale raczej nie zrobiło mu się nieprzyjemnie z tego powodu. Przypomniało mu się za to, jak bardzo Hayden nie lubił Claytona Combe'a – jak naśladował jego zwyczaj odchylania głowy do tyłu, kiedy się uśmiechał, jakby go za ten uśmiech oklaskiwano. Hayden podnosił rękę i machał do nieistniejącego tłumu admiratorów, niczym królowa piękności na ruchomej platformie, czym zazwyczaj sprawiał, że Miles i John Russell śmiali się do rozpuku.

I potem nagle obudził się w nim i sennie zamrugał detektyw; Miles nic na to nie mógł poradzić.

Czy ING nie było przypadkiem jedną z tych firm, pomyślał, jednym z tych podmiotów, wobec których Hayden żywił jakąś dziwną urazę?

Czy nie wspominał o ING w jednym z e-maili? Podczas którejś ze swoich bełkotliwych tyrad?

Ale zabronił sobie iść dalej w tym kierunku.

– Biedny Clayton – usłyszał własny pomruk. – To takie... – powiedział. – To takie dziwne.

Na pewno? Na pewno dziwne?

Roztrząsał to przez cały tydzień, jaki upłynął od jego rozmowy z Johnem Russellem. Dlaczego wszystko musiało zawsze zatoczyć koło i wrócić do Haydena? Dlaczego zwyczajnie nie mógł tam sobie posiedzieć i miło pogawędzić z przyjacielem z dawnych lat? Dlaczego historia Claytona Combe'a nie mogła się zaliczyć do zwyczajnej wymiany plotek? Dlatego za nic nie chciał badać tego tropu. Nie zamierzał szukać artykułów w prasie na temat Claytona Combe'a; nie chciał budować jakichś kolejnych paranoicznych wizji.

Czy Hayden zniszczył życie Claytonowi Combe'owi i doprowadził go do samobójstwa?

Nie wiadomo.

W tym momencie poczuł się strasznie słaby. Słaby, wytrącony z równowagi i przygnębiony; ciągle chodziły mu po głowie słowa Johna Russella. „Większość ludzi marnuje sobie życie w taki czy inny sposób".

Muszę obrać inny kurs, pomyślał Miles. Człowiek potrafi wykorzystać swoje życie mądrze, pod warunkiem że się zastanowi. Że sporządzi jakiś plan i będzie się go trzymał!

A jednak wbrew swym najlepszym intencjom przyłapał się na tym, że znowu przegląda materiały.

Przyłapał się na tym, że się gapi na zewnątrz przez okno mieszkania, że kieruje wzrok w stronę północnego wschodu, ponad wierzchołkami drzew porastających przedmieścia. Kilka przecznic dalej biegła ulica, przy której kiedyś mieszkała jego rodzina, i czuł, że ich dawny dom emituje ku niemu niezrozumiałe sygnały, że śle telegram powiadamiający o swej nieobecności, bo przecież już go tam nie było.

Rozważał pomysł pójścia tam i obejrzenia miejsca.

Co tam zostało? – zastanawiał się. Tylko zarośnięta trawą parcela? Czy stoi tam już jakiś nowy dom? Zostało jeszcze coś, co potrafiłby rozpoznać?

Dom spłonął w czasie, kiedy był na drugim roku na Uniwersytecie Ohio. Hayden zaginął dwa lata wcześniej i Miles nie był już potem w stanie zmusić się do powrotu. Bo i po co? Ojciec, matka, nawet ojczym, pan Spady, nie żyli; nic go nie motywowało do powrotu oprócz chorobliwej ciekawości, której ostatecznie stawił opór. Nie miał ochoty oglądać resztek budynku, spalonych belek i zapadniętego dachu, zwęglonych szczątków mebli; nie chciał sobie wyobrażać okien rozświetlonych przez pożar, sąsiadów gromadzących się na trawniku, kiedy przyjechały wóz strażacki i karetka.

Nie miał ochoty kontemplować możliwości, że zobaczy tam Haydena stojącego w cieniu bzów na skraju podwórka, być może wciąż z narzędziami podpalacza w plecaku zarzuconym na ramię.

W tej kwestii nie miał żadnych materialnych dowodów – nic poza barwną fotografią w swojej wyobraźni, obrazu tak wyrazistego, że czasami nie potrafił się powstrzymać i dorzucał spalony dom do kolekcji przestępstw Haydena. Dom, matka i pan Spady.

A teraz, pomyślał, doszedł do tego nieszczęsny Clayton Combe, który się powiesił w celi więziennej. Przypomniał sobie impresje Haydena na temat Claytona Combe'a: zadarty podbródek, zapadnięte oczy, usta rozciągnięte w grymasie samozachwytu.

Ze swojego okna na drugim piętrze widział dach sąsiedniego budynku, zmumifikowaną gazetę, wciąż jeszcze zwiniętą w rolkę i oklejoną taśmą, ale już powoli gnijącą, a z głębi bocznej uliczki nadlatywała chmura liści, formacją przypominającą stado ptaków albo drużynę piłkarską, później pojawił się helikopter, sunący ciężko tuż nad wierzchołkami drzew, z grubymi śmigłami siekącymi powietrze. Bez wątpienia leciał do szpitala, a jednak Miles przyglądał mu się z uwagą. Hayden przez całe lata wierzył, że helikoptery go szpiegują.

Kilka dni później Miles znalazł pracę. Czy raczej (tak czasami myślał) praca znalazła jego.

Był w centrum miasta, udało mu się umówić na kilka rozmów kwalifikacyjnych – programowanie na niskim poziomie, pomoc techniczna przy komputerach, stanowisko „pomocnika" w bibliotece publicznej, nic spektakularnego, ale kto wie? Wierzył, że się ustabilizuje, musiał być tylko konsekwentny i optymistyczny – aczkolwiek optymizm nie przychodził mu z łatwością, kiedy szedł Prospect Avenue. Tyle pustych witryn sklepowych, z dawno temu spłowiałymi tablicami o treści LOKAL DO WYNAJĘCIA, tyle milczących bloków mieszkalnych. Prawdopodobnie popełnił błąd, że tu wrócił, przyszło mu znowu do głowy.

I akurat w chwili, kiedy to mu się pomyślało, zobaczył „Sezam Matalova", stary sklep z rekwizytami magików i innymi wesołymi gadżetami, tuż za rogiem Czwartej Ulicy, zagnieżdżony wśród prehistorycznych sklepów jubilerskich i lombardów.

Zdumiał się, że ten sklep wciąż tam jest. Ostatnie miejsce mogące, jego zdaniem, przetrwać tę ekonomiczną spiralę, która wsysała i zabijała większość wszystkich przybytków w centrum. Od lat nie myślał o „Sezamie" – z pewnością ani razu od śmierci ojca, kiedy on i Hayden mieli po trzynaście lat.

Ojciec zabrał ich tam ze sobą, kiedy jeszcze byli mali. Prawdziwa uczta – wyprawa do tego osobliwego, zapuszczonego przybytku, który ojciec nazwał „magicznym sklepem".

Nigdy nie pozwolono im obejrzeć żadnego z jego występów – ani w roli klowna, ani w roli magika, a już z pewnością nie jako hipnotyzera. W domu zachowywał się powściągliwie, ani trochę teatralnie, co sprawiło, że wizyta w „Sezamie Matalova" wywarła tym większe wrażenie na ich umysłach. Ojciec trzymał ich za ręce: „Nie dotykajcie niczego, chłopcy. Wyłącznie oglądajcie". Co było bardzo trudne, bo przecież znajdowali się w sklepie dla magików – dziesiątki półek, od podłogi po sufit, galimatias antyków i starych urządzeń, drewnianych figurek, takich jak na przykład figury szachowe w kształcie maszkaronów, chińskie pułapki na palce, pierzaste boa, cylindry i peleryny, stary rezus w srebrnej klatce...

...i nagle pojawiła się staruszka. Pani Matalov. Leciwa, ale wcale się nie trzęsła, mimo że jej wygięty w znak zapytania kręgosłup był zwieńczony garbem, który rozdymał kolorową, jedwabną bluzkę. Wiotkie jak puch mlecza włosy miała ufarbowane na brzoskwiniowo, a z kolei usta pomalowane na czerwono woskową, połyskliwą szminką, jak aktorki ze starych, niemych filmów.

– Larry – powiedziała głosem, w którym słyszało się rosyjski akcent. – Jak miło!

Ojciec wykonał niewielki ukłon.

Na widok Milesa i Haydena pani Matalov udała zdumienie, powoli zasysając powietrze przez zęby i wytrzeszczając oczy.

– Och, Larry! – wyrzęziła. – Jacy śliczni chłopcy. Na sercu lekko, jak się na nich patrzy.

Kiedy Miles rozmyślał o tym teraz, bardziej mu to przypominało opowiastkę z książeczki dla dzieci niż rzeczywiste zdarzenie. Albo kłamstwo zmyślone przez Haydena. I dlatego raczej się nie zdziwił, kiedy stwierdził, że sklep wygląda na zamknięty. Na drzwiach składana, metalowa krata, a wąska witryna była zalepiona papierem.

A mimo to przez kratę i mleczną szybkę w drzwiach zobaczył, że lokal nie jest pusty. Udało mu się wypatrzyć półki, a kiedy wsunął dłoń przez kratę, żeby zastukać w szybkę, wydało mu się, że dostrzega jakiś ruch. Czekał, zwlekając z odejściem, dopóki wreszcie nie zrobiło mu się łyso, że tak durnie tam sterczy. I właśnie wtedy drzwi otworzyły się gwałtownie i za kratą pojawiła się staruszka.

– Tu nie detal – zaskrzeczała. – U nas nie ma Indian, hobbitów, pamiątek z Cleveland. Nie prowadzimy handlu detalicznego.

Wymowę miała jeszcze bardziej zabagnioną, niż zapamiętał. Stał i gapił się, a ona tymczasem machała ręką: Idź precz! Idź precz!

– Pani Matalov? – zagadnął.

Oczywiście jeszcze bardziej się postarzała przez te siedemnaście lat, jakie minęły, odkąd widział ją po raz ostatni. Już wtedy była staruszką; teraz praktycznie przeobraziła się w szkielet. Zrobiła się niższa, mniejsza. Krzywa kręgosłupa stała się tak wydatna, że żebra sterczały jej pręgami wzdłuż zgarbionego grzbietu, a głowę tak jej przygięło ku ziemi, że musiała ją zadzierać jak żółw, żeby go widzieć. Włosy miała bardzo rzadkie, zaledwie kilka rozsianych kępek, ale nadal je farbowała na brzoskwiniowy odcień. Że też ona wciąż żyje, pomyślał Miles. Na pewno ma dobrze po dziewięćdziesiątce.

– Pani Matalov? – powtórzył. Starał się mówić głośno i wyraźnie, wymusił też na sobie uśmiech, ujmujący, miał nadzieję. – Nie wiem, czy pani mnie pamięta. Jestem Miles Cheshire. Syn Larry'ego Cheshire. Mieszkam teraz w Cleveland i...

– Chwila – przerwała mu rozeźlonym tonem. – Bełkoczesz, nie słyszę, co mówisz. Jedna chwila, proszę.

Potrzebowała więcej niż chwili, żeby otworzyć zamek w metalowej kracie i ją zsunąć, ale kiedy drzwi już stały otworem, wpuściła go całkiem chętnie do środka.

– Strasznie przepraszam, że zawracam pani głowę – powiedział Miles, rozglądając się dookoła, omiatając wzrokiem te same półki, które zapamiętał, czując charakterystyczną dla

sklepu ze starzyzną woń papierosów, kurzu, drewna sandało-
wego i mokrego kartonu. – Nie planowałem tego najścia – dodał z głupawą miną. – Od lat nie byłem w Cleveland i właśnie
tędy przechodziłem. Chyba nostalgia mnie tu przygnała. Mój
tato był kiedyś pani klientem.

– Larry Cheshire, tak, tak. Ja ciebie usłyszałam – oświadczyła uroczystym tonem pani Matalov. – Pamiętam go. Sama nie
jestem nostalgiczną osobą, ale wejdź, wejdź. Powiedz, co mogę
dla ciebie zrobić. Ty też magik? Jak twój ojciec?

– Och nie, nie – odparł Miles.

Kiedy jego oczy przyzwyczaiły się do mroku, zobaczył, że
to nie tak, że sklep się nie zmienił od czasów jego dzieciństwa.
Bardziej teraz przypominał stary garaż albo poddasze; regały
z półkami biegły w głąb, wytyczając ciemne przejścia zastawio-
ne stertami pootwieranych pudeł. Z kolei przed regałami stała
spora liczba biurek i stołów, a na każdym po kilka starych pece-
tów z najrozmaitszych, staroświeckich generacji, a oprócz nich
monitory i zmierzwione gniazda z przewodów elektrycznych
i kabli. Za jednym z biurek siedziała ciemnowłosa dziewczyna – dwudziesto-, może dwudziestojednoletnia? – ubrana na
czarno, z ustami pomalowanymi czarną szminką, ze spicza-
stymi, srebrnymi kolczykami w uszach, podobnymi do zębów
prehistorycznego drapieżnika. Podniosła na niego wzrok; jej
nieruchoma twarz emanowała ironią.

– Nie, nie – powtórzył Miles. – Zdecydowanie nie jestem
magikiem. Właściwie to nigdy nie... – I tu poczuł, że się czer-
wieni, choć nie wiedział dlaczego. – Tak naprawdę to nikim
nie jestem – dodał i przyglądał się, jak pani Matalov skrada
się przez labirynt biurek, chwiejnym, ale zaskakująco prędkim
krokiem, jak ktoś, kto wędruje spiesznie po kruchym lodzie.

– Co za szkoda – powiedziała pani Matalov, po czym wbiła
się w biurowy fotel na kółkach, wyłożony zdobnymi poduszka-

mi. Gestem dała mu znać, że ma podejść i usiąść obok. – Lubiłam twojego ojca. Był taki uprzejmy, wielkoduszny.

– Prawda – zgodził się Miles. Miała rację, tylko ile czasu minęło, odkąd po raz ostatni wspominał ojca? W jego piersi ocknął się i przekręcił na drugi bok jakiś zastarzały okruch smutku.

– Biedaczysko! – powiedziała. – Był takim utalentowanym artystą; to się wiedziało. Gdyby żył w innych czasach, pewnie zarabiałby bardzo dużo pieniędzy, zamiast występować na przyjęciach dla dzieci.

Zakląskała językiem w ramach dodatkowego komentarza, a Miles się przestraszył, że ona go zaraz zgani, młodego człowieka, który trwoni swoje życie. Ale pani Matalov tylko zmierzyła go podejrzliwym spojrzeniem.

– A z twoim bratem co? – spytała. – On, jak rozumiem, też nie magik?

– Nie – powiedział Miles. – On...

Tylko kim był Hayden? Może jednak magikiem, tylko jakimś szczególnym?

– Ja pamiętam was obu – powiedziała pani Matalov. – Bliźniacy. Bardzo ładni. Ty byłeś ten nieśmiały, tak mi się wydaje – dodała. – Miles. Imię dla małej myszki. Za to twój brat... – Tu podniosła palec i niezrozumiale nim pogroziła. – Łapserdak! I złodziejaszek! Widziałam, jak mnie okradał, i to nieraz! – Wzruszyła ramionami. – Mogłam go schwytać za kark, ale nie chciałam zawstydzać waszego ojca.

Miles z zażenowaniem pokiwał głową, oglądając się ukradkiem na ciemnowłosą dziewczynę, która obserwowała go z wyrazem ledwie dostrzegalnego rozbawienia.

– Tak – zgodził się z nią Miles. – Potrafił być... niesforny.

– Hmm – mruknęła pani Matalov. – Niesforny? Nie. Gorzej, tak myślę. – Przez chwilę przyglądała się Milesowi, wręcz podejrzanie długo. – Było mi cię żal – wyznała. – Nie dość, że zahukany, to jeszcze taki brat!

Miles nic nie powiedział. Nie spodziewał się, że znajdzie się w takiej sytuacji – w pozbawionym okien, szarym pomieszczeniu oświetlonym jarzeniówkami, w towarzystwie starej kobiety i ciemnowłosej dziewczyny, która przypatrywała mu się uważnie. Nie spodziewał się, że usłyszy, że jego ojciec – albo on sam – został tak dobrze zapamiętany. I co tu teraz powiedzieć?

Pani Matalov wyjęła papierosa z kieszeni cienkiego sweterka i Miles przyglądał się, jak ona się nim bawi, ale go nie zapala.

– Miałam siostrę – powiedziała. – Nie bliźniaczkę, ale bardzo bliską mi wiekiem. Lubiła się popisywać. Gdyby nie umarła, nigdy nie uciekłabym spod jej cienia. – Znów wzruszyła ramionami, unosząc łagodnie wąskie brwi. – A więc... miałam szczęście.

Jeszcze raz pogrzebała w kieszeni, wyciągnęła zapalniczkę z przezroczystego plastiku i drżącymi dłońmi próbowała jej użyć. Miles wykonał nieokreślony gest. Powinien jej pomóc?

Nie zdążył jednak się zdecydować, bo ciemnowłosa dziewczyna odezwała się znienacka:

– Babciu! – powiedziała ostrym tonem. – Nie pal!

I Miles opadł z powrotem na krzesło.

– Och – westchnęła pani Matalov i spojrzała złowrogo na Milesa. – Ta tutaj – powiedziała, odnosząc się, jak zgadywał, do dziewczyny – też niedobra. Palenia nie pochwala, ale co innego narkotyki! Narkotyki to ona lubi. Lubi je tak bardzo, że przyszła policja i założyła jej elektroniczny monitor na nodze. Elektroniczną bransoletę. Co ty na to? I teraz to niebożątko jest moim więźniem. Trzymam ją tu w pułapce, więc lepiej niech się nie wtrąca, bo jeszcze ją nakryję ścierką jak klatkę z papugą.

Milesowi odebrało mowę. Za dużo tych rzeczy, za dużo dziwacznych rewelacji wirowało mu teraz w głowie, niemniej wymienił spojrzenia z dziewczyną, której grzywa ciemnych włosów i skomplikowane oczy co chwilę słały mu jakieś nieodgadnione wiadomości.

W tym czasie pani Matalov udało się wydobyć płomień z zapalniczki, po czym włożyła papierosa do ust, robiąc na filtrze tatuaż ze szminki.

– A więc... – powiedziała, lustrując Milesa wzrokiem. – Co cię sprowadza tu do Cleveland, Milesie Cheshire? Czym się zajmujesz, skoro nie jesteś magikiem?

Miles przeżuł pytanie. Kim był? Omiótł spojrzeniem ścianę, wyłożoną czarno-białymi fotografiami w ramkach, przedstawiającymi artystów w rozmaitych kostiumach z lat trzydziestych i czterdziestych, ubranych we fraki i peleryny, z turbanami na głowach i kozimi bródkami, z minami wyrażającymi teatralne napięcie. Na jednym wypatrzył nawet samą panią Matalov: w wieku mniej więcej dwudziestu lat, nawet dość podobną do swej wnuczki z tą ciemnooką urodą, ubraną w ozdobiony gwiazdkami obcisły kostium cyrkówki i w stroiku na głowie zrobionym z pawich piór. Asystentka magika występującego w sławnym teatrze „Hippodrome”, z widownią na trzy tysiące pięćset miejsc i wspaniałą sceną, na miejscu którego teraz istniał tylko parking przy Wschodniej Dziewiątej.

I była tam też fotografia jego ojca. Wysokiego i władczego, w pelerynie, z cienkim wąsikiem namalowanym farbą, z uniesioną wysoko różdżką w prawej dłoni, z bukietami róż i lilii u stóp. Miał takie poczciwe, smutne spojrzenie, jakby wiedział, że wiele lat później Miles będzie oglądał to zdjęcie i znowu za nim tęsknił.

– Znasz się na komputerach? – spytała pani Matalov. – Nas dużo w Internecie. Już prawie nie robimy interesów poza Internetem. Rzadko kiedy otwieram te drzwi, tak ci powiem. Klientów, którzy przez ostatnie dwadzieścia lat weszli tu z ulicy, jestem w stanie policzyć na palcach. Bo na ulicy nie ma już nikogo oprócz bezdomnych, kieszonkowców i turystów z ich strasznymi dziećmi... Nie znoszę dzieci, odkąd pamiętam – dodała pani Matalov, a jej wnuczka, Aviva, uniosła brew i zapatrzyła się na Milesa.

– To prawda – potwierdziła.

– Rzeczywiście znam się na komputerach – powiedział Miles. – Właściwie to chciałem się przyznać, że szukam pracy.

To spotkanie wydawało mu się niezwykłe, ale później jakoś nie potrafił wytłumaczyć dlaczego, by nie zabrzmiało to tak, jakby starał się być melodramatyczny, jakby wierzył, że coś się naprawdę wydarzyło. Tylko właściwie co się wydarzyło – coś nie z tej ziemi?

– Tak jakby padło mi tam na głowę – wyznał jakiś czas później Johnowi Russellowi.

Znowu siedzieli „U Parnella" i Miles zastanawiał się nad niektórymi rzeczami, które powiedziała mu pani Matalov.

„Było mi cię żal", rzekła pani Matalov. I: „Gdyby nie umarła, nigdy nie uciekłabym spod jej cienia". I: „Łapserdak! I złodziejaszek! I: „Źle skończy. Możesz mi wierzyć".

– A ja uważam, że świetnie ci się trafiło – stwierdził John Russell. – Będziesz kontynuatorem rodzinnej tradycji. Naprawdę fajnie, poniekąd.

– Tak – odparł Miles. – Chyba tak.

A teraz, kiedy tak siedział w innym barze, oddalonym o cztery tysiące mil od „U Parnella", właśnie te rzeczy ślizgały się po powierzchni jego świadomości. Właśnie te obrazki do niego wracały, kiedy siedział w barze w Inuvik, z telefonem komórkowym przyciśniętym do ucha. Płonący dom. Helikopter. Skręcone prześcieradło oplatające szyję Claytona Combe'a. John Russell podnoszący kufel z piwem. Pani Matalov przykładająca papierosa do woskowych, czerwonych warg.

Wszystkie te obrazki, zindywidualizowane i skondensowane, poukładane obok siebie jak karty tarota.

– Oczywiście – powiedział do Amerykanki. – Tak, jak najbardziej. Bardzo bym chciał się z panią spotkać. Pogadać bardziej szczegółowo o tym wszystkim. Czy ewentualnie moglibyśmy...

Przez sporą część dnia błąkał się bez celu po Inuvik. Było jasno, wciąż jasno, kiedy się obudził, a potem wyszedł na dwór i zobaczył, że niebo w górze jest granatowe, ale stopniowo bieleje w miarę zbliżania się do linii horyzontu. Przy której piętrzyły się chmury jak góry. A może to były góry, które wyglądały jak chmury, nie był pewien. Zauważył betonowe płyty osadzone w chodniku, który biegł między jezdnią a parkingami przyklejonymi do skupisk pudełkowatych budynków – wszystkie bez wyjątku miały tandetny wygląd pospiesznie wybudowanego centrum handlowego, z zardzewiałymi, metalowymi okładzinami, antenami satelitarnymi pochylającymi ciężkie łby nad dachami. Z rulonem plakatów przystanął przy gołym słupie telefonicznym, chcąc tam nakleić jeden z nich; papier zmarszczył się niepewnie, nietrwale na wietrze.

Miles postanowił, że wyklei plakatami całe miasto. A teraz sterczał w miejscu, wertując błyszczący *Przewodnik po atrakcjach i usługach Inuvik*, dostępny za darmo w recepcji hotelowej. Gdzie ktoś mógłby przyuważyć Haydena? W „Księgarni arktycznej"? W sławnym kościele pod wezwaniem Matki Boskiej Zwycięskiej urządzonym w igloo? W okolicach filii College'u Aurora? Przejrzał wykaz organizowanych przez nich kursów i poczuł, że rozbłyska w nim drobniuteńka iskierka podejrzenia. Microsoft Excel: Poziom 1, z George'em Doolittle; Nauka refleksologii stóp, z Allainem St. Cyrem; Zaawansowany kurs pierwszej pomocy na odludziu, z Phoebe Punch. Czy te nazwiska nie brzmiały przypadkiem jak wymyślone?

A co z tutejszym sklepem monopolowym? Co z knajpami – na przykład z pubem „U szalonego trapera" albo z barem „W szponach Nanooka"? Poza tym Hayden mógł wypożyczyć samochód w „Arktycznej chacie" albo zaszył się w bibliotece, albo wynajął jakiegoś przewodnika i wybrał się w stronę – no właśnie: czego?

Boże! Znowu to samo. Zawsze zaczynał w stanie palącej determinacji, a potem stopniowo tracił przekonanie o słuszności swej misji, jeszcze zanim dotarł do celu.

Czy on w ogóle jeszcze coś wiedział o Haydenie? Po dziesięciu latach jego brat nie był już prawie niczym więcej jak wytworem spekulacji – zbiorem postulatów i wymysłów, listów i e-maili podszytych paranoją i aluzjami, telefonów w środku nocy, w których bredził coś na temat swoich obecnych fiksacji. Było kilka przedmiotów, które zostawił za sobą w różnych mieszkaniach rozsianych po całym kraju, kilka osób, które widziały albo poznały jakąś wersję Haydena.

W Los Angeles, na przykład, Miles znalazł mieszkanie opuszczone przez niejakiego Haydena Nasha, który, jak to wynikało z opisu sąsiadów, był „ciemnowłosym facetem trzymającym się na uboczu", „prawdopodobnie Latynosem"; podobno nikt z nim nigdy nie rozmawiał, a owo brudne mieszkanie okazało się zagracone stertami brukowców, nieczytelnymi wydrukami z drukarki igłowej oraz kilkunastoma komputerami, których twarde dyski zostały zdemagnetyzowane, dlatego nie dawało się z nich odzyskać danych. Z kolei w Rolla w stanie Missouri wykładowcy wciąż pamiętali Anglika Milesa Spady'ego, szczupłego, młodego, o blond włosach, wyjątkowo błyskotliwego matematyka, który twierdził, że zrobił studia licencjackie w Laboratorium Komputerowym na Uniwersytecie Cambridge. Byli też studenci i znajomi, którym Hayden naopowiadał najrozmaitszych kłamstw i innych rzeczy, jakie Miles pilnie pospisywał:

Jego ojciec był sławnym magikiem-artystą w Anglii, opowiedział Hayden jednemu ze swych znajomych.

Jego ojciec był archeologiem, który badał ruiny budowli wzniesionych przez Indian w Dakocie Północnej, pochwalił się drugiemu.

Jego rodzice zginęli w pożarze domu, kiedy był małym dzieckiem, wyznał trzeciemu.

Był niesamowicie ekscentryczny, powiedzieli Milesowi. Ale fajnie się go słuchało.

„Miał teorię o liniach geomantycznych. No wiesz, linie łączące miejsca mocy na całym świecie. Chodziliśmy do modelu Stonehenge w północnym campusie i wtedy wyciągał starą mapę świata, którą całą porysował..."

„Ja tam raczej uważałem go za wariata. Matematykiem był niezłym, ale..."

„Opowiedział mi tę szaloną historię o tym, jak został wprowadzony w trans hipnotyczny i nagle przypomniał sobie wszystkie swoje dawne wcielenia, jakąś idiotyczną historię o piratach, starożytnych królach czy jakimś dziwnym fantastycznym świecie..."

„Powiedział, że przeszedł załamanie nerwowe, kiedy był nastolatkiem; matka zamykała go w pokoju na poddaszu i przywiązywała do łóżka, kiedy szedł spać, a on wtedy leżał bezsennie całą noc i wydawało mu się, że na dole jest pożar, że czuje zapach dymu. Trudno mu było nie współczuć, taki miły facet. Człowiek nie wiedział, co myśleć, kiedy ci opowiadał te wszystkie straszne rzeczy o swojej przeszłości..."

„Miał brata bliźniaka, który zginął na lodowisku, kiedy obaj mieli dwanaście lat. I wywnioskowałem, że wciąż czuje się winny. Właściwie to było mi żal tego faceta... Było dużo... no wiesz... pokładów pod tą powierzchnią..."

I oczywiście była też dziewczyna, studentka o imieniu Rachel, ale za nic nie chciała porozmawiać z Milesem, nie chciała nawet otworzyć drzwi, kiedy stanął na werandzie jej zniszczonego, studenckiego domku; tylko wyjrzała na niego przez szczelinę w drzwiach zabezpieczonych łańcuchem, pokazując jedno niebieskie oko i sierp twarzy.

– Proszę odejść – powiedziała. – Wolałabym nie wzywać policji.

– Przepraszam – odparł Miles. – Ja tylko szukam informacji. Hm. Na temat Milesa Spady'ego. Dowiedziałem się, że pani może mi pomóc.

– Wiem, kim jesteś – oświadczyła. Jej oko, oderwane od ciała i oprawione we fragment framugi jak w ramkę, zamrugało gwałtownie. – Dzwonię na policję.

Brakowało mu tupetu – napastliwości, nieodpartego daru przekonywania – cech prawdziwego detektywa. Odszedł, jak mu kazała, i potem jeszcze przez jakiś czas próbował coś znaleźć, ale czuł, że determinacja powoli z niego wycieka i wsiąka w ziemię razem z późnopaździernikową mżawką.

W campusie rzeczywiście był model Stonehenge. Replika połowy naturalnej wielkości, granitowe bryły wyrzeźbione w uniwersyteckim laboratorium za pomocą strumieni sprężonej wody. Postał tam, przyglądając się modelowi, czterem bramom wejściowym w kształcie π, ustawionym na północ, południe, wschód, zachód.

No po co, po co nachodzić biedną dziewczynę? Dlaczego on w ogóle to robi? Powinien zająć się własnym życiem! I już!

Dopiero kilka tygodni później, długo po tym, jak wyjechał z Rolla, przyszło mu to do głowy: Może Hayden tam był.

A jeśli Hayden przebywał w domu Rachel Barrie, kiedy Miles tam przyszedł, tamtego dnia? Czy dlatego go nie wpuściła? Dlatego nie chciała otworzyć drzwi szerzej jak tylko na łańcuch? Wyobrażał sobie brata, sylwetkę Haydena czającego się gdzieś w korytarzu za tymi drzwiami, Haydena, który podsłuchiwał, prawdopodobnie nie dalej jak kilka stóp od werandy, gdzie stał Miles.

Zrozumienie dopadło go poniewczasie, ale za to nie chciało go potem opuścić. Wywołało dreszcz. I mdłości.

– Halo? – odezwał się głos na drugim końcu linii. – Halo? Jest pan tam jeszcze?

Miles się wyprostował. Z powrotem w barze. Z powrotem w Inuvik. Wspomnienia przemykały obok niego niczym pociąg utworzony z hieroglifów; potrzebował kilku oddechów, żeby na powrót się zagnieździć w swoim ciele.

– Tak – odparł. – Tak, jak najbardziej.

Próbował odzyskać w sobie detektywa.

– Ja... – powiedział. – My... – dodał. – Bardzo mi zależy na rozmowie z panią. Czy możemy się umówić konkretnie na rozmowę?

– A może teraz? – zaproponowała kobieta. – Proszę powiedzieć, gdzie pana znajdę.

14

Wiadomość przyszła, kiedy spędzał pierwszy wieczór w Las Vegas. Znowu nic nie mógł poradzić na to, że lekko się spłoszył. To był trzeci albo czwarty raz, kiedy ni stąd, ni zowąd próbowała nawiązać z nim kontakt jakaś obca osoba pisząca do niego po rosyjsku czy też w jakimś innym wschodnioeuropejskim języku. W tym przypadku ten ktoś się przedstawiał jako *новый друг*; puk-puk zasygnalizowało okno Instant Messengera.

новый друг: добро пожаловать в лас-вегасе

– i Ryan natychmiast zamknął okno, wyłączył komputer, a potem siedział w bezruchu, z towarzyszeniem upiornego wrażenia, że coś po nim pełza, po rękach i po plecach. Dlaczego w ogóle pozwalał, by te śmieci do niego docierały?

– Psiakrew – powiedział i splótł dłonie na szklanym blacie hotelowego biurka, gapiąc się na pusty, czarny ekran laptopa.

Tak mu dobrze szło. Całkiem szybko opanował tajniki macherstw Jaya, wciągnął się i poruszał wśród nich, zdaniem Jaya, „jak ryba w wodzie". Niemal natychmiast opanował żonglerkę blisko setką różnych wcieleń.

– Moja krew, to się rzuca w oczy – orzekł Jay. – Masz mój talent.

I na ogół świetnie się bawił, przez większość czasu. Uwielbiał podróżować – jeździć, latać, wsiadać do pociągu linii Amtrak – co tydzień inne miasto, nowe nazwisko, nowa osobowość do przetestowania, nowa rola; jakby każda kolejna wyprawa to był film, w którym on robił za gwiazdę. Niosło go, tak właśnie czasem o tym myślał. Niosło go. Ta ulga, jaką przynosi wolność, ta beztroska, to stawanie się sprytnym specem od przekrętów, prawdziwym koniokradem; czuł, że jest w tym przygoda, łamanie zasad i poniekąd uwodzicielska magia niebezpieczeństwa.

A jednak bywało, że spokój zaczynał go opuszczać pod wpływem drobnych epizodów – a to dziwne wiadomości w komputerze, a to podejrzliwy urzędnik z wydziału komunikacji, a to nagła odmowa wypłaty z karty kredytowej – i znienacka czuł dawną panikę trzeszczącą w karku, to wrażenie, że ciągle wlecze się za nim jakiś cień, i znienacka ogarniało go przeświadczenie, że jeśli obejrzy się przez ramię, to się doigra.

W takich chwilach zastanawiał się, czy ma dość odwagi na taki styl życia.

Może zwyczajnie był paranoikiem.

Donosił już wcześniej o tej anomalii, o dziwnych wiadomościach pisanych cyrylicą, ale Jay w ogóle się nimi nie przejmował.

– Och, nie bądź babą – wyśmiał go.

– Tobie to się nie wydaje podejrzane? – spytał innym razem Jaya, ale ten znowu się nie przejął.

– Zwykły spam – powiedział. – Weź to zwyczajnie zablokuj i zmień swój login, facet. W sieci plącze się mnóstwo przypadkowego szajsu.

Jay wyjaśnił, że wykorzystywał serwery w Omsku i Niżnym Nowogrodzie, żeby zeskramblować ich adresy IP, i dlatego, powiedział, nie było w tym nic dziwnego, że dostawali przypadkową śmieciową pocztę od Rosjan.

– To pewnie jakieś reklamy tanich leków, sposobów powiększenia penisa albo gorących, nastoletnich lesbijek.

– Racja – zgodził się Ryan. – Ha.

– Nie bądź taki nerwus, synu – upomniał go Jay.

Jay był zasadniczo bardzo ostrożną osobą, uważał Ryan. Skoro Jay się nie przejmował, to czemu on by miał?

A jednak nie włączył komputera po raz drugi.

Stał tam, z komórką w dłoni, czekając, aż Jay odbierze, wyglądając na zewnątrz przez okno na trzydziestym trzecim piętrze hotelu Mandalay Bay.

Przed nim rozpościerało się Las Vegas: piramida Luxoru, zamkowe wieżyczki Excalibura, niebieska łuna MGM Grand. Sam Mandalay Bay był ogromną, lśniącą konstrukcją jakby ze złotych cegieł, która stała na samym końcu Las Vegas Strip. Okna wypełniały złote, odblaskowe szyby, dlatego z zewnątrz nikt nie mógł zobaczyć, że on tam stoi, że ogląda panoramę miasta. Która wyglądała tak, jakby ktoś ją w całości wymyślił, z tymi architektonicznymi formami, które mogły przypominać ilustrację z okładki jednej z tych powieści fantasy, jakimi zwykł się zaczytywać w liceum, względnie cyfrowe imaginarium z jakiegoś wysokobudżetowego filmu SF. Byłoby łatwo uwierzyć, że wylądował na innej planecie albo wybrał się w podróż do przyszłości. Przyłożył dłoń do szyby, zatapiając się w tych miłych, kojących rojeniach.

Cała zewnętrzna ściana jego pokoju była jednym wielkim oknem; wystarczyło odsunąć zasłony i mógłby wtedy stanąć na gzymsie niczym pływak na trampolinie.

– Halo? – odezwał się Jay i Ryan się zawahał.

– Hej – odpowiedział.

– Hej – odparł Jay.

A potem zapanowało wyczekujące milczenie. Ryan miał zakaz dzwonienia, wyjąwszy nagłe wypadki, ale Jay, sądząc po głosie, był teraz zbyt rozmiękczony – prawdopodobnie zbyt zaćpany – żeby przyjąć jego obawy na poważnie. Ryanowi czasami robiło się jakoś dziwnie od tej świadomości, że Jay jest jego ojcem, że miał zaledwie piętnaście lat, kiedy Ryan się urodził, zwłaszcza że nawet obecnie nie wyglądał na kogoś, kto mógłby mieć dwudziestoletniego syna. Na wygląd nikt nie dałby mu więcej jak trzydziestkę. Ryan często stwierdzał, że wszystko wydawało się znacznie bardziej sensowne, kiedy jeszcze uważał go za wujka.

– Więc... – odezwał się Jay. – O co biega?

– Zadzwoniłem tylko, żeby się zameldować – zakomunikował Ryan. Przełożył telefon do drugiego ucha. – Posłuchaj – powiedział. – To ty mi właśnie przysłałeś wiadomość?

– Umm... – odparł Jay. – Raczej mi się nie wydaje.

– Och – mruknął Ryan.

Usłyszał bulgotanie fajki wodnej, co znaczyło, że Jay wdychał dym, a potem arytmiczne, perkusyjne klikanie klawiatury Jaya.

– No to jak ci się widzi Las Vegas? – podjął po chwili przerwy Jay.

– Jest dobrze – zapewnił Ryan. – Jak dotąd dobrze.

– Robi wrażenie, no powiedz? – spytał Jay.

– Owszem – odparł Ryan i spojrzał na roztaczającą się w dole równinę miasta o zmierzchu. Sznur taksówek powoli torował sobie drogę po swym krowim szlaku w stronę frontowego wjazdu, do pylonu obejmującego budynek swoim gigantycznym plazmowym ekranem, z którego nad naszyjnikiem reflektorów jadących po Las Vegas Boulevard migotały obrazki z piosenkarzami i estradowymi komikami...

– Vegas jest... – zaczął.

...a z kolei jak się odwróciło głowę od Las Vegas Strip, to się widziało lotnisko, tuż za starym, zabitym deskami motelem po drugiej stronie ulicy; biegł tamtędy również trakt gołej, pustynnej gleby, ciągi centrów handlowych i domów pobudowanych według prostych linii aż do gór.

– ...jest wspaniałe – dokończył.

– Widzisz Statuę Wolności? – spytał Jay. – Widzisz wieżę Stratosphere?

– Widzę – odparł Ryan. Zauważył własne odbicie stojące tuż za skrajem okna, lewitujące w powietrzu.

– Kocham Vegas – oświadczył Jay i refleksyjnie zamilkł. Niewykluczone, że rozmyślał o instrukcjach, które obaj z Ryanem wspólnie przerobili, być może się zastanawiał, czy ich nie powtórzyć, ale ostatecznie tylko chrząknął. – Przede wszystkim chcę, żebyś się dobrze bawił – przemówił po chwili. – Przeleć jakąś laskę, dobrze?

– Okay – powiedział Jay.

Za nim, na łóżku, leżały stosy kart bankomatowych, powiązanych gumkami po dziesięć.

– Mówię poważnie – dodał Jay. – Mógłbyś trochę skorzystać z...

– Dobra – rzucił. – Słyszę.

Był kwiecień. Upłynęło wiele miesięcy od jego śmierci i dobrze mu się z tym żyło. Domyślał się, że zasadniczo przeszedł już wszystkie kolejne stadia Kübler-Ross. Jakoś nie bardzo się uwikłał w zaprzeczenia czy negocjacje, a z kolei gniew, którego rzeczywiście doświadczył, tak jakby przysparzał mu zadowolenia. A już na pewno przyjemnie mu się kradło; czuł to upajające ciepło, kiedy przelewał pieniądze z jednego fałszywego konta na drugie albo kiedy pocztą przychodziła kolejna karta kredytowa.

W łazience przykleił sobie plaster do ostrzyżonej na zero czaszki i nałożył potarganą, blond perukę Kasimira Czernewskiego. Ogolił się, wytarł do sucha miejsce nad górną wargą i potem posmarował klejem charakteryzatorskim, dzięki czemu mógł umocować wąsy. Musiał przyznać, że to niezła zabawa z tymi przebraniami, ten moment, kiedy z lustra wyzierała nowa twarz.

Już od bardzo dawna uciekał od samego siebie, stwierdził – całkiem możliwe, że całymi latami próbował obmyślać drogi ucieczki – a teraz nareszcie robił to naprawdę. I na dodatek miał wrażenie, że szykuje się do gwiazdorskiego występu, tym bardziej w takiej łazience: lustro na całą ścianę, piękne porcelanowe umywalki, jacuzzi wpuszczone w podłogę, kabina prysznicowa z drzwiami z matowego szkła, obudowana umywalka w oddzielnej wnęce, z telefonem na ścianie tuż obok papieru toaletowego. Wszystko takie eleganckie, pomyślał, kiedy już umył zęby i włożył ciemne okulary Kasimira Czernewskiego.

„Przeleć jakąś laskę", poradził mu Jay.

Okay. Może nawet to zrobię, pomyślał.

Ryan ostatnio uprawiał seks w liceum i tak wyszło, że narobił sobie przez to mnóstwo kłopotów.

Dziewczyna miała na imię Pixie – a w każdym razie tak się przedstawiała – dopiero co przeniosła się z Chicago do Council Bluffs razem z ojcem i mimo że skończyła zaledwie piętnaście lat, a więc liczyła dwa lata mniej niż on, to jednak była prawdziwą dziewczyną z dużego miasta – o wiele bardziej światową niż Ryan.

Nosiła kolczyki w wardze i brwi, do tego białe włosy z kilkoma różowymi pasemkami, oczy podkreślone czarną kredką. Miała zaledwie pięć stóp wzrostu – stąd „Pixie" zamiast prawdziwego imienia, to znaczy Penelope – i ciało cherubinka albo ponętnego, pluszowego niedźwiadka, z idealnie gładką, oliwkową skórą, wielkimi piersiami i wydatnymi ustami. Nie minął nawet jej pierwszy tydzień w szkole, kiedy ludzie zaczęli ją nazywać Gothobbitem, i Ryan śmiał się z tego jak wszyscy.

Nigdy się właściwie nie dowiedział, co ona w nim widziała. Siedziała za nim na próbach szkolnej orkiestry; on grał na puzonie, ona na bębnie i jeśli obrócił głowę, mógł ją obserwować kątem oka i pierwszą rzeczą, jaką wtedy zauważał, była ta mina, skupienie i rozanielenie, z jakimi wpatrywała się w nuty, rozchylone wargi, pałeczki, które poruszały się w jej dłoniach jakby bez udziału myśli, pełen gracji luz w nadgarstkach i przedramionach. I tak, lekkie wibracje piersi, kiedy z całej siły waliła w bęben.

I dlatego nie umiał nie zerkać na nią od czasu do czasu, ukradkiem, ale przyszedł kiedyś taki dzień, kiedy on po próbie rozbierał swój puzon na części i smarował suwak, a ona przystanęła obok i zaczęła mu się przyglądać z przechyloną głową. Podniósł na nią wzrok dopiero wtedy, gdy już poukładał wszystkie części puzonu w aksamitnych wgłębieniach futerału.

– Mogę ci jakoś pomóc? – spytał, a wtedy uniosła jedną brew, tę przebitą cienkim, metalowym kółkiem.

– Wątpię – odparła. – Po prostu próbuję zajarzyć, czemu w kółko się na mnie gapisz. No chyba że masz autyzm albo coś w tym stylu.

Nie był specjalnie lubiany; przywykł do tego, że różni się z niego nabijali, dlatego zacisnął usta i wsadził wycior do suwaka.

– Nie wiem, o czym mówisz – powiedział.

Wzruszyła ramionami.

– Niech ci będzie, Archie – odparowała.

Archie. Nie miał pojęcia, co to niby miało znaczyć, ale bynajmniej mu się nie spodobało.

– Mam na imię Ryan – oświadczył.

– Okay, Thurston – powiedziała i znowu omiotła go wzrokiem powątpiewająco. – Mogę ci zadać pytanie? – dodała, a kiedy on wciąż zajmował się pakowaniem instrumentu, uśmiechnęła się, wydymając wargi w złośliwy, wyzywający sposób. – Twoja stara kupuje ci te ciuchy czy naprawdę lubisz się tak ubierać?

Ryan oderwał wzrok od futerału, obdarzając ją spojrzeniem, które w jego mniemaniu było wybitnie lodowate.

– No więc mogę ci jakoś pomóc? – powtórzył.

I tu Pixie się zastanowiła, jakby to była prawdziwa oferta.

– Może... – odparła. – Chciałam ci po prostu powiedzieć,

że gdybyś coś ze sobą zrobił, to prawdopodobnie byłbyś jak najbardziej do wzięcia. – I tu znowu obdarzyła go tym uśmiechem, krzywym, gangsterskim, sardonicznym. – Chciałam tylko, żebyś to wiedział.

Wspominał tamtą scenkę, kiedy zjeżdżał windą, ale po chwili zepchnął ją na tył swoich myśli, z powrotem do tego miejsca ukrytego niemalże w podświadomości, gdzie przez ostatnie kilka lat tkwiła Pixie.

W windzie na miniaturowym plazmowym ekranie jarzyły się obrazy z jakiegoś musicalu w broadwayowskim stylu i dziewczyna, która stała tuż przed nim, gapiła się na nie, przestępując z nogi na nogę. Była ubrana w bardzo krótką spódniczkę i nogi miała nie tylko gołe, ale też niewiarygodnie długie – wydawały się ciągnąć od samej klatki piersiowej, piękne, gładkie, opalone – i Ryan przyglądał im się w milczeniu. Spódniczka kończyła się tuż pod półkulami pośladków; kilka razy powiódł wzrokiem od ud po łydki, kostki i różowe od spodu stopy w sandałach. Przyglądał się jej jeszcze, kiedy wysiadała z windy, a mężczyzna stojący obok niego jęknął głucho z głębi gardła.

– Mmm, mmm... Widziałeś to? – spytał potem ten mężczyzna, czarnoskóry, na oko pięćdziesięcioletni, ubrany w różową koszulkę polo i błazeńskie, zielone spodnie; w ręku trzymał worek z kijami golfowymi. – To był widok.

– Tak – zgodził się Ryan i mężczyzna pokręcił głową, wyrażając przesadny zachwyt.

– A niech to diabli. Jesteś singlem?

– Ano – odparł Ryan. – Chyba tak.

I tamten znowu pokręcił głową.

– No to zazdroszczę – powiedział, ale zanim zdążył dodać coś więcej, drzwi windy się rozsunęły i do zamkniętej przestrzeni weszły trzy kolejne dziewczyny, piękne i nastoletnie.

A gdyby tak rzeczywiście poznał jakąś dziewczynę? Przecież ludzie to właśnie robili w Vegas, po to właśnie ściągały tu całe tłumy ludzi. Podejrzewał, że polowali na okazję do podrywu po całym mieście, a potem albo namawiali na jednorazowy numerek, albo brnęli po pijanemu w romanse z nieznajomymi. Sam nigdy nikogo nie poderwał w barze czy też w kasynie, choć oczywiście było to możliwe. Ciągle się widziało takie rzeczy w telewizji: mężczyzna zagadywał atrakcyjną kobietę, dochodziło do flirtu albo sugestywnej gadki-szmatki i krótko potem uprawiali seks. Coś takiego powinno być łatwe. Skoro udało mu się zdobyć dwa tysiące dwieście punktów na końcowych egzaminach w szkole, to czemu nie miałby kogoś przelecieć w Vegas?

Kiedy jednak znalazł się na głównym poziomie kasyna, sam pomysł „poznania kogoś" wydał się niebotycznie trudny. Jak w ogóle zagadać do kogoś w takim miejscu? Powiódł spojrzeniem w stronę gigantycznego salonu gier, wypełnionego niezliczonymi rzędami oślepiających gier wideo i automatów na żetony, ciągnących się tak daleko, jak sięgał wzrokiem, i te setki ludzi karmiących swoje ekrany, na których wyświetlały się karty do gry, śmigające cyfry albo postaci z kreskówek, i to mu znienacka przywiodło na myśl stare zdjęcia wnętrz warsztatów, gdzie kapitaliści uprawiali wyzysk – przepastne hale fabryczne, rzędy robotnic szyjących bluzki albo robiących dziurki w butach, tych uli, w których każdy był zajęty jakąś monotonną, samotniczą czynnością. W tym czasie dookoła niego po przejściach i kładkach snuli się ludzie, z typową dla turystów pustką na twarzach pokonywali kolejne etapy serwowanej im rozrywki, jałowo człapiąc tak samo, jak ludzie w centrach handlowych, zabytkach i tak dalej.

W końcu wmieszał się w strumień pieszych okrążających główny obszar hazardu. Przed nim dwie kobiety w identycznych rybaczkach rozmawiały po holendersku, norwesku czy w jakimś innym języku. Jeszcze dalej przed nimi stworzył się niegroźny korek, bo ludzie się zatrzymywali, żeby oglądać starszego mężczyznę w kowbojskim kapeluszu i kwiecistej westernowej koszuli, który wykonywał jakieś sztuczki karciane. Mężczyzna uniósł w górę dziesiątkę pik, został nagrodzony skąpymi oklaskami, i wykonał niewielki, pełen wdzięku ukłon. Blondynki przystanęły i wyciągnęły szyje, żeby zobaczyć, co się tam dzieje.

Ryan poszedł dalej, znowu obmacując kieszenie wypełnione kartami bankomatowymi, których plik niemal dorównywał grubością talii kart.

Musiał wyciągnąć jeszcze sporo kasy, zanim ten wieczór dobiegnie końca.

Mimo woli znowu rozmyślał o Pixie, co było wkurzające.

Podczas minionych paru lat dość skutecznie udawało mu się nie dopuszczać jej do świadomości i zaniepokoiło go, że znowu się zaczęła po niej plątać. Miała taki specyficzny zwyczaj przyciskać nos i wargi do jego szyi, tuż pod szczęką, albo powoli przesuwała dłonią po jego ręce, jakby chciała, żeby jego skóra przywarła do jej skóry.

To nie było tak, że się w niej zakochał. Jak to jakiś czas później orzekła jego matka.

– To tylko zwykłe pożądanie, ale w twoim wieku trudno zauważyć różnicę.

I prawdopodobnie miała rację. Pixie nie pojawiała się w jego myślach, kiedy wyobrażał sobie, jak to jest, kiedy się „zakochujesz", i w rzeczy samej nie umiał sobie przypomnieć, by słowo „miłość" kiedykolwiek między nimi padło. Pixie nie mówiła takich rzeczy.

„Rżniątko" – takie określenie bardziej pasowało do słownictwa Pixie i to właśnie zaczęli uprawiać po kilku tygodniach, jakie minęły od ich pierwszej rozmowy po próbie orkiestry, najpierw w motelu podczas wyjazdu orkiestry do Des Moines, a potem po lekcjach w domu Pixie, kiedy jej ojciec był w pracy, a potem jeszcze w szkole, w schowku w piwnicy, obok kotłowni, na kartonach wypełnionych przemysłowymi rolkami papieru toaletowego.

– Wiesz, co jest śmieszne? – spytała Pixie. – Mój tato jest totalnie przekonany, że jestem jakąś niewinną dziewicą. Od śmierci mamy jest jak zombi, biedny palant. Nie wiem, czy do niego dotarło, że już nie mam dwunastu lat.

– Jezu... – powiedział Ryan. – Twoja mama nie żyje? – Nigdy wcześniej nie poznał nikogo, kto by doświadczył takiej tragedii, i zrobiło mu się jeszcze bardziej głupio, że jest taki nagi w jej pokoju, z tą dziewczęcą, różową narzutą i kolekcją maskotek gapiących się na nich z półki.

– Coś jej się stało z płucami – wyjaśniła Pixie i wyciągnęła paczkę marlboro z kryjówki za Harrym Potterem. – Zarostowe zapalenie oskrzelików, tak to się nazywa. Nie wiedzą, jak to złapała. Stwierdzili, że mogła być wystawiona na działanie toksycznych oparów albo że to przez jakiegoś wirusa. Ale połapali się za późno. Lekarze myśleli, że to astma czy coś.

Spojrzała na niego zagadkowo, a potem on się przyglądał, jak wyciąga papierosa z paczki i zapala. Przystawiła twarz do otwartego okna i wydmuchnęła dym.

– Straszne – powiedział Ryan. Niepewnie. Co miał powiedzieć? – Naprawdę ci współczuję – dodał.

Ona jednak tylko wzruszyła ramionami.

– Kiedyś chciałam się zabić – oświadczyła. I wydmuchnęła strumień szarosinego dymu przez ekran naokienny, w stronę podwórka. Przyjrzała się Ryanowi rzeczowo. – Ale potem stwierdziłam, że nie warto. Dla mnie to tchórzowskie i mazgajowate. Albo może... – zawiesiła głos. – Może jestem za bardzo nieczuła, żeby się przejmować. – Odchyliła się do tyłu, ugniatając skotłowane prześcieradło i koc bosą stopą, a on przyglądał się jej palcom, jak się zaciskały i prostowały. Był trochę oszołomiony tą rozmową.

– Posłuchaj – zaczął. – Nie powinnaś myśleć o zabijaniu się. Jest mnóstwo ludzi, którzy... cię lubią i...
– Zamknij się – powiedziała, ale nie nieuprzejmym tonem. – Nie bądź takim przydupasem, Ryan.

Więc już się nie odezwał.

Tamtego dnia, zamiast wrócić po lunchu do szkoły, zostali w jej domu i oglądali filmy, na punkcie których Pixie miała bzika. Czwarta lekcja: *Mordercy* z Lee Marvinem i Angie Dickinson. Piąta lekcja: *Dzikość serca* z Jeffem Danielsem i Melanie Griffith. Szósta lekcja: znowu rżniątko.

Ja to naprawdę robię, pomyślał. Ja to naprawdę, naprawdę, naprawdę...

Hotele były ze sobą połączone od środka. Przeszedł przez jedną jaskinię hazardu, wsiadł do windy, pokonał kilka kolejnych ruchomych chodników, które niczym rzeki płynęły równolegle do szeregów sklepów pamiątkarskich, trafił do wnętrza repliki egipskiego grobowca, a stamtąd do kolejnego gigantycznego kasyna i tam znalazł następne bankomaty, a potem był Excalibur, urządzony jak średniowieczny zamek, gdzie ludzie stali w kolejce, żeby się posilić przy bufecie urządzonym na Okrągłym Stole, i tam też dokonał kilku wypłat.

Potem jeszcze przeszedł się po krętych korytarzach Luxoru i Excalibura i wreszcie mógł wyjść na zewnątrz, na świeże powietrze; miał już wtedy w plecaku około dziesięciu tysięcy. Na tym właśnie polegała przewaga Vegas – tu nie było w tym nic niezwykłego, że człowiek wypłacał od razu pięćset, tysiąc czy trzy tysiące, niemniej Ryan wiedział, że po tej wyprawie będzie musiał przenieść Kasimira Czernewskiego na emeryturę. Co w pewnym sensie było smutne. Spędził mnóstwo czasu na budowaniu w myślach życia Kasimira, starając się odgadnąć, jak to jest być cudzoziemcem, młodym człowiekiem zaczynającym od zera i pracującym z nadzieją, że zrealizuje amerykańskie marzenie. Kasimir: zasadniczo luzak, ale też przedsiębiorczy pod niektórymi względami, zdeterminowany, uczęszczający na kursy wieczorowe i walczący o to, by się jakoś urządzić jako prywatny detektyw. O Kasimirze Czernewskim dałoby się nakręcić serial, jakiś komediodramat, wyobrażał sobie.

Na zewnątrz po chodniku wędrowali ludzie w grupach liczących pięć, dziesięć, a nawet dwadzieścia osób, i tutaj ten ich strumień miał w sobie więcej celowości, bardziej przypominał wielkomiejski tłum. Z jednej strony niemiłosiernie wolno przejeżdżał sznur samochodów, z drugiej stali naganiacze i wręczali przechodniom wizytówki. Byli to głównie Meksykanie, którzy przyciągali uwagę klaskaniem dłońmi o przedramiona – klap, klap, klap – a potem wyciągali wizytówkę i prezentowali otoczeniu.

– Dziękuję – powiedział Ryan jednemu z nich, a potem i tak uzbierał ze dwadzieścia takich wizytówek, zanim zaczął mówić: „Już mam dosyć", „Nie, dziękuję", „Niestety".

Były to wizytówki reklamujące rozmaite usługi towarzyskie, z wizerunkami dziewczyn, nagich, z rozwianymi włosami, z kolorowymi gwiazdkami nadrukowanymi na sutkach. Niekiedy poszczególne litery ich imion zakrywały części intymne. Fantasie, Roxana, Natasha. *Piękna, egzotyczna tancerka w prywatności twojego pokoju! – mówiła jedna z wizytówek. Tylko 39 $!* I do tego numer telefonu.

Pałętał się po ulicy, oglądając swoją kolekcję dziewczyn do towarzystwa – wyobrażając sobie, jak by to było, gdyby naprawdę zadzwonił do którejś z nich – kiedy usłyszał, że podchodzą do niego jacyś Rosjanie.

A w każdym razie tak mu się wydawało, że to Rosjanie. Bo mogli rozmawiać w dowolnym innym wschodnioeuropejskim języku. Po litewsku? Serbsku? Czesku? W każdym razie rozmawiali głośno w swoim ojczystym języku – *zatruksa* coś tam coś tam. *Baruksa! Ha, ha, ha* – i zaskoczony Ryan podniósł głowę, kiedy podeszli bliżej. Był wśród nich jeden łysy, jeden z włosami blond postawionymi na sztorc za pomocą pianki i jeszcze trzeci w golfowym kaszkiecie w kratkę. Wszyscy byli ubrani w kolorowe, hawajskie koszule.

I wszyscy trzej nieśli w dłoniach ogromne, darmowe szklanki do drinków, tak popularne na Las Vegas Strip, o takiej pojemności, że przypominały wazony albo fajki wodne – ogromne, bulwiaste podstawy z długimi szyjkami, które na samym końcu rozchylały się jak główka tulipana. Trudno było z nich coś wylać, a zarazem mieściły ogromną ilość alkoholu.

Podeszli do niego, hałaśliwie dowcipkując w tym swoim słowiańskim języku, a on nie zapanował nad sobą w porę. Zastygł w miejscu, gapiąc się na nich.

Kiedy jeszcze był studentem pierwszego roku na Northwestern, kumpel z pokoju, Walcott, miał zwyczaj go ochrzaniać.

– Czemu ty się tak wiecznie gapisz na ludzi? – spytał któregoś wieczoru, kiedy szli po Rush Street w Chicago, szukając barów, w których uznano by ich tanie, fałszywe dowody osobiste. – To jakaś, tego, moda z Iowa? – dodał zgryźliwie. – No bo wiesz, w dużych miastach to nie jest *cool* gapić się na ludzi.

Walcott pochodził z Cape Cod w Massachusetts, które nie było dużym miastem, ale często bywał w Bostonie i Nowym Jorku, dlatego uważał się za eksperta w takich sprawach. Miał też mnóstwo do powiedzenia na temat tego, jacy są ludzie z Iowa, mimo że nigdy tam nie był.

– Słuchaj – powiedział. – Pozwól, że coś ci poradzę. Nigdy nie patrz ludziom prosto w oczy. Nigdy, pozwól, że to powtórzę, nigdy, przenigdy nie nawiązuj kontaktu wzrokowego z bezdomnym, pijakiem albo kimś, kto wygląda jak turysta. To zasada, którą superłatwo zapamiętać: na nich się nie patrzy.

– Hmm – mruknął Ryan, a Walcott poklepał go po plecach.

– Co ty byś zrobił beze mnie? – spytał.

– Nie wiem – powiedział Ryan. Patrzył na swoje stopy, które maszerowały po brudnym chodniku jak zdalnie sterowane. Nigdy nie wybrałby sobie Walcotta na przyjaciela, ale los ich połączył z winy administracji uczelni i spędzili mnóstwo czasu razem tamtego pierwszego roku, dlatego głos Walcotta na trwałe odcisnął się w głowie Ryana.

Teraz jednak było za późno. Stał, nawiązując kontakt wzrokowy, gapiąc się, i w którymś momencie łysy Rosjanin go zauważył. Oczy mu się zaświeciły, jakby Ryan trzymał w górze tablicę z jego nazwiskiem.

– Sie ma, prezes – zawołał z ciężko akcentowanym, ale za to zaskakująco potocznym angielskim. – Jak zdrówko?

Przed czymś takim właśnie przestrzegał go Walcott. A problem polegał na tym, że w Iowa całymi latami tresowali cię, że masz być uprzejmy i przyjazny dla ludzi. Dlatego teraz Ryan nie umiał się pohamować.

– Cześć – powiedział, kiedy trzej mężczyźni podeszli do niego i otoczyli go wiankiem, szczerząc zęby w uśmiechu. Podeszli trochę jakby za blisko, dlatego cały nieprzyjemnie zesztywniał, mimo że zarazem odruchowo przywołał na twarz miły, życzliwy wyraz mieszkańca Środkowego Zachodu.

Mężczyzna z włosami na sztorc wyszczekał serię niezrozumiałych rosyjskich sylab, powodując, że jego towarzysze zanieśli się śmiechem.

– My... – zaczął ten z włosami, przez chwilę się biedząc nad doborem słów. – My... trzej... alkonauci! My... przychodzimy w pokoju!

Wszyscy trzej uznali to za niesamowicie śmieszne, a Ryan uśmiechnął się niepewnie. Poruszył ramieniem, na którym wisiał jego plecak z ciężkim laptopem i około dziesięcioma tysiącami w gotówce wetkniętymi do jednej z kieszonek. Zachować spokój. Stał tuż przy krawężniku, turyści, imprezowicze i inni ludzie obchodzili ich łukiem ze szklistymi, ogłupiałymi minami. Nie nawiązując kontaktu wzrokowego.

Usiłował zdecydować, do jakiego stopnia powinien być zdenerwowany. Stoją na otwartej przestrzeni, zwrócił uwagę. Nic mu nie zrobią, tu, na środku ulicy...

A jednak przypomniał mu się film, na którym widział, jak morderca przecina tętnicę w udzie ofiary i potem ona wykrwawiła się na śmierć na oczach tłumu.

Mężczyźni utworzyli pierścień dookoła niego, a on czuł na plecach napór pojazdów jadących Las Vegas Boulevard. Zrobił krok, ale wtedy mężczyźni podeszli jeszcze bliżej, jakby postępowali jego śladem.

– Lubisz karty? – spytał łysol. – Lubisz te karty, prezes?

I Ryan nabrał przeświadczenia, że został przyskrzyniony. Jego dłoń odruchowo powędrowała do kieszeni, w której miał plik kart bankomatowych. Oparł tę dłoń o udo, znowu przypominając sobie tamtą historię z tętnicą.

– Karty? – spytał słabym głosem i spróbował się obejrzeć. Gdyby wybiegł na czteropasmową jezdnię, to jakie było prawdopodobieństwo, że potrąci go samochód? Dość wysokie, domyślał się. Pokręcił głową w stronę łysego, że niby nic nie rozumie.

– Ja... nie mam żadnych kart – powiedział. – Nie wiem, o czym mówisz.

– Ty nie wiesz? – spytał tamten i zaśmiał się z dobrodusznym zdziwieniem, lekko wstrząśnięty. – Karty! – powtórzył wyraźnie, powoli i wskazał gestem dłoń Ryana. – Karty!

– Karty! – powtórzył ten od włosów na sztorc i uśmiechnął się szeroko, pokazując złote koronki na przednich zębach. Podniósł rękę, w której trzymał kilkanaście wizytówek dziewczyn do towarzystwa, ułożonych jak wachlarz kart do pokera, złożonego z Fantasie, Britt, Kamchany, Cheyenne, Natashy i Ebony.

I w tym momencie do Ryana dotarło, o czym oni mówią.

Zerknął na plik wizytówek, które sam wcześniej uzbierał na deptaku.

– Aha... – westchnął. – Ale ja tak czy...

– Tak, tak! – powiedział łysy i wszyscy trzej znowu zarechotali. – Karty! Piękne dziewczyny, prezes!

– Trzydzieści dziewięć dolarów amerykańskich! Niebywałe! – zauważył ten w golfowym kaszkiecie, który dotychczas tylko się przyglądał. A potem wygłosił jakiś dłuższy komentarz po rosyjsku, za który został nagrodzony kolejnym wybuchem wesołości. Mężczyzna podsunął własne wizytówki w stronę Ryana.

– Ty polubisz Natashę. Duża, cycata Rosjanka. Bardzo miła.

– Tak – powiedział Ryan i przytaknął. – Tak, bardzo miła – dodał i powiódł wzrokiem do następnej przecznicy – Bally's, Flamingo, Imperial Palace, Harah's, Casino Royale, Venetian, Palazzo – wszystkie te miejsca, które planował odwiedzić, wszystkie bankomaty, z których musiał jeszcze wypłacić pieniądze, zanim wreszcie dotrze do hotelu Riviera, gdzie miał się zameldować jako Tom Knott, młody księgowy uczestniczący w jakimś zjeździe.

– Szurik – przedstawił się łysy Rosjanin i podał mu rękę.

– Wasia – przedstawił się ten ze sterczącymi włosami.

– Paweł – przedstawił się ten w kaszkiecie.

– Ryan – zrewanżował się Ryan i kiedy ściskał dłonie trzech mężczyzn, jedną po drugiej, czuł, że twarz mu płonie. Był to najbardziej elementarny ze wszystkich błędów – podał swoje prawdziwe imię, zdradził je bezmyślnie i dlatego zmieszał się jak nigdy. „Pan J. się odnalazł. Jak miło", przypomniało mu się. To było coś istotnego czy nie?

– Ryan – powtórzył Szurik. – Ty idziesz z nami, tak? Razem. Chodź, prezes. Poszukamy najlepszych dziewczyn. Zgoda?

– Zgoda – odparł Ryan. A potem, kiedy tamci trzej ustąpili mu z drogi, gotując się, żeby iść za nim, razem ze swoimi gigantycznymi, tulipanowymi kubkami, razem ze swoimi wizytówkami i pełnymi nadziei, przyjaznymi twarzami, wykonał nagły zwód i wcisnął się zygzakiem w strumień turystów na chodniku. A potem poderwał się do biegu.

Później powiedział sobie, że to, co zrobił, było głupotą. Stał w kolejce do recepcji w hotelu Riviera, a serce wciąż mu biło przyspieszonym rytmem.

Biedni faceci. Ależ zgłupieli, kiedy tak im zwiał. W ogóle nie próbowali go ścigać. Przypomniał sobie zdębiałe miny, z jakimi obserwowali jego ucieczkę, i już zupełnie nie wierzył, że mogli być kimś innym, a nie tylko niewinnymi turystami. Banda spitych facetów poszukujących tubylca, z którym mogliby się zaprzyjaźnić.

Jay miał rację: musi się uspokoić.

A jednak trudno się było pozbyć tej adrenaliny, duszącego napięcia, tego rozdygotania, kiedy siedział w swoim pokoju w Rivierze – jako Tom Knott, dwadzieścia dwa lata, z Topeka w stanie Kansas – znowu się przyglądając dziewczynom do towarzystwa. Natasha. Ebony.

Tego właśnie najbardziej w sobie nienawidził, w swoim dawnym „ja" – tej nerwowości, niepokoju zapętlającego się w jego wnętrzu. Kiedy zaczął drugi rok na Northwestern, tracił tyle czasu na denerwowanie się swoimi opóźnieniami w nauce, że w ogóle go nie miał na prawdziwą naukę.

Domyślał się, że właśnie dlatego znowu przypomniała mu się Pixie. Wbrew temu, co się wydarzyło, wbrew skutkom, te sześć tygodni przeżyte razem z nią były prawdopodobnie najszczęśliwszym okresem w jego życiu. Często wagarowali, a on starał się dotrzeć do domu w odpowiednim momencie, żeby zdążyć zniszczyć listy, które przychodziły ze szkoły w związku z jego nieobecnościami i zaniedbaniami w nauce, a także wymazywać nagrane wiadomości z sekretariatu szkoły, i dzięki temu jego rodzice trwali w błogiej niewiedzy. Dotarło do niego, że jest całkiem niezłym aktorem. Całkiem skutecznym kłamcą. Do tego momentu przez dłuższy czas w ogóle nie odrabiał prac domowych, po raz pierwszy w życiu zasiadł do testu i nie miał zielonego pojęcia, o co go pytają. To był test z chemii obejmujący materiał z połowy semestru, a on zakreślał odpowiedzi na chybił trafił, wymyślał obliczenia, których za nic nie umiał przeprowadzić, i znienacka naszła go upajająca myśl.

Mam to wszystko gdzieś.

Było dokładnie tak jak z tymi fundamentalistami, kiedy opowiadają o tym, że się narodzili na nowo. „Jezus przeniknął do mojego serca i oczyścił mnie z grzechu", powiedziała mu kiedyś pewna dziewczyna imieniem Lynette i pod pewnymi względami to właśnie się z nim stało. Wszelkie brzemiona zostały z niego zdjęte, czuł się lekki i przezroczysty, jakby słońce mogło prześwietlić jego ciało na wskroś.

Mam wszystko gdzieś, pomyślał, mam gdzieś przyszłość, mam gdzieś swój los, mam gdzieś, co pomyśli rodzina, mam to gdzieś, mam to gdzieś. I za każdym razem, kiedy powtarzał to sobie w myślach, było tak, jakby jakiś wielki ciężar odrywał się od niego i odfruwał jak motyl.

A potem któregoś dnia wrócił do domu, wszedł do kuchni i nadział się na czekającą na niego matkę.

Jak się okazało, to nie sekretariat ani też któryś z jego nauczycieli się z nią skontaktował, tylko ojciec Pixie. Najwyraźniej przechwycił jeden z e-maili, które ze sobą wymieniali, i znalazł też pamiętnik Pixie, a potem – tego aspektu Ryan się ani nie spodziewał, ani go nie zrozumiał – dziewczyna wyznała wszystko ojcu.

Który się wściekł. Który chciał zabić Ryana.

– Ma pani córkę, pani Schuyler? – spytał ojciec Pixie matkę Ryana, która przebywała akurat w pracy, siedziała za swoim biurkiem w biurze Morgan Stanley w Omaha, gdzie była zatrudniona jako dyplomowana księgowa. – Gdyby miała pani córkę, toby pani wiedziała, jak ja się czuję. Czuję się zgwałcony. Czuję się zbezczeszczony przez pani zboczonego syna – powiedział. – I chcę jeszcze, żeby pani wiedziała – dodał – że jeśli się okaże, że moja córka jest w ciąży, to przyjdę do waszego domu, wyciągnę pani syna i wybiję mu zęby przez tył jego zasranej czaszki.

Zanim Ryan zjawił się w domu, Stacey nie tylko zdążyła wezwać policję, która oskarżyła ojca Pixie o groźby karalne, ale także porozmawiała ze znajomym prawnikiem, który załatwił zakaz zbliżania się, ale nie powiedziała mu tego wszystkiego, kiedy wszedł do kuchni, otworzył lodówkę i zajrzał do środka. Nie zwracał na nią większej uwagi. Znał ją, często miewała złe nastroje. Usadawiała się wtedy w kuchni, w pokoju z telewizorem czy w jakimś innym miejscu, gdzie mogli patrzeć na jej milczenie, a potem jeszcze zaczynała promieniować gęstymi, radioaktywnymi falami negatywizmu. Miał dość rozumu, żeby na nią nie patrzeć, kiedy wchodziła w taką fazę.

Tak więc wyjął sobie mleko, gdy tymczasem ona wciąż siedziała przy kuchennym stole. Wrzucił trochę płatków do miseczki, zalał je mlekiem i już miał iść do pokoju z telewizorem, kiedy Stacey podniosła na niego wzrok.

– Kim ty jesteś? – spytała.

Ryan z niechęcią uniósł głowę. To była kolejna jej metoda, te hermetyczne pytania wypowiadane cichym głosem.

– Yyy? Że co?

– „Kim jesteś", spytałam – wymruczała głosem pełnym smutnej zadumy. – Bo ja cię chyba nie znam, Ryan.

W tym momencie miał już pierwszy przebłysk zdenerwowania. Wiedział, że ona się dowiedziała – o czym? Ile? Czuł, że twarz mu tężeje, że robi się coraz bardziej pusta.

– Nie wiem, o czym mówisz – odparł.

– Myślałam, że jesteś godny zaufania – powiedziała Stacey. –

Myślałam, że jesteś odpowiedzialny, dojrzały, że masz jakiś pomysł na siebie. Tak dotąd zwykłam myśleć. A teraz nie wyobrażam sobie, co się dzieje w twoim wnętrzu. Nie mam pojęcia. Wciąż trzymał w rękach miseczkę, z której dobywały się ledwie słyszalne poszeptywania płatków stopniowo nasiąkających mlekiem.

Nie wiedział, co powiedzieć.

Nie chciał, żeby jego przygoda z Pixie się skończyła, i wyobrażał sobie, że jeśli nic teraz nie powie, to wtedy potrwa trochę dłużej. Wciąż będzie szczęśliwy, wciąż będzie miał wszystko gdzieś, wciąż będzie się spotykał z Pixie z samego rana od północnej strony szkoły, wciąż będzie mógł się jej przyglądać, jak pali papierosa i bawi się swoim kółkiem w wardze, przesuwając je w tę i we w tę.

– Chcesz sobie zniszczyć życie? – mówiła do niego Stacey. – Chcesz skończyć jak twój wujek Jay? Bo w tę właśnie stronę zmierzasz. On spieprzył sobie życie, kiedy był mniej więcej w twoim wieku, i nigdy się z tego nie podniósł. Nigdy. Zrobił z siebie nieudacznika i ty właśnie do tego zmierzasz, Ryan.

Dopiero wiele lat później zrozumiał, o czym mówiła.

Skończysz, jak twój ojciec, tak naprawdę to miała na myśli. Jego ojciec: Jay, który zapłodnił dziewczynę w wieku piętnastu lat, uciekł z domu, dryfował od jednej podejrzanej roboty do drugiej, nigdy się nie ustatkował, nigdy nie miał normalnego życia. Z perspektywy czasu widział teraz, dlaczego tak na niego natarła, potrafił to poniekąd zrozumieć. Wiedziała, jakim się stanie człowiekiem, jeszcze zanim sam się o tym dowiedział.

I nie zamierzała dopuścić, żeby skończył jak Jay. Zabrała się do porządków w jego pokawałkowanym życiu, posłała go na dwutygodniowy obóz w lesie dla zbuntowanych nastolatków. To był jeden z tych wędrownych obozów, oparty na budowaniu zespołu i terapii grupowej, pełen usposobionych militarystycznie pedagogów, którzy racjonowali „twardą miłość" i diagnozowali emocjonalne zaburzenia podopiecznych. Bo zgubili drogę, bo niezdrowo, wadliwie postrzegali samych siebie i potrzebowali zmiany, jeśli chcieli zostać produktywnymi członkami społeczeństwa, jeśli chcieli zobaczyć swoich przyjaciół i rodziny...

Wrócił, ale i tak wylądował w sytuacji, którą zasadniczo należało nazwać aresztem domowym trwającym do końca roku szkolnego. Matka odebrała mu komórkę i ograniczyła dostęp do Internetu, a potem skontaktowała się ze wszystkimi nauczycielami i załatwiła mu możliwość nadrobienia zaległości, zmusiła go też do cotygodniowych wizyt u terapeuty, zapisała na kurs przygotowujący do egzaminów końcowych, a także do lokalnego Klubu Optymistów, który spotykał się trzy razy w tygodniu, żeby sprzątać parki, rozdawać zabawki ubogim dzieciom, przeprowadzać akcje recyklingu i tak dalej. Wypisała go z orkiestry, bo podczas prób miał jedyną możliwość spotykania się z Pixie, choć to właściwie nie miało już znaczenia, bo ojciec Pixie przeniósł ją do liceum im. św. Alberta. Już nigdy więcej jej nie zobaczył. A jej ojciec został uznany winnym gróźb karalnych i dostał wyrok w zawieszeniu.

A co do ojca Ryana, Owena, on raczej się w owym czasie nie angażował, milczący i ponury jak zawsze w obliczu nieustępliwości Stacey. Tylko jakimś cudem ją namówił, żeby pozwoliła Ryanowi chodzić na lekcje gitary, i to była jedyna miła rzecz podczas jego ostatniego półtora roku w liceum. On i Pixie nieraz rozmawiali o założeniu zespołu, w którym ona byłaby perkusistką, a on wokalistą, i teraz chętnie na ten temat fantazjował. Lubił się zamykać w swoim pokoju i komponować piosenki na gitarę Takamine, którą kupił mu Owen. Napisał nawet utwór zatytułowany *Och, Pixie*. Bardzo smutny. Napisał też *Groźby karalne*, *Niedługo mnie tu nie będzie* i *Echopraksję*, która być może reklamowałaby jego album, gdyby kiedykolwiek taki stworzył.

Żałosne, że w ogóle wspominał o tych głupkowatych pio-
senkach.

A już zupełnie dobijające było to, że spędził całą noc na roz-
myślaniu o Pixie, na przypominaniu jej sobie, na zastanawianiu
się, gdzie ona teraz jest. Co się z nią stało? I ani trochę nie był
blisko przelecenia kogokolwiek.

Smutne było nawet to, że jego paranoja w związku z Rosja-
nami okazała się ostatecznie pomyłką. W tle tego spotkania na
ulicy tak naprawdę nie kryła się żadna intryga, żadna awantura
z gangsterami; nie było tam nic oprócz stad turystów i wynaję-
tych ludzi, którzy próbowali ich oskubać z ponurą nonszalancją
sprzedawcy z nocnego sklepu spożywczego.

Stwierdziwszy, że może tak już mu pisane, że zawsze będzie
samotny, rozłożył wizytówki agencji towarzyskich na biurku
i przyjrzał im się. Fantasie. Roxan. Natasha.

Siedział tak przy biurku w pokoju hotelowym, pogrążony
w zadumie. Wstukał swoje nazwisko i numer pokoju, a potem
już tylko oddychał, gdy tymczasem cyberprzestrzeń nawiązy-
wała połączenie.

Otworzył okno Instant Messengera i
nie, już nikt się z nim nie przywitał cyrylicą.

Dlatego wpisał tylko wiadomość dla Jaya.

„Misja ukończona", a potem stwierdził, że właściwie może
już iść spać.

15

Mogli wreszcie wyjechać. To przede wszystkim. Najpierw do Nowego Jorku, a potem gdzieś za granicę. I mogli też stać się bogaci, pod warunkiem że wszystko pójdzie zgodnie z planem. Pod warunkiem że będzie ją stać na zrobienie czegoś takiego.

Kuchenny stół był cały zasłany dokumentami, George Orson prostował i układał w równym rządku te leżące przed nim, jakby równoległe linie mogły im ułatwić rozmowę. Zauważyła, że podniósł wzrok, ukradkiem, i niemal zrobiło jej się głupio, kiedy zobaczyła to poczciwe spojrzenie, pełne poczucia winy – ale też poczuła ulgę, że chociaż raz brakowało mu słów. Nie starał się jej ani zapewniać, ani przekonywać, ani pouczać, zwyczajnie czekał na jej decyzję. Od miesięcy pierwsza taka sytuacja, kiedy liczył się jej wybór, pierwszy taki raz, kiedy zniknęło jej wrażenie, że się błąka po jakimś świecie snów, amnezji, że od wszystkiego bije aurą *déjà vu*...

Bo teraz sprawy nareszcie zyskały materialny wymiar. Te jego tajne projekty. Wymijające tłumaczenia. Pieniądze.

Wzięła do ręki pierwszą lepszą kartkę ze stosu, który przed nią ułożył. Kopia polecenia przelewu. BICICI, przeczytała na samej górze. *Banque Internationale pour le Commerce et l'Industrie de Côte d'Ivoire*. Do tego data, kod, pieczątka, kilka podpisów i kwota. 4 300 000 USD. Był też list potwierdzający przyjęcie depozytu. „Szanowny panie Kozelek, niniejszym potwierdzamy, że pański wspólnik, pan Oliver Akubeze, zdeponował pańskie środki w naszym banku. Pański wspólnik poinstruował nas ponadto, że mamy dokonać przelewu pańskich środków na pańskie konto osobiste, w którym to celu wypełnił formularz przelewu bankowego i złożył również podpisy pod innymi niezbędnymi dokumentami, w wyniku czego..."

– Pan Kozelek – powiedziała Lucy. – To ty.

– Tak – przyznał George Orson. – To taki pseudonim.

– Rozumiem – odparła. Zerknęła na niego, przelotnie, potem znów spojrzała na dokument: 4 300 000 USD. – Rozumiem – powtórzyła głucho. Starała się zmusić swój głos, żeby brzmiał zarazem swobodnie, obojętnie i oficjalnie. Przyszła jej na myśl pracownica opieki społecznej, do której ona i Patricia musiały pójść po śmierci rodziców; obie się przyglądały, jak kobieta wertowała papiery leżące na zaśmieconym biurku. „Chciałabym wiedzieć, jakie macie doświadczenie w zajmowaniu się sobą?" – spytała.

Lucy trzymała kartkę między kciukiem a palcem wskazującym, tak samo jak to robiła tamta kobieta z opieki społecznej. Podniosła wzrok na George'a Orsona, który siedział cierpliwie po drugiej stronie stołu, z dłońmi obejmującymi luźno kubek z kawą, jakby ogrzewał sobie palce, mimo że na zewnątrz musiało już być pewnie z osiemdziesiąt stopni.

– Kto to jest Oliver Aku...? – spytała, ale potknęła się na wymowie, zupełnie tak samo jak wtedy, gdy w mało elegancki sposób brnęła przez francuskie zdania na lekcjach Mme Fournier. – Akubueze – spróbowała raz jeszcze i George Orson uśmiechnął się blado.

– On jest nikim – powiedział i po chwili wahania przepraszająco przechylił głowę. Obiecał przecież, że udzieli odpowiedzi na każde jej pytanie. – On jest... to tylko pośrednik. Kontakt. Oczywiście musiałem mu coś odpalić. Ale to żaden problem.

Ich spojrzenia się spotkały i wtedy przypomniało jej się, że George Orson opowiadał jej kiedyś o kursie hipnozy, na który uczęszczał: te oczy barwy jarzeniowej zieleni są do tego idealne, pomyślała. Przyglądał się jej teraz badawczo. Uspokój się, mówiły jego oczy. Możesz mi zaufać, mówiły jego oczy. Przecież wciąż się kochamy, nie jest tak? – mówiły jego oczy.

Może tak. Może naprawdę ją kochał.

Może tylko starał się nią zaopiekować, jak obiecał.

Ale to było takie dobijające, bo przed nią leżały wszystkie te dokumenty, a on dalej kluczył. Był złodziejem, chociaż do tego się przyznał, ale wciąż nie rozumiała, skąd się wzięły te pieniądze, jakim sposobem wszedł w ich posiadanie ani też kto dokładnie go szukał.

– Ja ich nie ukradłem jakiejś osobie, Lucy, musisz to zrozumieć. Nie zabrałem tych pieniędzy ani jakiejś przemiłej, bogatej staruszce, ani jakiemuś gangsterowi; nie wyłudziłem ich też z małomiasteczkowej spółdzielczej kasy oszczędnościowej w Pompey. Pieniądze, które zabrałem czy też, powiedzmy, sprzeniewierzyłem, należały do pewnej instytucji. Bardzo dużej, globalnej instytucji. Przez co wszystko jest nieco bardziej skomplikowane. No bo pomyśl sama – dodał – kiedyś interesowała cię posada w międzynarodowej firmie inwestycyjnej. Takiej kalibru Goldman Sachs. Zgadza się? I gdybyś na przykład była w stanie wymyślić sposób na podebranie jakiejś kwoty ze skarbca Goldman Sachs, to i tak prędko byś się połapała, że oni zrobią wszystko, byle tylko cię dopaść i postawić przed wymiarem sprawiedliwości. Oczywiście wykorzystaliby pomoc przedstawicieli prawa, ale zapewne uciekliby się też do innych środków. Prywatni detektywi. Łowcy nagród. Czy zatrudniliby jakiegoś zabójcę? Specjalistę od tortur? Pewnie nie. Ale rozumiesz, co chcę powiedzieć.

– Nie, raczej nie rozumiem – odparła Lucy. – Chcesz powiedzieć, że okradłeś Goldman Sachs?

– Nie, nie – zaprzeczył George Orson. – To był tylko przykład. Ja tylko próbowałem...

I tu westchnął z rezygnacją.

To było kompletnie niepodobne do George'a Orsona, zauważyła, niemal kompletne przeciwieństwo tamtego konspiracyjnego chichotu, który na samym początku wydawał jej się taki atrakcyjny i czarujący.

– Posłuchaj – podjął. – Żałuję, że do tego doszło. Ciągle myślałem, że dam radę uporządkować sprawy na własną rękę i ty w ogóle nie będziesz musiała się dowiadywać o... czymkolwiek. Myślałem, że uporam się ze wszystkim, nie wciągając w to ciebie.

I znowu umilkł, postukując czubkiem paznokcia o kubek. Dzyń, dzyń, dzyń. Oboje zrobili się skrępowani i podenerwowani. Jakie to dołujące, pomyślała Lucy, może rzeczywiście było lepiej, kiedy o niczym nie miała pojęcia, kiedy jeszcze wierzyła, że on o wszystko zadba, kiedy sobie roiła, że są w drodze do jakiegoś cudownego miejsca: nieśmiała, ale za to inteligentna młoda kobieta oraz jej tajemniczy, starszy kochanek z dużego miasta, na przykład na pokładzie statku płynącego do Monako albo Playa del Carmen.

Zadumała się, przez chwilę poddając się łaskotaniu tego dawnego marzenia. Potem opuściła głowę i zabrała się do dalszego przeglądania dokumentów, które przedstawił jej George Orson.

Trasa podróży. Z Denver do Nowego Jorku. Z Nowego Jorku do lotniska im. Feliksa Houphoueta Boigny w Abidżanie, Wybrzeże Kości Słoniowej.

Karty ubezpieczeniowe i świadectwa urodzenia, którymi mieli się posługiwać: David Fremden, lat trzydzieści pięć, i jego córka, Brooke Fremden, lat piętnaście.

– Mogę załatwić, że przyspieszą wydawanie naszych paszportów, to żaden problem – zaczął ją zapewniać George Orson. – Dwa do pięciu dni i będziemy je mieli. Tylko musielibyśmy zacząć działać już teraz. Trzeba by z samego rana jechać do sądu albo na pocztę, żeby wysłać podanie...

Ale przestał mówić, kiedy na niego spojrzała. Nie zamierzała dawać się popędzać. Chciała wszystko drobiazgowo przemyśleć, a on musiał to przyjąć do wiadomości.

– A ten David i Brooke? Kim oni są? – spytała.

George Orson kolejny raz popatrzył na nią z wyrzutem. Wciąż był oporny w kwestii udzielania informacji. A przecież obiecał, że będzie odpowiadał na pytania.

– Nie są nikim ważnym – odparł znużonym głosem. – To po prostu ludzie. – I przesunął dłonią po włosach. – Już nie żyją. Ojciec i córka, zginęli w pożarze mieszkania w Chicago, jakiś tydzień temu. Dlatego te dokumenty są dla nas takie przydatne właśnie teraz. Bo tu chodzi o to okno w czasie, które powstaje, zanim system oficjalnie przetworzy czyjś zgon.

– Rozumiem – powtórzyła raz jeszcze, bo jakoś nie wiedziała, co tu jeszcze powiedzieć, i na moment przymknęła oczy. Nie chciała ich sobie wyobrażać – Davida i Brooke, w płonącym bloku mieszkalnym, walczących o oddech w dymie i żarze – więc zamiast tego wbiła stanowcze spojrzenie w świadectwo urodzenia, jakby to była lista pytań do szkolnego testu.

Świadectwo urodzenia	*112-89-0053*
Brooke Catherine Fremden	*15 marca, 1993 r.*
Godz. 4.22 *kobieta*	*Szpital im. Przymierza*
	Szwedzkiego
Chicago	*Okręg Cook*

Było tam nazwisko panieńskie matki: Robin Meredith Crowley, urodzona w stanie Wisconsin, trzydzieści jeden lat w dniu urodzenia Brooke.

– No tak... – odezwała się Lucy po kilku chwilach milczącego studiowania dokumentu. – A co z matką? Robin. Nie będą o nią pytali?

– Tak się składa, że umarła jakiś czas temu – wyjaśnił George Orson i lekko wzruszył ramionami. – Kiedy Brooke miała, zdaje się, dziesięć lat. Zginęła w... hmm. – A potem przycichł, jakby chciał uszanować uczucia Lucy. Albo uczucia Brooke. – W każdym razie – podjął po chwili – świadectwo zgonu matki też tu gdzieś jest, jeśli chcesz...

Ale Lucy tylko pokręciła głową.

Wypadek samochodowy. Przypuszczała, że to musiał być wypadek, ale raczej wolała się nie upewniać.

– Ta dziewczyna ma tylko piętnaście lat – zauważyła. – Nie wyglądam na piętnastolatkę.

– Prawda – zgodził się George Orson. – Mam nadzieję, że sam nie wyglądam na trzydziestopięciolatka, ale możemy nad tym popracować. Uwierz mi, wiem z doświadczenia, że ludzie nie są dobrzy w szacowaniu wieku.

– Emm... – mruknęła Lucy, wciąż się wgapiając w dokument. Nie mogła przestać myśleć o tej matce, o tej całej Robin. O Davidzie i Brooke. Próbowali uciec z pożaru czy umarli we śnie?

Biedni Fremdenowie. Cała rodzina zmieciona z powierzchni ziemi.

Na dworze, na podwórku na tyłach domu, nad ogrodem japońskim jarzyła się kula słońca późnego poranka. Po mostku albo latarni Kotoji nie było już śladu, a chwasty zdążyły utworzyć wysoką gęstwę, z której wystawał sam czubek płaczącej wiśni, jakby to drzewko walczyło o oddech. Jego opadające konary przypominały długie, mokre włosy.

Tak strasznie dużo rzeczy niepokoiło w tej sytuacji, ale Lucy stwierdziła, że najbardziej dręczy ją pomysł, że miałaby udawać córkę George'a Orsona.

Dlaczego nie mogli być po prostu towarzyszami podróży? Chłopak ze swoją dziewczyną? Mąż i żona? Albo chociaż wujek i siostrzenica?

– Wiem, wiem – powiedział George Orson.

Robiło jej się nieswojo na widok tego przygaszonego George'a Orsona, tej skarlałej wersji George'a Orsona, którego znała. Poprawił się na krześle, kiedy przestała wyglądać przez okno i stanęła twarzą do niego.

– To jest nieprzyjemne – przyznał. – Mnie też to raczej nie zachwyca, powiem wprost. Też uważam, że to co najmniej upiorne. Nie wspominając już, że nigdy dotąd nie musiałem myśleć o sobie jako o człowieku, który ma nastoletnie dziecko!

Zaśmiał się cicho, na próbę, jakby to, co powiedział, mogło ją rozśmieszyć, ale ona się nie zaśmiała. Nie bardzo wiedziała, co dokładnie teraz czuje, ale na pewno nie miała nastroju na podziwianie jego błyskotliwych wypowiedzi. Pochylił się jeszcze do przodu, żeby dotknąć jej nogi, ale zastanowił się i cofnął dłoń, a ona przyglądała się, jak jego służalczy uśmiech przeobraża się w krzywy grymas.

Tego też nie chciała: niemiłego napięcia, które zrodziło się między nimi od czasu, gdy zaczął jej mówić prawdę. Dawniej uwielbiała, kiedy razem się z czegoś nabijali. *Repartee*, tak to nazywał George Orson, i byłoby strasznie, gdyby ten ich zwyczaj zaniknął, gdyby jakimś sposobem wszystko między nimi tak bardzo się zmieniło, gdyby ich dawna więź nieodwołalnie się zatarła. Uwielbiała to, że tworzą taką parę – Lucy i George Orson, George Orson i Lucy. I nieważne, że to, co nawzajem dla siebie robili, mogło być komedią. Ważne, że było takie łatwe, naturalne i zabawne. Odkryła swoje prawdziwe „ja" dzięki temu, że go poznała.

– Uwierz mi, Lucy – mówił jej teraz bardzo uroczyście, ani trochę jak George Orson. – Uwierz mi – powtórzył. – To nie był mój pierwszy wybór, ale z kolei brakowało mi pola manewru. W naszej obecnej sytuacji zdobycie odpowiednich dokumentów nie należało do prostych zadań. Naprawdę nie dysponowałem całą paletą możliwości.

– Okay – odparła Lucy. – Zajarzyłam.

– To tylko udawanie – dodał. – Taka gra.

– Zajarzyłam – powtórzyła Lucy. – Rozumiem, co mówisz. Jakby to cokolwiek ułatwiało.

Po południu George Orson miał „kilka spraw, którymi musiał się zająć".

Czym niemalże ją uspokoił, w jakimś sensie. Od samego początku, kiedy tu przyjechali, zdarzało mu się znikać na wiele godzin – zamykał się na klucz w gabinecie albo wyjeżdżał pick-upem do miasta, nie powiedziawszy ani słowa – i tego dnia nie było inaczej. Po ich rozmowie strasznie się spieszył, żeby znów zasiąść do komputera, a ona stanęła w drzwiach gabinetu, patrząc na wielkie biurko i stary obraz, za którym ukryty był sejf, niczym statystka w jakimś filmie kryminalnym, w którym dochodzi do okropnego morderstwa.

Położył dłoń na gałce. Widziała, że chce zamknąć drzwi – oczywiście nie przed jej twarzą – ale wahał się, z uśmiechem, który najpierw był pojednawczy, a potem zaczął tężeć.

– Pewnie potrzebujesz trochę czasu dla siebie – zauważył.

– Ano – odparła. Przyglądała się opuszkom jego palców podrygujących na przezroczystym ciętym szkle, z którego zrobiona była gałka, a on powędrował za jej wzrokiem, spojrzał z góry na swoją zniecierpliwioną dłoń, jakby ta dłoń go rozczarowała.

– Wiesz, że nie musisz tego robić – powiedział. – Nie winiłbym cię, gdybyś postanowiła odejść. Zdaję sobie sprawę, że wiele od ciebie wymagam.

Nie bardzo wiedziała, jak odpowiedzieć. Pomyślała, że... Pomyślała, że...

Wtedy zamknął drzwi.

Przez jakiś czas krążyła nerwowo pod gabinetem, a potem usiadła przy stole w pokoju jadalnym, z dietetycznym napojem gazowanym – było upalne popołudnie – i przycisnęła chłodną, wilgotną puszkę do czoła.

Już od tygodni była tak pozostawiana własnemu losowi, skazywana na niekończące się godziny przed telewizorem, na zabawianie się starożytną anteną satelitarną, która przy regulowaniu obracała łeb z towarzyszeniem powolnego, metalicznego szumu podobnego do odgłosu, jaki wydaje wózek inwalidzki z napędem elektrycznym. Układała pasjansa za pasjansem z talii kart odziedziczonej po swoim tacie, którą przywiozła tu ze sobą z powodów sentymentalnych, albo buszowała po półkach z książkami w salonie, wypełnionych kolekcją straszliwych, starych tomiszcz, jakie człowiek mógłby znaleźć w kartonie na wyprzedaży podwórkowej u jakiejś staruszki. *Śmierć serca*. *Stąd do wieczności*. *Marjorie Morningstar*. Tytuły, o których nikt nigdy nie słyszał.

Próbowała myśleć. Próbowała coś wykombinować, czyli robiła dokładnie to samo, co czyniła prawie od roku, od czasu, kiedy umarli jej rodzice. Sondowała przyszłość, taką, jaka jej się jawiła w głowie, starając się naszkicować sobie mapę, omiatając wzrokiem wielkie połacie terenu, jak pilot nad oceanem, który szuka lądowiska. I wciąż nie kleił jej się żaden plan.

Ale teraz przynajmniej miała więcej informacji.

4,3 miliona dolarów.

Istotny i pomocny szczegół, jeśli należało w niego wierzyć. Istniały różne aspekty towarzyszące opowieści George'a Orsona – całej tej aferze – które sprawiały wrażenie albo wyolbrzymionych, albo upiększonych, albo zniekształconych. W tym, co jej powiedział, skrywało się ziarno prawdy, dokładnie tak, jak to było z tymi starymi, obrazkowymi puzzle'ami, tak uwielbianymi przez nią w dzieciństwie: układało się narysowany krajobraz, w którym zostały schowane proste piktogramy – pięć muszelek, osiem kowbojskich kapeluszy albo trzynaście ptaków.

Wyciągnęła z półki jedną z książek w sztywnej oprawie i po raz kolejny przekartkowała. Przez ostatnie kilka tygodni przejrzała wszystkie na tej półce, myśląc, że może spomiędzy stron wypadnie jakiś list. Przejrzała wszystkie szafki w kuchni, wszystkie toaletki we wszystkich sypialniach, obstukała ściany, jakby mogły ukrywać tajne drzwi albo wnękę. Zeszła nawet do biura motelu urządzonego w atrapie latarni morskiej: przeszukała zakurzony stojak z prospektami reklamującymi od dawna już zamknięte okoliczne lokale rozrywkowe, potem pootwierała pudła, jak się okazało, z rolkami papieru toaletowego, starymi, ale wciąż jeszcze opakowanymi w plastik, a na koniec przetrząsnęła szafki pełne pleśniejących ręczników. Zwiedziła nawet poszczególne moduły tworzące motel. Pozdejmowała klucze z tablicy w recepcji i pootwierała pokoje, jeden po drugim – wszystkie bez wyjątku zostały opróżnione, żadnych łóżek, mebli, nic oprócz gołych ścian i podłóg, nic oprócz banalnej warstwy kurzu.

W sumie jedyną wskazówkę znalazła na najwyższej półce szafy w jednej z pustych sypialń na pierwszym piętrze: pojedyncza, złota moneta, ukryta w pudełku po cygarach razem z kamyczkami o dziwnych kształtach, maleńkim magnesem w kształcie podkowy, garścią pinezek i plastikowym dinozaurem. Wyglądała jak stary, złoty dublon, ciężki i bardzo zniszczony, ale prawdopodobnie był to tylko gadżet nadający się na prezent dla dziecka.

A jednak wzięła tę monetę, ukryła w swojej walizce i to właśnie o niej pomyślała, kiedy po raz pierwszy zobaczyła wyciąg z depozytu. 4,3 miliona dolarów. W głowie z miejsca wykwitła jej infantylna wizja kufra pełnego takich złotych monet.

Oczywiście zdawała sobie sprawę, że jej decyzja była po części podszyta chciwością. Ale poza tym naprawdę kochała George'a Orsona, a przynajmniej tak jej się wydawało. Kochała to, jak się czuła, będąc z nim, te przyjazne, swobodne docinki, to poczucie, które wpoił jej właśnie on, że oni dwoje, właśnie oni i nikt więcej, posiadają własny świat i język, jakby – George

Orson często jej to dawniej powtarzał – znali się już w poprzednim wcieleniu, i stwierdziła, że może jednak wytrzyma to, że przez jakiś czas będzie się nazywała Brooke Fremden, skoro on będzie Davidem...

To mogło być nawet zabawne.

To mogła być jedna z tych tajemniczych przygód, które oboje mieli przeżyć. Jeden z epizodów, które złożą się na ich prywatną historię, znaną tylko im i nikomu więcej. Wylądują na kolacji w takim miejscu, jak na przykład Maroko, ktoś spyta, jak się poznali, a wtedy wymienią intymne spojrzenia.

Dochodziła trzecia trzydzieści po południu, kiedy wreszcie wyszedł z gabinetu. Lucy siedziała w salonie, na jednym z foteli z wysokimi oparciami, które przedtem były nakryte pokrowcami, wgapiona w świadectwo urodzenia Brooke Fremden.

Na samym dole widniały nabazgrolone zdania:

Potwierdzam, że informacje zawarte w niniejszym świadectwie są zgodne z moją wiedzą i przekonaniem. To podpisał ojciec.

Potwierdzam, że wyżej wymienione dziecko urodziło się żywe, w miejscu, o godzinie i w dniu podanych wyżej. To podpisał lekarz: Albert Gerbie.

A kiedy podniosła wzrok, w wejściu stał George Orson. Musiał przeczesać sobie włosy palcami, bo sterczały we wszystkie strony i w ogóle wyglądał jak ktoś, kto zbyt długo czytał jakieś wzory naukowe albo kolumny liczb. Jego twarz wyrażała zarówno napięcie, jak i ogłupienie, jakby się zdziwił, że ją tutaj zastał.

– Muszę pojechać po coś do jedzenia – powiedział. – I jeszcze kilka niezbędnych rzeczy.

– Okay – odparła i wtedy jakby nieznacznie się odprężył.

– Chcę kupić jakieś ubrania, dzięki którym będziesz wyglądała młodziej – powiedział. – Może coś różowego? Coś dziewczęcego?

Spojrzała na niego sceptycznie.

– Może powinnam pojechać z tobą? – spytała.

On jednak tylko stanowczo pokręcił głową.

– To nie jest dobry pomysł – stwierdził. – Nie powinni widzieć nas razem w mieście. Zwłaszcza teraz.

– Okay – odparła, a wtedy spojrzał na nią z wdzięcznością, wkładając przy tym czapeczkę baseballową, którą zawsze wkładał, kiedy wyjeżdżał. Był wdzięczny, przypuszczała, że nie zaczęła się z nim wykłócać; dotknął jej ręki, z roztargnieniem powiódł palcami po jej kłykciach. Obdarzyła go niezdecydowanym uśmiechem.

Nie zamknął drzwi gabinetu na klucz.

Stała w progu drzwi wejściowych, obserwując starego pick-upa, który skręcał już na lokalną szosę. Niebo było pokryte łuskami nawarstwionych, bladoszarych cumulusów; Lucy skrzyżowała ręce na piersi, pic-kup wjechał na szczyt wzgórza i zniknął.

Jeszcze zanim się odwróciła w stronę drzwi, wiedziała, że pójdzie prosto do gabinetu, i nawet przyspieszyła kroku. Ten zamknięty na klucz gabinet był przedmiotem ich niezgody od pierwszego dnia, kiedy tu przyjechali. Jego prywatna przestrzeń – mimo że to przecież przeczyło wszystkiemu, co jej mówił, całej tej gadaninie o tym, że we dwoje zamieszkują własny, potajemny świat, *sub rosa*, no przecież tak mówił.

Ale kiedy z tym wyjechała, tylko wzruszył ramionami.

– Wszyscy potrzebujemy naszych osobistych jaskiń – wyjaśnił. – Nawet ludzie, którzy są ze sobą tak blisko jak my. Ty tak nie uważasz?

Na co Lucy przewróciła oczami.

– Nie rozumiem, o co takie halo – powiedziała. – Co ty tam robisz, oglądasz pornosy czy jak?

– Nie mów takich głupot – odparował George Orson. – To jeden z elementów dorosłego związku, Lucy. Jedno daje drugiemu prawo do swobody.

– Kiedy ja tylko chcę sprawdzić swoją pocztę – powiedziała, mimo że nie było nikogo, kto mógłby przysłać jej wiadomość, i on oczywiście o tym wiedział.

– Lucy, proszę – odparł. – Daj mi jeszcze kilka dni. Załatwię ci komputer i będziesz sobie mogła mailować do woli. Po prostu okaż trochę cierpliwości.

W gabinecie panował większy bałagan, niż się spodziewała. To zupełnie niepodobne do George'a Orsona, który składał schludnie ubrania i sporządzał listy, człowieka, który nie cierpiał śmieci albo brudnych naczyń w zlewie.

Tak więc to była ta odsłona George'a Orsona, której Lucy nigdy wcześniej nie widziała, dlatego zatrzymała się niepewnie na progu. Czuło się tam rozgorączkowanie, chaos, panikę. Ale też nie ulegało wątpliwości, że te wszystkie długie godziny, które spędzał w tym pokoju, nie zostały spędzone bezczynnie. Naprawdę pracował, nie kłamał.

W pokoju znajdowała się zbieranina różnych urządzeń – jakieś laptopy, drukarka, skaner i jeszcze inne, których nie znała – były połączone ze sobą i z listwą z gniazdkami elektrycznymi za pomocą splątanych kabli. Na brzegach półek z książkami stały rzędy pustych puszek po napojach, gazowanych i energetyzujących, na podłodze walały się ubrania – para bokserek, T-shirty, skarpetka zwinięta w kulkę, a oprócz nich mnóstwo opakowań po batonach, mimo że nigdy nie widziała, by George Orson jadł słodycze. Tu i ówdzie leżały też pootwierane książki – z oślimi uszami i wybrzuszone od zakładek. *Święty pentagram Sedony. Fibonacci i rewolucja finansowa. Coś na progu. Praktyczny przewodnik po mentalizmie.*

I wszędzie walały się papiery – część w stertach, część zmięta i ciśnięta gdzie popadnie; ściany zdobił chaotyczny kolaż z jakichś dokumentów przymocowanych pinezkami. Szuflady szafki na akta – tej, do której, jak twierdził, nie mógł znaleźć klucza – zostały powyciągane i w całym pokoju stały różnej wielkości wieże z wypchanych segregatorów.

To wygląda jak pokój świra, stwierdziła Lucy i kiedy weszła do środka, w jej piersi zaczęło się zagnieżdżać zdenerwowanie, gładki, wibrujący kamyk formujący się tuż pod obojczykiem. – Och, George – wyszeptała i nie umiała orzec, czy ogarnia ją strach, smutek czy wzruszenie, kiedy wyobraziła go sobie, jak dzień po dniu wychodził z tego pokoju, jak zawsze normalny i radosny. Jak wyłaniał się z tego tsunami z uczesanymi włosami i poprawnym uśmiechem, żeby ugotować jej obiad i żeby podnieść ją na duchu, żeby razem z nią oglądać jakiś film, z ręką ułożoną delikatnie na jej ramieniu. A szaleńczą działalność danego dnia pozostawiał za sobą, dobrze ukrytą za zamkniętymi drzwiami gabinetu.

Doskonale wiedziała, że nie powinna niczego ruszać. Nie dało się stwierdzić, jaka tu rządzi zasada organizacyjna, choć mogło się wydawać, że żadna nie została zastosowana. Lucy poruszała się ostrożnie, jakby to było jezioro pokryte świeżym lodem albo scena zabójstwa. Jest okay, powtarzała sobie. Obiecał, że będzie jej wszystko mówił, a jeśli tego nie robił, to miała prawo się tego dowiedzieć. Tak jest fair, uznała, ale też osaczyły ją nieprzyjemne wspomnienia z tych wszystkich bajek, które ją tak przerażały w dzieciństwie. *Sinobrody. Zbójnik panem młodym.* Z filmowych horrorów, w których młode dziewczyny wchodziły do jakichś pomieszczeń, mimo że im tego zabroniono.

Wiedziała, że to paranoiczne. Nie wierzyła, by George Orson mógł jej zrobić coś złego. Owszem, kłamał, ale była pewna – była na sto procent przekonana, że nie jest groźny.

A mimo to skradała się jak intruz po zakazanym terenie i czuła, jak przyspiesza jej puls w nadgarstku, kiedy stawiała bezdźwięcznie jedną stopę przed drugą, lawirując powoli w tym bałaganie, brnąc czujnie skrajem pokoju.

Papiery przymocowane pinezkami do ścian to były głównie mapy – drogowe i topograficzne, powiększenia siatek ulic i szczegółowo odwzorowane linie wybrzeży – same miejsca, których nie znała. I wśród tych map były jeszcze powciskane artykuły, które George Orson wydrukował z Internetu: „Amerykańscy prokuratorzy stawiają oskarżenia 11 osobom w sprawie o masowe fałszerstwa tożsamości", „Brak postępów w sprawie zaginionego studenta college'u", „Udaremnienie próby kradzieży patogennego mikroorganizmu". Omiotła wzrokiem wszystkie te nagłówki, ale nie przystanęła, żeby przeczytać treść artykułów. Było ich tak dużo; wszystkie ściany w całym pokoju zostały wyklejone arkuszami A4. Może rzeczywiście zwariował.

A potem zauważyła sejf. Sejf w ścianie, który pokazał jej pierwszego dnia po przyjeździe, kiedy ten pokój stanowił tylko jedną z pokrytych kurzem osobliwości, po jakich ją oprowadzał. Kiedy beztrosko jej powiedział, że nie zna kombinacji.

Teraz jednak sejf był otwarty. Obraz, za którym był ukryty, portret dziadków George'a Orsona, został odsunięty i grube, metalowe drzwiczki stały otworem.

W horrorze to byłaby ta chwila, w której George Orson stanąłby na progu, za jej plecami. „A co ty tu robisz?", wymruczałby cichym głosem i Lucy poczuła mrowienie w karku, mimo że na progu za jej plecami nikt nie stał, mimo że George Orson był właśnie w drodze do miasta.

A jednak podeszła do sejfu, bo był pełen pieniędzy.

Banknoty były zrolowane w zwitki, takie same, jakie się widuje w telewizji na gangsterskich filmach, zabezpieczone gumkami i schludnie ułożone jeden na drugim w równych kolumnach; wsunęła rękę i wyjęła jeden. Studolarówki. Domyślała się, że w każdym takim zwitku musi być około pięćdziesięciu banknotów; zważyła ten jeden w dłoni. Był lekki, nie ważył więcej niż talia kart, a potem przesunęła palcami po całym stosie, przez sekundę nie oddychając. Tych małych paczuszek było trzydzieści: około stu pięćdziesięciu tysięcy dolarów, obliczyła, i zamknęła oczy.

Naprawdę byli bogaci. Chociaż to, pomyślała. Wbrew jej wątpliwościom, wbrew chaosowi papierów, śmieci, książek, map i artykułów, chociaż to. Dotarło do niej, że do tego momentu prawie już zdołała przekonać samą siebie, że będzie musiała wyjechać.

Niewiele myśląc, przyłożyła pieniądze do twarzy, jakby to był bukiet kwiatów.

– Dziękuję Ci – wyszeptała. – Dziękuję Ci, Boże.

16

Umówili się na spotkanie w holu hotelu Mackenzie, kobieta powiedziała, że tam właśnie mieszka.

– Nazywam się Lydia Barrie – powiedziała mu przez telefon, a kiedy on też się przedstawił, z jej strony zapanowała chwila niezdecydowania.

– „Miles Cheshire" – powtórzyła z nutą wyraźnego sceptycyzmu w głosie, jakby podał jej swój pseudonim artystyczny. Jakby powiedział, że nazywa się pan Breeze.

– Halo? – spytał. – Jest pani tam jeszcze?

– Mogę się z panem spotkać za piętnaście minut – odezwała się, jakby sztywno, uznał. – Mam rude włosy i będę ubrana w czarny płaszcz. Nie powinniśmy mieć kłopotu z odnalezieniem się.

– Aha. – odparł. – Okay.

Tak osobliwie siekała słowa na sylaby, tak niespotykanie i gwałtownie, że aż naszło go zwątpienie. Kiedy chodził po mieście i rozwieszał plakaty, wyobrażał sobie, że – w najlepszym razie – spotka się z odzewem ze strony garstki miejscowych nastolatków, względnie sprzedawcy ze sklepu monopolowego, że może też odpowie mu jakaś kelnerka, ciekawska a czujna emerytka albo menel zainteresowany nagrodą. Zazwyczaj tacy ludzie do niego dzwonili.

Dlatego gotowość tej kobiety do współpracy sprawiła, że zrobiło mu się nieswojo.

Pewnie należało być bardziej ostrożnym, pomyślał. Należało się zastanowić, zanim umówi się na spotkanie, przygotować jakąś bajkę w charakterze przykrywki.

Wszystko to przyszło mu do głowy za późno. Za późno przypomniał sobie list, który przysłał mu Hayden: *być może ktoś Cię obserwuje i mówię to z wielką niechęcią, ale wydaje mi się, że sam możesz się znajdować w niebezpieczeństwie.* Pomyślał teraz, że chyba zbyt pochopnie zlekceważył ostrzeżenia brata.

Ale kobieta już weszła do holu. Już się rozglądała, a on był jedyną osobą tam obecną. Obejrzał się przez ramię w stronę dziewczyny z recepcji, która z ożywieniem paplała do słuchawki, na nic nie zwracając uwagi, i w tym momencie kobieta podeszła do niego.

– Miles Cheshire? – zagadnęła, znowu wymawiając jego nazwisko z lekkim sceptycyzmem.

I co mógł zrobić? Przytaknął, postarał się uśmiechnąć w sposób, który mógł się wydawać szczery i rozbrajający.

– To ja – powiedział. Niepewnie przestąpił z nogi na nogę. – Dziękuję, że pani przyszła.

Była, zgadywał, nieco starsza od niego – gdzieś między trzydzieści pięć a czterdzieści lat, szczupła, atrakcyjna; miała wydatne kości policzkowe, ostro zarysowany nos i proste, rude włosy. I do tego duże, szare, wyraziste oczy, niekoniecznie wyłupiaste, a jednak wydatne w sposób, który uznał za denerwujący.

Dotarło do niego, że sam wygląda niechlujnie, w tanich dżinsach i wyciągniętej na wierzch, zmiętej koszuli zapinanej na guziki, gorzej niż tylko trochę niechlujnie, stwierdził, bo prawdopodobnie śmierdział piwem i tanią, barową rybą, którą zjadł na obiad. Za to Lydia Barrie była ubrana w lekki, połyskliwy, czarny trencz i biła od niej delikatna woń jakichś kwiatowych, biznesowych perfum. Utkwiła w nim wzrok, a potem jej brwi wygięły się w łuki, kiedy przesunęła po nim spojrzeniem od stóp do głów.

Zdjęła cienką, materiałową rękawiczkę, by podać mu rękę;

jej dłoń okazała się bardzo miękka, wykremowana i zimna. Ale to ona się wzdrygnęła, kiedy dotknęły jej palce Milesa. Gapiła się na jego twarz, okrągłymi oczyma przepełnionymi podejrzliwą wrogością.

– Frapujące – powiedziała. – Osoba z pańskiego plakatu też ma na imię Miles.

Zauważył, że wydęła wargi: jakieś nieprzyjemne wspomnienie.

– On się nazywa Miles Spady.

Sterczał tam jak słup soli.

– No cóż... – wybąkał.

Oczywiście źle zrobił, że się na to nie przygotował. Już raz się zetknął z tym osobliwym pseudonimem, w Missouri – był to wyjątkowo niemiły, wyjątkowo demonstracyjny wymysł ze strony Haydena, taki dyskretny kopniak, że połączył imię Milesa z nazwiskiem znienawidzonego ojczyma. Nie mówiąc już o tym, że raz w Dakocie Północnej Hayden zameldował się w motelu pod nazwiskiem Miles Cheshire.

Głupio zrobił, że podał tej kobiecie swoje prawdziwe nazwisko, głupi błąd. Dlatego starał się teraz coś wymyślić. Może pokazać jej prawo jazdy, żeby dowieść swojej uczciwości?

– No cóż... – powtórzył.

Dlaczego nie przygotował się lepiej? Dlaczego choć trochę nie zadbał o swój ubiór, dlaczego nie wyrył na pamięć jakiegoś prostego wytłumaczenia, zamiast wierzyć, że uda mu się improwizować?

– To właściwie nie jest jego prawdziwe imię – powiedział w końcu. Tylko to potrafił wymyślić, zresztą... a co tam, dlaczego nie? Dlaczego nie miałby po prostu powiedzieć prawdy? Dlaczego wciąż grał w tę grę, która zestarzała się tak dawno temu? – „Miles Spady" to tylko pseudonim – wyjaśnił. – On to wiecznie robi. Często posługuje się nazwiskami znajomych. To ja mam na imię Miles, a Spady to nazwisko naszego ojczyma. Podejrzewam, że to miał być żart.

– Żart – powtórzyła. Zatrzymała spojrzenie na jego twarzy i jej mina zmieniła się gwałtownie, bo jej myśli powskakiwały wreszcie we właściwe miejsca. – Pan jest jego krewnym – stwierdziła. – Widzę podobieństwo.

Coś takiego.

Przeżył wstrząs. Coś niesamowitego, po takim czasie.

Przez wszystkie te lata, kiedy pokazywał stare zdjęcie Haydena, nikt ich ani razu ze sobą nie skojarzył. Przez jakiś czas aż mu odbierało mowę, ale ostatecznie to zjawisko stało się tylko kolejnym, niby drobnym, a jednak dokuczliwym powodem zwątpienia.

Byli bliźniętami jednojajowymi – oczywiście łączyło ich podobieństwo – więc dlaczego przez wszystkie te lata nikt niczego nie zauważył? Miles domyślał się, że starzał się inaczej niż Hayden – przytył, zgrubiały mu rysy – a jednak zawsze czuł się lekko zraniony, że jakoś nikt nie łączył jego twarzy z chłopakiem z plakatu.

Dlatego to była dla niego ulga, a nawet pocieszenie, kiedy usłyszał z ust kobiety słowo „podobieństwo". To było tak, jakby jego ciało nabrało ciężaru gatunkowego po raz pierwszy od... sam nie pamiętał od jak dawna.

Odetchnął.

– On jest moim bratem – wyznał w końcu i okazało się to niesamowicie wyzwalające, wręcz uskrzydlające. – Szukam go od bardzo dawna.

– Rozumiem – odparła Lydia Barrie.

Przyjrzała mu się uważnie i jej wrogość lekko osłabła. Założyła pasemko włosów za ucho, a potem jeszcze zaobserwował, że przymyka oczy, jakby medytowała.

– No to w takim razie coś nas chyba łączy, Miles – podjęła. – Ja też go od dawna szukam.

Był samotny: to powiedział sobie później, kiedy zaczął się martwić, że należało się zachować bardziej ostrożnie, bardziej przezornie. Był samotny, zmęczony, zdezorientowany, miał powyżej uszu uprawiania jakichś gierek, a zresztą jakie to miało znaczenie? No jakie?

Usiedli przy barze w hotelu Mackenzie, on znowu wypił kilka piw, a Lydia Barrie piła dżin z tonikiem. Wszystko jej opowiedział.

No cóż – prawie wszystko.

Żenada, dotarło do niego, kiedy ujął całą historię w słowa. Ich niewiarygodne dzieciństwo – które nawet w najprostszym streszczeniu brzmiało jak opowiastka z komiksu. Ich ojciec magik/klown/hipnotyzer. Atlas. Załamania Haydena, poprzednie wcielenia i miasta duchy, rozmaite tożsamości, pod które się podszywał, e-maile, listy i wskazówki tworzące mapę skarbu, którego Miles szukał już od tylu lat. Być może najbardziej wstydliwą rzeczą było przyznanie, że już od dobrej dekady podążał tym szlakiem i nie znalazł się ani trochę bliżej.

Jak coś takiego wytłumaczyć? Czy wystarczyło powiedzieć, że byli braćmi – że Hayden był ostatnią osobą na świecie wśród żyjących, kto miał te same wspomnienia, ostatnią osobą, która pamiętała, jacy kiedyś byli szczęśliwi, ostatnią osobą, która wiedziała, że wszystko mogło wyglądać inaczej? Czy wystarczyło powiedzieć, że Hayden to kanał, za pomocą którego mógłby cofnąć się w czasie, ostatnia nić, która łączyła go z tym czymś, co wciąż uważał za swoje „prawdziwe" życie?

Czy wystarczyło powiedzieć, że nawet teraz, wbrew wszystkiemu, wciąż kochał Haydena bardziej niż kogokolwiek na świecie? Wciąż tęsknił, tęsknił codziennie za dawnym Haydenem, za tym bratem, którego znał jako dziecko, choć wiedział, że to brzmi wariacko. Desperacko. Patologicznie.

– Powiem to uczciwie: nie bardzo wiem, co właściwie teraz

robię – wyznał i złożył dłonie na barze. – Dlaczego się tu znalazłem? Naprawdę nie mam pojęcia.

Przez całe lata wyobrażał sobie, jak opowiada komuś to wszystko – jakiemuś mądremu terapeucie, być może, albo bliskiemu przyjacielowi – może Johnowi Russellowi, gdyby nadarzyła się okazja, albo swojej dziewczynie, gdyby już poznali się bliżej i gdyby miał pewność, że ona natychmiast nie ucieknie. Ta dziewczyna z „Sezamu Matalova", Aviva, wnuczka pani Matalov, z farbowanymi na czarno włosami, kolczykami w kształcie sztyletów i bystrymi, współczującymi, inteligentnymi oczyma...

Nigdy jednak sobie nie wyobrażał, że osoba, której wreszcie się zwierzy, to będzie ktoś taki jak Lydia Barrie. Niewielu ludzi, pomyślał, wydawałoby się mniej prawdopodobnymi słuchaczami niż ta czujna jak sowa, przewrażliwiona kobieta, z jej rękawiczkami, trenczem i bladą, elegancką karnacją.

A jednak rozmawiało się z nią łatwo. Słuchała z uwagą, ale jakoś nie podważała tego, co mówił. Niczym jej nie zaskoczył, powiedziała mu w końcu.

Lydia Barrie szukała Haydena od dobrych trzech lat – czy raczej, mówiąc precyzyjnie, szukała swojej młodszej siostry Rachel.

Hayden był narzeczonym Rachel. Albo już nie był.

– To się zaczęło jeszcze w Missouri – powiedziała Lydia Barrie. – Siostra studiowała na Uniwersytecie Missouri w Rolla, twój brat był jej wykładowcą. Przedstawiał się jako Miles Spady, robił magisterkę z matematyki. Rzekomo był Brytyjczykiem, twierdził, że studiował w Cambridge, gdzie jego ojciec wykładał antropologię, i wydaje mi się, że trochę nas oszołomił, kiedy przywiozła go do nas w grudniu. Było nas pięć: Rachel, ja, nasza środkowa siostra, Emily, ciotka Charlotte i nasza matka. Ojciec umarł, kiedy byłyśmy małe, i dlatego tak to wyszło: mężczyzna w naszym domu to była nowość. I do tego jeszcze matka

215

była chora. Miała ALS i przykuło ją do wózka inwalidzkiego. Wszystkie wiedziałyśmy, że niedługo umrze, i dlatego... sama nie wiem... wszystkie chciałyśmy, żeby to było cudowne Boże Narodzenie, i jestem pewna, że on zdawał sobie z tego sprawę. Był wyjątkowo czarujący i dobry dla naszej matki. Nie była już w stanie mówić, a tymczasem on przy niej siedział i mówił do niej, opowiadał o swoim życiu w Anglii i... Wierzyłam mu. Był co najmniej bardzo przekonujący. Z perspektywy czasu stwierdzam, że jego akcent wydawał się lekko przesadny, ale wtedy specjalnie się nad tym nie zastanawiałam. Sprawiał wrażenie wybitnie inteligentnego, bardzo miłego. Nieco ekscentrycznego, uznałam, odrobinę afektowanego, ale nic z tego nie wzbudziło moich podejrzeń. Zresztą w ogóle nie byłam specjalnie czujna. Mieszkałam wtedy w Nowym Jorku, wpadłam do domu tylko na kilka dni, pochłaniało mnie własne życie i nie byłam zbyt blisko z Rachel. Dzieliło nas osiem lat różnicy i ona była zawsze wyjątkowo cichą dziewczyną, skrytą, wiesz? W każdym razie uznałam, że zachowują się głupio, rozpowiadając, że są zaręczeni, skoro nie planowali ślubu, dopóki Rachel nie skończy college'u, czyli dopiero za rok z okładem. Była wtedy na trzecim roku. I później, w październiku następnego roku, jakieś pięć miesięcy po śmierci naszej matki, oboje zniknęli.

Lydia Barrie zamilkła na chwilę. Wpatrywała się w swojego drinka. Miles zastanawiał się, czy powinien jej powiedzieć o tym, jaką obsesję miał kiedyś Hayden na punkcie sierot. Że w dzieciństwie często udawali, że są sierotami, którym grozi niebezpieczeństwo, zbiegłymi sierotami, że strasznie lubił książkę *Tajemniczy ogród* o małej osieroconej dziewczynce...

Ale może to nie był najlepszy moment, żeby o tym wspominać.

– Byłam na nią zła – odezwała się wreszcie Lydia Barrie cichym głosem. – Nie rozmawiałyśmy ze sobą wcześniej. Martwiłam się o nią, bo się nie pojawiła na pogrzebie matki i przez to straciłyśmy kontakt. Potem upłynęło jeszcze trochę czasu, zanim się dowiedziałam, że rzuciła studia. I już zupełnie nie było jak do niej dotrzeć. Wszystko wskazywało na to, że wyjechali z miasta razem, ale nikt nie wiedział dokąd, a oni skutecznie... Cóż, pewnie nie uznasz, że to brzmi idiotycznie, kiedy ci powiem, że zniknęli jak kamfora.

I tu spojrzała na Milesa swymi dużymi, wyrazistymi oczyma, a on zauważył, że jej skóra jest bardzo jasna, niemal tak przezroczysta jak kalka techniczna, bo widział pod spodem delikatne żyłki. Przyglądał się, jak Lydia podniosła rękę i założyła pasmo włosów za ucho.

– Nikt z naszej rodziny od tego czasu nie widział Rachel – powiedziała.

Rachel, pomyślał. Przypomniał sobie to imię, które podali mu znajomi Haydena z wydziału matematyki.

Tamta dziewczyna, jej oko w szparze w drzwiach zniszczonego wynajętego domku, ekranowe drzwi z rozdarciem w siatce, zakurzona kanapa stojąca pod frontowym oknem.

Zadygotał, kiedy to do niego dotarło. Jego własny udział w historii opowiedzianej przez Lydię Barrie. Słuchał jej, niemalże abstrakcyjnie, wyobrażając sobie tę grudniową scenę: Hayden w salonie z niemą, drżącą matką, oboje zapatrzeni w ogień płonący w kominku, w cieniu rozmigotanej choinki bożonarodzeniowej; Hayden przy śniadaniu razem z tymi kobietami, smarujący masłem grzankę i rozmawiający z nimi teatralnym brytyjskim akcentem, który – przypomniało się Milesowi – był jego ulubionym; Hayden kładący rękę na ramieniu Rachel Barrie w czasie rozdawania prezentów, w tle kolęda.

Widział to wszystko w swojej głowie podczas słuchania tej opowieści, jakby oglądał ziarniste, słodko-gorzkie domowe nagranie wideo z udziałem obcych ludzi, a potem nagle w szparze w drzwiach pojawiło się i łypnęło na niego oko Rachel Barrie.

„Wiem, kim jesteś", powiedziała. „Zadzwonię na policję, jeśli nie odejdziesz".

Miles i Lydia siedzieli wciąż przy barze, oboje cisi. Lydia podniosła szklankę i mimo że w pubie byli jeszcze inni ludzie, rozgadani i roześmiani, mimo że tam grała muzyka, usłyszał ciche, ksylofonowe grzechotanie kostek lodu.

– Wydaje mi się, że raz widziałem twoją siostrę – powiedział. A potem, zauważając, że pojaśniała jej twarz, prędko się poprawił: – W Rolla – wyjaśnił. – To było jakieś pięć lat temu. Pewnie tuż przed tym, jak...

– Rozumiem – odparła.

Z żalem wzruszył ramionami – dobrze znał takie chwile, kiedy niektóre iskierki informacji rozjarzały się i zaraz gasły. Powtarzające się rozczarowania, zniechęcenie.

– Przykro mi – powiedział.

– Nie, nie – zaprotestowała. – Nie chciałam okazywać... zawodu. – Spojrzała na swoją szklankę, dotknęła kropelek skondensowanej wilgoci dookoła brzeżka. – Od wieków nie spotkałam nikogo, kto ją widział na własne oczy. Dlatego opowiedz mi wszystko, co zapamiętałeś. Wszystko jest ważne i przydatne, nawet drobiazgi. Rozmawiała z tobą w ogóle?

– No cóż...

W jej rzewnym spojrzeniu, pełnym oczekiwania, nadziei i smutku, było coś dziwnie intymnego. Co on jej mógł powiedzieć? Rozmawiał z jakimiś ludźmi, z innymi studentami ostatniego roku, z którymi Lydia na pewno też musiała rozmawiać; pojechał także do domu, w którym mieszkała Rachel, i wprawdzie dziewczyna na chwilę podeszła do drzwi, ale nie powiedziała wiele, nie było tak? Zagroziła tylko, że wezwie policję, czym chyba go nastraszyła. Był tchórzem w kontaktach z gliniarzami, zawsze się bał, że będą trzymali przeciwną stronę, bo w końcu jak tu wytłumaczyć, kim jest Hayden, w taki sposób, żeby nie wyjść na wariata? „Wiem, kim jesteś", powiedziała Rachel. „Dzwonię na policję".

I dlaczego nie był bardziej stanowczy? Dlaczego nie wepchnął się do środka, nie usiadł razem z tą biedną dziewczyną i nie wyjaśnił jej dokładnie, kim jest on i kim jest Hayden? Mógł jej wtedy pomóc, pomyślał. Mógł ją uratować.

Spojrzał na swoją dłoń. Nawet u bliźniąt jednojajowych odciski palców, linie papilarne różnią się i przez chwilę wyobrażał sobie, jak nie wiedzieć czemu opowiada Lydii o tym przypadkowym zjawisku.

Lydia z początku próbowała dotrzeć z tym wszystkim do policji. Ale policjanci nie byli ani szczególnie zainteresowani, ani pomocni.

A potem przewinęła się cała seria prywatnych detektywów. – Ale to było bardzo kosztowne – stwierdziła. – Nie jestem bogata, a zresztą nie udało mi się zatrudnić nikogo szczególnie lotnego. Brnęli w kolejne ślepe zaułki, cały czas biorąc ode mnie dzienną stawkę plus diety, i ostatecznie nie dochodzili do niczego. W przypadku twojego brata po prostu się nie dało... Ci detektywi wydawali... nie wiem... setki albo i tysiące dolarów, a potem wracali do mnie z jakimiś idiotycznymi znaleziskami. A to skrytka pocztowa w Sedonie, w Arizonie. A to biuro badań opinii internautów z siedzibą w Manada Gap w Pensylwanii. A to nieczynny motel w Nebrasce. Jeden z nich zażądał nawet pieniędzy, żeby móc pójść jakimiś „tropami o międzynarodowym zasięgu". Ekwador. Rosja. Afryka... A ja, zdaje się, przez dłuższy czas wmawiałam sobie, że do czegoś zmierzam. Że jestem coraz bliżej, mimo że...

Uśmiechnęła się powściągliwie, z wyraźnym znużeniem, a Miles pokiwał głową.

– Tak – powiedział.

Znał to wyczerpanie, jakie człowiek zaczynał odczuwać po kilku latach. Próby odnalezienia Haydena wymagały szczególnej odporności, cierpliwości do drobnych szczegółów, które mogły prowadzić donikąd, uporu kartografa wytyczającego linię brzegową, wijącą się i zapętlającą aż po sam horyzont, bez końca. Zdarzało mu się myśleć o tamtej jesieni, kiedy umarł ich ojciec. Hayden uległ wtedy fascynacji liczbami niewymiernymi i ciągiem Fibonacciego, wiecznie rysował prostokąty, muszle nautilusa i pieczołowicie zapełniał kolejne strony zeszytu nieskończonymi dziesiętnymi rozwinięciami złotej liczby.

Miles w tym czasie stwierdził, że praktycznie nie jest w stanie udźwignąć swojego pierwszego semestru z algebry. Gapił się godzinami na równania i absolutnie nie umiał dopatrzyć się w nich żadnego sensu, w efekcie nie osiągając nic oprócz pajęczego szurania pod czołem, jakby te liczby zamieniały się w owady we wnętrzu jego mózgu. Siedział i wpatrywał się biernie w zadania domowe albo, jeszcze gorzej, zabierał się do nich i jego rozwiązania niewytłumaczalnym sposobem zbaczały na jakiś kompletnie niewłaściwy tor, przez co przez jakiś czas wierzył, że wreszcie opanował metodę, i w końcu odkrywał, że w rzeczywistości x wcale się nie równa 41,7. Nie, to całe x wynosiło -1, mimo że nie miał pojęcia, jak to możliwe. Kiedy tak siedział nad tymi równaniami, wieczór w wieczór, doświadczał najgorszego zmęczenia w życiu i ostatecznie ogarniało go wrażenie, że jego mózg został przeżarty do postaci koronki z cienkich, niemal nieważkich nitek.

– Och, błagam – mówił Hayden, delikatnie zabierał Milesowi kartkę i jeszcze raz pokazywał mu, jakie to łatwe. – Ależ z ciebie dzieciuch. Dlaczego się nie skupisz? To przecież łatwe, trzeba to tylko robić krok po kroku.

A jednak Miles często w tym momencie był już bliski płaczu.

– Kiedy ja nie potrafię – mówił. – Nie umiem wpaść na to, jak to się robi!

Właśnie to zniechęcenie, to poczucie jałowości przypomniał

sobie później, kiedy zaczął szukać Haydena. I to samo widział teraz w twarzy Lydii Barrie.

Lydia delikatnie przeczesała włosy palcami i spojrzała krytycznie na swoją szklankę, pustą, jeśli nie liczyć kawałka limonki skulonego jak płód na dnie. Była, zdaniem Milesa, trochę pijana, przez co nie wyglądała już na tak bardzo wyrafinowaną i pełną godności. Jej włosy utraciły swój pierwotny, starannie wyrzeźbiony układ i kilka pasemek sterczało na boki. Kiedy małomówny barman z kitką podszedł spytać, czy chce jeszcze jednego drinka, skinęła głową. Miles wciąż jeszcze mocował się ze swoim piwem.

Wnętrze tego pozbawionego okien baru było mroczne i tworzyło przyjemną iluzję nocy, mimo że na zewnątrz nadal świeciło słońce.

– Zabawne – stwierdziła Lydia i przyjrzała się ponuro najpierw serwetce, a potem ponownie napełnionej szklance postawionej przed nią na barze. – Wydałam na tych detektywów pewnie ze trzydzieści tysięcy dolarów i teraz myślę, że cały czas parłam do przodu, bo nie chciałam uwierzyć, że to pieniądze wyrzucone w błoto. Sama nie wiem... – dodała i zrobiła wdech. – Chyba rozumiem, dlaczego Rachel wyjechała i już nigdy nie nawiązała ze mną kontaktu. Rozumiem, dlaczego nie chciała ze mną rozmawiać. Kiedy nie przyjechała na pogrzeb matki, nagadałam jej różnych niemiłych rzeczy. Rzeczy, których teraz żałuję. Ale z Emily też się nie kontaktowała. Ani z ciotką Charlotte. Rozumiem, że była bardzo nieszczęśliwa, być może śmierć matki przygnębiła ją do tego stopnia, że nie umiała stawić temu czoła. Tylko kto odrzuca rodzinę w taki sposób? Jaki człowiek stwierdza, że może wszystko porzucić i stworzyć siebie na nowo? Jakby naprawdę dawało się ot, tak pozbyć tych części życia, których się już nie chce... Czasami mi się wydaje, że... no cóż, tacy właśnie się staliśmy jako społeczeństwo. Tacy stali się ludzie w dzisiejszych czasach. Już nie cenimy więzi.

Spojrzała na niego; całe opanowanie, którym emanowała na początku ich spotkania, gdzieś się zapodziało. W powietrzu unosiła się teraz jakaś groźna aura, niepokojący ciężar.

– Mam swoje za uszami – oświadczyła. – Zdarzało mi się z kimś przespać, a potem zerwać wszelkie kontakty. Raz rzuciłam pracę. Wyszłam w piątek i ani nie zadzwoniłam, ani nie uprzedziłam szefa, że odchodzę czy coś. Po prostu więcej tam nie wróciłam. Kiedyś powiedziałam mężczyźnie, z którym pracowałam, że studiowałam na Wellesley, bo chyba próbowałam zrobić na nim wrażenie, a kiedy wypytywał mnie o swoich znajomych stamtąd, udawałam, że ich znam. Bo chciałam mu się podobać. Ale nigdy nie zniknęłam – powiedziała. Jej dłoń zamknęła się wokół szklanki, wypielęgnowane paznokcie i czubki palców spłaszczyły się i zbielały na szkle. – Nigdy nie zniknęłam w taki sposób, żeby nikt mnie nie mógł znaleźć. Bo to już chyba jest przegięcie, prawda? Nie ma w tym nic normalnego, zgadzasz się ze mną?

– Zgadzam się – potwierdził Miles. – Też uważam, że to nie jest normalne.

– Dziękuję ci – powiedziała. Otrząsnęła się, wyprostowała, wygładziła bluzkę. – Dziękuję ci.

Niewykluczone, że była równie szalona jak on, stwierdził Miles, ale nie miał pewności, czy ta myśl podnosi go na duchu. Może na całym świecie byli ludzie, którym Hayden zniszczył życie; tworzyli coś w rodzaju klubu albo matrycy nakładającej się na mapę. Kto wiedział, ilu ich jest? Wpływ Haydena rozciągał się w nieskończoność jak ciąg Fibonacciego, który Hayden tak lubił recytować – 1, 1, 2, 3, 5, 8, 13, 21, 34, 55, 89... i tak dalej.

Lydia Barrie przycisnęła dłoń do czoła i zamknęła oczy. Może zasnęła, pomyślał Miles i uznał, że sam też chętnie poszedłby już spać. Był zmęczony – taki zmęczony – tyle godzin jazdy, tyle godzin światła dziennego i myślenia, myślenia.

Ale po chwili Lydia uniosła głowę.

– Myślisz, że ona jeszcze żyje? – spytała szeptem.

Dopiero po chwili zrozumiał, o co ona pyta.

– No cóż... Nie wiem, do czego pijesz – powiedział.

– Myślę, że mógł ją zabić – odparła Lydia Barrie. – O tym mówię. Może jest gdzieś tam pochowana, albo w jednym z tych miejsc, w których ich namierzyłam, albo w którymś z tych miejsc, o których nie wiem. Dlatego właśnie...

Zawiesiła głos, wyraźnie wolała nie ciągnąć dalej tego toku rozumowania. Siedziała teraz w milczeniu, z dłonią przyciśniętą do twarzy.

– Jasne, że nie – odpowiedział Miles. – Mnie się nie wydaje, żeby on...

Choć w rzeczywistości naprawdę tak myślał. Po raz kolejny wyobraził sobie ich stary dom w ogniu, wyobraził sobie matkę i pana Spady'ego w łóżku na piętrze, być może budzących się za późno, w pokoju wypełnionym dymem, albo może wcale się niebudzących; może było tylko kilka sekund szamotaniny, może tylko raz zatrzepotali powiekami i zaraz na powrót je zamknęli, bo cały tlen zdążył już wtedy zniknąć i po tapetach spływały strumyczki płomieni.

Czy wniosek, że Hayden mógł coś zrobić Rachel Barrie, faktycznie szedł za daleko?

– Mam różne papiery w swoim pokoju – powiedziała głuchym głosem Lydia Barrie. – Różne... dokumenty.

Przyglądał się, jak podnosiła dżin z tonikiem. Jak przykładała brzeżek szklanki do ust.

– Wierzę, że są autentyczne – stwierdziła i upiła duży łyk. – Uważam, że powinny cię zainteresować.

17

Ryanowi zdawało się czasami, że widzi różnych ludzi ze swojej przeszłości. Miał to notorycznie od swojej śmierci – mało groźne halucynacje, zmyłki percepcji.

A to na przykład widział matkę stojącą na tłocznym rogu Hennepin Avenue w Minneapolis, tyłem do niego; otwierała parasolkę i spiesznym krokiem wchodziła w tłum.

A to widział Walcotta siedzącego przy oknie autobusu pełnego hałaśliwie śpiewających członków bractwa z ich uczelni. Działo się to w Filadelfii, niedaleko uniwersytetu; Ryan stał na ulicy, gapiąc się na nich, słuchając, jak wszyscy wtórują Bobowi Marleyowi, niemiłosiernie fałszując.

Ich spojrzenia się spotkały i przez sekundę Ryan gotów był przysiąc, że to był naprawdę Walcott, mimo że ten chłopak z autobusu tylko na niego patrzył, poruszając ustami, bo akurat śpiewał razem z innymi *Every little thing gonna be all right*, i Ryan zauważył wtedy nad sobą jakiś ruch, przesuwający się cień ptaka albo chmury.

Tak to jest, kiedy się widzi ducha, pomyślał, mimo że przecież to on nie żył.

Wiedział, że tak naprawdę to nie są oni. Zdawał sobie sprawę, że to tylko rozwleczona pajęczyna podświadomości, strzelająca na oślep synapsa pamięci, nieprzetrawiony fragment przeszłości uprawiający z nim swoje gierki. Pozwolił myślom gdzieś się pałętać, tylko tyle to oznaczało. A potrzebował skupienia. Potrzebował medytacji, jak mu to sugerował Jay. „Musisz odnaleźć w sobie ciszę", radził mu i pewnego dnia, kiedy Ryan wrócił ze szczególnie stresującej podróży, razem odsłuchali jedną z relaksacyjnych płyt CD Jaya. „Wyobraź sobie krąg energii tuż przy podstawie kręgosłupa", mówiło nagranie, kiedy siedzieli na krzesłach w nieoświetlonej sypialni, dotykając bosymi stopami podłogi. „Wdech... wydech... oddychaj głęboko... spokojnie..."

I to rzeczywiście było relaksujące, mimo że raczej nie pomogło. Tydzień później, w Houston, Ryanowi wydało się, że widzi Pixie – miała dłuższe i ciemniejsze włosy, a jednak dawała się rozpoznać – Pixie we własnej osobie siedziała na krawężniku pod hotelem Marriott, ze znudzoną, smętną miną, paliła papierosa i bawiła się kolczykiem, którym miała przekłutą brew. Nie.

To nie ona, zreflektował się już w chwili wysiadania z taksówki, ta kobieta była po trzydziestce albo nawet po czterdziestce. Dlaczego w ogóle dostrzegł jakieś podobieństwo? Tak to wyglądało, jakby na sekundę wcieliła się w Pixie, pozując do serii zdjęć, które pstrykał kątem oka. Po raz kolejny dał się wciągnąć w oszukańczą grę swojego mózgu.

A jednak.

A jednak to nie było aż takie niemożliwe, pomyślał – nawet w kraju zamieszkanym przez trzysta milionów ludzi – to wcale nie wykraczało poza granice prawdopodobieństwa, że może napotkać kogoś, kogo kiedyś znał.

W rzeczy samej miał sporą pewność, że naprawdę natknął się na swoją dawną wykładowczynię psychologii, panią Gill, w barze na lotnisku w Nashville. Jego samolot miał spóźnienie i Ryan musiał się błąkać po terminalu Nashville International, wlokąc walizkę na kółkach obok kiosków z gazetami, budek z fast foodem i sklepów pamiątkarskich, szukając jakiegoś sposobu na dostarczenie sobie rozrywki, i oto nagle ją zobaczył. Siedziała w Gibson Café, pod jakimiś memorabiliami podarowanymi przez wytwórnię gitar Gibsona, i kiedy ją mijał, zerknęła na niego niezobowiązująco. A potem ich spojrzenia się spotkały i zauważył, że stężała jej twarz, że z zaskoczeniem skupiła na nim uwagę.

Najwyraźniej go rozpoznała, ale nie umiała sobie przypomnieć, skąd go zna; widział, że się nad tym głowi. Miał wygoloną czaszkę, na nosie lotnicze okulary słoneczne i był ubrany w ochroniarską koszulkę z krótkim rękawem, więc było dziwne, że w ogóle przyciągnął jej wzrok. A jednak. Czy przypadkiem nie był jednym z jej byłych studentów? Czy nie był podobny do tego chłopca, który umarł – popełnił samobójstwo – do tego, który miał nie dostać zaliczenia z jej zajęć, który przyszedł do jej gabinetu, żeby spytać, czy mógłby jednak coś zrobić na dodatkową ocenę?

Nie. Raczej nie dokonała takiego skojarzenia. Chodziło tylko o to, że wyglądał dziwnie znajomo; przyglądała mu się badawczo przez sekundę, smutna, niezamężna pani z uniwersytetu, źle ostrzyżona i grubawa, która być może sama nieraz się zastanawiała, czy nie popełnić samobójstwa, być może rozmyślała o tym młodym chłopaku, co to utopił się w jeziorze, i zadawała sobie pytanie, jakie to uczucie, sama zawsze uważała, że tlenek węgla byłby najlepszy, tlenek węgla i pigułki nasenne, żadnego zmagania się z...

Przeszedł obok, a ona uniosła swoją wódkę z sokiem żurawinowym do ust. Przypomniały mu się wtedy nagrania medytacyjne Jaya.

„Następny poziom energii znajduje się tuż pod twoim czołem", mówiła narratorka kojąco sennym, monotonnym głosem. „Tu mieści się czakra czasu, cyklu dnia i nocy w ich odwiecznych pasażach, to dzięki niej doświadczysz istnienia swojej duszy. Uwolnij umysł, a kiedy już zaakceptujesz moc własnej duszy i okażesz jej szacunek, zrozumiesz, że dusza jest w każdym i wszędzie".

O tym właśnie rozmyślał, kiedy ustawił się w kolejce do stanowiska odpraw, przyłożywszy palce do czoła.

– Tu właśnie znajduje się szyszynka – wyjaśnił mu Jay. – To stąd ci się bierze melatonina, która reguluje cykl snu. Zajebiste, no powiedz?

– Fakt – zgodził się Ryan. – Fascynujące!

A jednak zastanowiło go teraz, co pani Gill miałaby do powiedzenia o tym wszystkim; zapamiętał ją jako sceptyczkę, która nie miała cierpliwości do bredni New Age. Obejrzał się przez ramię.

Mimo całej tej gadaniny o medytowaniu, relaksacji i tak dalej, Jay też miewał lęki ostatnimi czasy.

– Psiakość, Ryan – powiedział. – Udzielają mi się te twoje podrygi. Ciągle mam pieprzonego galara, człowieku.

Ryan siedział przed laptopem, zajęty otwieraniem konta dla jednego ze swoich nowych wcieleń – Max Wimberley, dwadzieścia trzy lata, zamieszkały w Corvallis, w stanie Oregon – a teraz na chwilę podniósł wzrok, ale zaraz wrócił do wstukiwania informacji do rubryk w podaniu.

– Co to jest „galar"? – spytał.

– Sam nie wiem – odparł Jay. Siedział przed własnym komputerem, postukiwał w klawisz „escape" palcem wskazującym i z irytacją kręcił głową w stronę ekranu. – To takie słówko, mój tato go używał. To dość podobne do „skitrać się ze strachu". Znasz to powiedzonko?

– Chyba nie – przyznał Ryan i w tym momencie Jay wyrzucił z siebie wiązankę szczególnie wulgarnych przekleństw.

– Nie wierzę! – zawołał i palnął wnętrzem dłoni w klawiaturę tak mocno, że dwa klawisze literowe wyskoczyły i upadły na podłogę, wydając głośny odgłos jak kości do gry. – Ja cię chrzanię! Mam robala w tym kompie! Już trzeci raz w tym tygodniu!

Odgarnął włosy z twarzy, założył je za uszy, nerwowo przygładził na skroniach.

– Tu się coś dzieje – stwierdził. – Mam złe przeczucia, Ryan. Nie podoba mi się to.

Ryan nie bardzo wiedział, co o tym wszystkim myśleć. Jay robił się czasem wybuchowy. Zazwyczaj wolał się prezentować w roli łagodnego, łatwego w obejściu, usposobionego filozoficznie do życia, ale miał swoje przesądy, lęki, skłonności do nielogicznego rozumowania.

Na przykład raz pokłócili się o prawa jazdy. To było tuż po tym, jak Ryan odszedł ze studiów i zaczął pracować dla Jaya, kiedy załatwiał sobie prawa jazdy na rozmaite nazwiska w różnych stanach.

W owym czasie jeszcze nie do końca ogarniał, czym się właściwie zajmuje. Domyślał się, że to z jakichś powodów nielegalne, ale z kolei mnóstwo rzeczy było nielegalnych, a poza tym nikomu raczej nie robili nic złego. I wciąż próbował zrozumieć najnowsze wydarzenia w swoim życiu. Decyzja o porzuceniu studiów. To, że nie zadzwonił do rodziców, „poszukiwania" jego osoby, nad którymi jakimś sposobem utracił kontrolę. Wciąż próbował przyzwyczaić się do myśli, że Jay jest jego prawdziwym ojcem, że Stacey i Owen okłamywali go od urodzenia.

Uczestnictwo w tej nieco podejrzanej działalności pasowało do ogólnego zabagnienia jego procesów myślowych w owym czasie.

A zresztą to wcale nie było tak, jakby obrabowywał bank. Przecież nie napadał na staruszki ani nie oszukiwał sierot. Zamiast tego spędzał mnóstwo czasu na czekaniu. Na staniu w kolejkach. Na wysiadywaniu na plastikowych krzesełkach ustawionych pod ścianą, naprzeciwko stanowiska wydziału pojazdów z napędem silnikowym. Na czytaniu plakatów z wizerunkami poszukiwanych osób i rozmaitych obwieszczeń urzędniczych o jeździe po pijanemu, zapinaniu pasów i tak dalej.

Obserwował innych ludzi zasiadających do testów i wypełniających podania, uważnie wsłuchujących się w pytania, które im zadawano, nadziewających się na rozmaite haczyki – brak karty ubezpieczeniowej, brak świadectwa urodzenia, żadnego zaświadczenia o miejscu zamieszkania.

Po jakimś czasie siłą rzeczy zainteresował się kwestią oddawania narządów. Urzędnicy zadawali to pytanie rutynowo. „Chciałby pan zostać dawcą narządów?" – pytali monotonnym głosem, a potem recytowali: „Zapisanie się do rejestru dawców to inaczej wyrażenie zgody na oddanie własnych narządów, tkanek i oczu po śmierci, dla wszelkich celów dopuszczanych przez prawo. Jako dawca organów będzie pan mógł uratować siedem istnień ludzkich i dodatkowo ulepszyć jakość życia ponad pięćdziesięciu innych dzięki swoim tkankom i oczom. Czy wolno mi wykorzystać tę sposobność i wpisać pana do rejestru?"

Ryan był zdumiony, że to pytanie wywoływało wstrząs u tak wielu ludzi. W Knoxville na przykład był jeden stary hipis; siwa kita, szorty z obciętych dżinsów, tubalny śmiech. Usłyszawszy pytanie, obejrzał się przez ramię na pozostałych, jakby ktoś robił mu kawał. Ryan widział, jak uśmiech zamiera mu na ustach, bo pewnie znienacka pomyślało mu się o własnej śmierci. Bo sobie wyobraził, jak go rozpruwają i rozbierają na czynniki pierwsze. „He, he", zaśmiał się hipis, a potem wzruszył ramionami i machnął lekceważąco ręką. „A co mi tam!" – powiedział. „Jasne, na Boga, czemu nie?" Jakby to był akt odwagi, który miał zrobić wrażenie na wszystkich pozostałych.

W Indianapolis była staruszka w cytrynowym żakiecie i spodniach, która zastanawiała się przez dłuższą chwilę. Zrobiła się strasznie poważna, założyła jedną rękę na drugą. „Bardzo żałuję, ale ja w to nie wierzę", powiedziała.

W Baltimore widział hiphopowca o wyglądzie twardziela, w T-shircie opinającym umięśniony tors i obwisających dżinsach, spod których wystawały bokserki. Ten jednak odsunął się od urzędniczki z najprawdziwszym – niemalże dziecinnym – przerażeniem. „Nie, proszę pani", powiedział. „Y-y". Jakby w pomieszczeniu na tyłach już się zasadził na niego ktoś z piłą i skalpelem.

Co do Ryana, to on nie miał żadnych wątpliwości. To było podstawowe społeczne dobro, jak oddawanie krwi czy coś w tym stylu. To trzeba robić, wierzył, dopóki nie wrócił do domu w tamten weekend, z plikiem fałszywych dokumentów.

– A to, kurwa, co jest? – spytał Jay. Był w dobrym nastroju aż do chwili, kiedy zaczął się przyglądać prawom jazdy, które pokazał mu Ryan. – Ryan, ty debilu, każdorazowo zapisywałeś się na dawcę narządów!

– Umm... – mruknął Ryan. – Ano tak.

– No ja nie mogę! – wrzasnął Jay i twarz mu poczerwieniała w sposób, jakiego Ryan jeszcze nigdy nie widział.

Jay nosił się na luzaka: proste, czarne włosy, stylowe ciuchy z lumpeksu. A jednak jego mina zrobiła się teraz spektakularnie twarda i groźna.

– Coś ty sobie, do kurwy nędzy, myślał, człowieku? – spytał i gwałtownie zazgrzytał zębami. – Odbiło ci? Te papiery do niczego się nie nadają!

– Ale... – wybąkał Ryan. – Sorry, ale nie rozumiem, o co ci chodzi.

– Jezu Chryste! – warknął Jay. – Ryan, ty wiesz, co się dzieje, kiedy się zapisujesz do krajowego rejestru dawców narządów? – Jego głos przycichł; mówił teraz powoli i pompatycznie, wymawiając wyraźnie słowa „narządy", „dawca", „rejestr". Każde słowo było balonem, który przekłuwał szpilką.

– Nie wiem – odparł Ryan. Był skołowany, ale na wszelki wypadek starał się mówić beztroskim tonem i jeszcze ostrożnie, przepraszająco wzruszył ramionami.

Jay jednak nie przestał gromić go wzrokiem.

– Dociera do ciebie, że za twoją zgodą władze, tak federalne, jak i stanowe, będą miały dostęp do twojej prywatnej historii medycznej i ubezpieczeniowej? Wszelka poufność między tobą a lekarzem ulega odtąd zawieszeniu. Będą mogli sprawdzić, zgodnie z prawem, na co chorowałeś w przeszłości i obecnie, będą mogli poznać wyniki wszystkich badań, jakie przechodziłeś, wyniki wszystkich analiz krwi...

– Nie miałem pojęcia – przyznał Ryan i spojrzał niepewnie na Jaya. Jaja sobie robił? – Jesteś pewien? To chyba...

– Co chyba? – podchwycił zapalczywie Jay.

– Nie wiem – przyznał znowu Ryan. To chyba nie jest prawda, pomyślał. Ale nie powiedział tego na głos.

– Nie wiesz – powtórzył Jay. – Czytałeś umowę, którą ci dali do podpisania?

– Nie podpisywałem żadnej umowy.

– Jasne, że podpisywałeś pieprzoną umowę – odparował Jay i teraz jego głos buzował obrzydzeniem. Kontrolowaną pogardą. – Tylko jej nie przeczytałeś, facet. A może czytałeś? Kazali ci się podpisać na dole i się podpisałeś, zgadza się? Czy nie to właśnie zrobiłeś?

– Jay – odezwał się Ryan. – To przecież nie było moje nazwisko.

– Myślisz, że to ma znaczenie? – warknął Jay. – Nazwiska na tych papierach to nasze nazwiska. Harowaliśmy jak woły, żeby je zdobyć. One są dla nas jak złoto. A teraz będą poddane państwowemu nadzorowi. Kompletnie bezużyteczne! – Złapał jedną z laminowanych kart kciukiem i palcem wskazującym, potrząsnął nią z obrzydzeniem i cisnął przez cały pokój, sprawiając, że z cichym stuknięciem odbiła się od ściany. – Zdefektowane. Na amen. Psiakrew! Dotarło?

Były takie rzeczy, których Ryan jeszcze nie zdążył rozgryźć w związku z Jayem – jego niespodziewane wybuchy irytacji, dziwaczne wywody filozoficzne, niby prawdziwe, a jednak jakby zmyślone fakty – Ryan zgadywał, że przeważnie pochodziły ze stron internetowych poświęconych teoriom spiskowym. Czy Jay naprawdę wierzył w te wszystkie czakry? Był poważny, kiedy konsultował się z tablicą Ouija rozłożoną na stoliku albo kiedy rozgadywał się na temat rozmaitych „gabinetów cieni" i tajnych społeczności, jak na przykład Agencja Omega, Grupa Bilderberg, „Czaszka i Kości" z Uniwersytetu Yale, globalna sieć wywiadu elektronicznego „Echelon"...

– Nie mamy pojęcia, do czego zmierza nasz rząd – stwierdził Jay, a Ryan przytaknął mu niepewnie. – Właśnie dlatego nigdy nie uważałem się za przestępcę, bo prawdziwymi gangsterami są ludzie, którzy sprawują władzę nad tym krajem – dodał. – Oczywiście zdajesz sobie z tego sprawę? Jeśli podporządkowujesz się ich zasadom, nie jesteś nikim innym jak tylko ich niewolnikiem.

– Aha – bąknął Ryan i znów próbował rozpracować wyraz twarzy Jaya.

Żartował sobie? Był walnięty?

Zdarzały się momenty, kiedy do Ryana docierało, że wybory, jakich dokonał, mogłyby się wydać niewiarygodnie bezmyślne obserwatorowi z zewnątrz. Dlaczego wyrzekł się statecznych, kochających rodziców i połączył swój los z kimś takim jak Jay? Dlaczego zrezygnował ze studiów na dobrej uczelni i postanowił zostać drobnym przestępcą, zawodowym kłamcą i złodziejem? Dlaczego poczuł taką ulgę, że już nigdy nie będzie musiał być członkiem swojej miłej rodziny, że już nigdy nie będzie musiał uczęszczać na żadne zajęcia, że już nigdy nie będzie musiał przedstawiać swojego CV i chodzić na rozmowy w sprawie pracy, że nigdy nie będzie musiał szukać sobie żony, zakładać własnej rodziny i uczestniczyć w rozmaitych, cyklicznych radościach życia przedstawiciela klasy średniej, tego życia, do którego Owen był taki przywiązany?

Prawda polegała na tym, że naprawdę znacznie bardziej

przypominał Jaya niż ich; to było coś, z czego oni nigdy nie zdali sobie sprawy.

Życie Owena i Stacey, myślał, nie było ani trochę bardziej realne niż te dziesiątki żywotów, które wykreował minionego roku, wirtualnych żywotów Matthew Blurtona, Kasimira Czernewskiego czy Maksa Wimberleya. Większość ludzi, pomyślał, miała tożsamości tak płytkie, że z łatwością dawało się zarządzać setką takich naraz. Ich istnienie ledwie muskało powierzchnię świata.

Oczywiście jeśli się chciało, można było zamieszkiwać jedną albo dwie osoby, które akumulowały w sobie większy ciężar. Można było mieć żony, a nawet rodziny, jeśli się chciało, zdaniem Jaya. Jay twierdził nawet, że znał faceta, który był jednocześnie radnym gdzieś w Arizonie, właścicielem firmy obrotu nieruchomościami w Illinois i akwizytorem z żoną i trójką dzieci w Dakocie Północnej.

I byli jeszcze ludzie, którzy potrafili naprawdę się wyróżniać, byli kimś ważnym. Pracę nad takim wcieleniem należało zacząć bardzo wcześnie, zdaniem Ryana, być może już od dzieciństwa. Potrzebowało się do tego swoiście ukierunkowanej pewności siebie i skupienia, poza tym wszystkie te abstrakcyjne elementy, jak szczęście i przypadek, musiały się układać po twojej myśli. Na przykład taka gwiazda rocka, która musiała rozwijać swój talent, wyrabiać nazwisko, przebijać się do opinii publicznej. Dużo się nad tym zastanawiał i nawet spodobał mu się pomysł przeobrażenia się w powszechnie znanego, podziwianego piosenkarza i autora hitów, ale zdawał też sobie sprawę, że nigdy nie będzie dostatecznie dobry. Znał swoje ograniczenia, intuicyjnie rozpoznawał kłody leżące na drodze wiodącej ku spełnieniu tej szczególnej ambicji i prawda była taka, że jeśli wiesz, że prawdopodobnie przegrasz, to po co się starać? Po co zawracać sobie głowę? Jeśli mogłeś dysponować dziesiątkami pośledniejszych życiorysów, to czy one nie sumowały się w ten jeden naprawdę wielki?

Znowu się nad tym zastanawiał w trakcie torowania sobie drogi przez lotnisko w Portland. Bezpiecznie porzucił wypożyczony samochód, rozgniótł butem komórkę na kartę i wrzucił szczątki do kosza na śmieci, potem przedłożył nowiuteńkie prawo jazdy i bilet na nazwisko Max Wimberley funkcjonariuszom przy stanowisku odpraw, jego plecak, laptop, buty, pasek i portfel zostały umieszczone w plastikowych tubach i przepuszczone przez rentgen umocowany na pasie, a potem sam Ryan, jako Max Wimberley, ruszył do przodu, przechodząc przez wykrywacz metali. Wszystko bez incydentów. Wszystko proste, zero problemów, nie było się czym przejmować. Max Wimberley poruszał się po świecie ze znacznie większą łatwością i wdziękiem, niż to się kiedykolwiek udawało Ryanowi Schuylerowi.

– Okay – mruknął do siebie. – Okay.

Usiadł w hali odlotów z czekoladowym shakiem i egzemplarzem czasopisma „Gitara", jego plecak leżał na siedzeniu obok. Pospiesznie, ukradkiem omiótł wzrokiem ludzi siedzących dookoła niego. Dość młoda, nerwowa bizneswoman z palmtopem. Para starszych ludzi trzymających się za ręce. Osiłkowaty Azjata w czapeczce Red Soksów. I tak dalej.

Nikt nie wyglądał ani trochę znajomo.

Podczas tej podróży nie miał żadnych halucynacji i podejrzewał, że jest to jakiś znak. Ostatnie resztki jego dawnego życia wreszcie zaczynały blaknąć. Transformacja była już prawie ukończona, stwierdził i przypomniał sobie dni z dawnych czasów, kiedy jeździł bez celu, starając się ułożyć w głowie list do rodziców.

Droga mamo i drogi tato, wymyślił. *Nie jestem takim człowiekiem, jak Wam się wydawało.*

Nie jestem takim człowiekiem, wymyślił i przypomniał sobie etapy Kübler-Ross, o których opowiedział mu Jay. Na tym właśnie polegał ostatni etap, czyli akceptacja. Tu nie chodziło tylko o to, że Ryan Schuyler nie żył; Ryan Schuyler przede wszystkim nigdy nie istniał. Ryan Schuyler był skorupą, którą kiedyś wykorzystywał, może nawet mniej prawdziwą niż Max Wimberley. Spojrzał na swoją kartę pokładową i niemalże poczuł, jak ulatują z niego residua Ryana Schuylera w postaci upiornego nietoperza o ludzkiej twarzy, który najpierw rozpadł się na chmarę maleńkich muszek, a potem rozpierzchł we wszystkie strony.

– Okay – wyszeptał i na chwilę zamknął oczy. – Okay.

Było późno i ciemno, kiedy doleciał do Detroit Metro, o pierwszej czterdzieści cztery nad ranem, po przesiadce w Phoenix; przeszedł zdecydowanym krokiem przez cichy terminal w stronę parkingu długopostojowego, gdzie czekała na niego stara furgonetka Econoline Jaya. Zatrzymał się jeszcze przy stacji benzynowej, żeby kupić sobie napój energetyzujący, a potem już gnał po międzystanowej, czując w sobie ogromny spokój, słuchając muzyki. Odsunął szybę i przez jakiś czas śpiewał.

Na północ od Saginaw skręcił na zachód, a potem na dwupasmową lokalną drogę, przecinającą się z torami kolejowymi, mijając coraz to bardziej rozstrzelone domy, rozświetlając reflektorami tunele wyborowane w lesie, w którym jedne drzewa miały już wiosenne pączki, a inne straszyły martwymi, szkieletowatymi gałęziami, niczym mumie oplecionymi starymi kokonami gąsienic. Jedynie z rzadka mijał ludzkie siedliska tuż przy samej drodze. Jeszcze w latach dwudziestych, wytłumaczył mu raz Jay, miał tu swoją kryjówkę Szkarłatny Gang z Detroit.

W końcu skręcił w wąską asfaltową drogę, która z czasem przeobraziła się w bitą, wiodącą tuż pod chatę ukrytą w głębi lasu. Było około czwartej nad ranem. Zobaczył, że na werandzie palą się światła, i kiedy się zatrzymał, usłyszał, że Jay puszcza swoją muzykę, łomot oldschoolowego hip-hopu, a potem jeszcze zauważył, że na żwirowanej ścieżce wala się kilka komputerów. Wyglądały tak, jakby je ktoś potraktował kijem baseballowym. I rzeczywiście, w momencie, w którym Ryan zgasił silnik, na werandę wyszedł Jay, niosąc w jednym ręku kij okuty aluminium, a w drugim rewolwer Glock.

– Ja cię chrzanię, Ryan – powiedział i zatknął rewolwer za pasek, kiedy Ryan wysiadł z samochodu. – Coś ty robił tak długo?

Jay na ogół nie miał zwyczaju nosić przy sobie broni, ale kilka sztuk było w chacie i Ryan nie bardzo wiedział, jak teraz zareagować. Widział, że Jay jest porządnie pijany, porządnie zaćpany, że jest w złym nastroju, dlatego zbliżał się do domu czujnymi krokami.

– Co jest, Jay? – spytał.

Szedł śladem Jaya przez werandę, obok żeliwnego piecyka i tanich mebli ogrodowych, do głównego pokoju, gdzie Jay właśnie rozmontowywał kolejny komputer. Odłączał różne przewody i kable USB od tylnego panelu, a kiedy Ryan wszedł do środka, znieruchomiał, przeczesując palcami swoje długie włosy.

– Nie uwierzysz – powiedział Jay. – Na to wychodzi, że jakaś menda ukradła moją tożsamość!

– Żartujesz – zdziwił się Ryan. Stał niepewnie w drzwiach i przyglądał się, jak Jay zsuwa odłączony komputer ze stołu, pozwalając mu się zwalić na podłogę jak cementowy bloczek. – Jak to „ukradł" ci tożsamość? – spytał. – Którą?

Jay podniósł wzrok, trzymając w ręku obwisły przewód, jakby to był wąż, którego właśnie udusił.

– Chryste – powiedział. – Nie jestem pewien. Zaczynam się bać, że wszystkie są skażone.

– Skażone? – powtórzył Ryan. – Co to znaczy?

Jay, mimo że miał przy sobie broń i demontował komputery, wciąż wyglądał na względnie spokojnego. Wcale nie był aż tak nawalony, jak Ryan myślał z początku, dlatego sprawa wyglądała teraz na znacznie bardziej poważną.

– Jak to skażone? – spytał.

– Straciłem dzisiaj dwóch ludzi – poinformował go Jay,

pochylił się i wyciągnął starego laptopa z kartonowego pudła wepchniętego pod jeden ze stołów na tyłach głównego pokoju. – Wszystkie moje karty na nazwisko Dave Deagle zostały unieważnione, więc ktoś musiał się do niego dobrać kilka dni temu. No to zrobiłem się nerwowy i zacząłem sprawdzać wszystkich po kolei; okazało się, że ktoś wyczyścił rachunek maklerski Warrena Dixona, to był jakiś śmierdzący transfer elektroniczny. I to się stało, uważaj, dziś rano!

– Żartujesz – powiedział znowu Ryan. Przyglądał się, jak Jay wciska kolejne wtyczki do starego laptopa, przyglądał się laptopowi, który zadrżał, kiedy go uruchomiono.

– Niestety nie – odparował Jay i wbił twardy wzrok w ekran, który wyśpiewał swoją powitalną melodyjkę. – Lepiej wejdź do sieci i posprawdzaj swoich ludzi. Moim zdaniem ktoś nas atakuje.

„Ktoś nas atakuje". To naprawdę brzmiało głupio i melodramatycznie, tutaj, w lesie, w tym pomieszczeniu, które wyglądało jak skrzyżowanie pokoju w studenckim akademiku z wnętrzem serwisu komputerowego, z kanapą ze sklepu ze starzyzną otoczoną stołami, na których stały dziesiątki komputerów otoczone walającymi się puszkami po piwie, papierkami od cukierków, drukarkami, faksami, brudnymi talerzami, popielniczkami. Ale Jay schował już rewolwer za pasek i z ustami wykrzywionymi w gniewnym grymasie wklepywał coś z klawiatury, dlatego Ryan nic nie powiedział.

– Wiesz co? – rzucił Jay. – A może byś tak kupił dla nas bilety na samolot? Sprawdź, czy możesz zarezerwować lot gdzieś za granicę. Miejsce jest obojętne, byle w Trzecim Świecie. Pakistan. Ekwador. Tonga. Sprawdź, co się da załatwić.

– Jay... – chciał zaprotestować Ryan, ale posłusznie zasiadł do komputera.

– Nie przejmuj się – uspokoił go Jay. – Nic nam nie będzie. Musimy połączyć siły, ale na sto procent nic nam nie będzie.

18

Jechali starym pick-upem na pocztę w Crawford, w Nebrasce. Zdaniem George'a Orsona to miejsce świetnie się nadawało do przedłożenia ich podań o paszporty, z kolei Lucy nie bardzo rozumiała, dlaczego akurat tam, po co jechać aż trzy godziny, skoro z całą pewnością było mnóstwo zaśmierdłych urzędów pocztowych bliżej domu. Ale nie drążyła sprawy. W danym momencie miała już i tak za dużo na głowie.

Ulga, którą poczuła pod wpływem odkrycia stosów gotówki, już się rozpraszała i teraz coś jej znów trzepotało w żołądku. Naszło ją wspomnienie z parku rozrywki w Cedar Point, jeszcze w Ohio, z roller coastera o nazwie „Siła Milenium". Trzystustopowy spadek, siedzenie w miejscu, kiedy już cię przypięli, ciężkie postukiwanie łańcucha, kiedy wciągali cię powolutku na sam szczyt. To straszne oczekiwanie.

Robiła jednak wszystko, żeby wyglądać na spokojną. Siedziała przygaszona na siedzeniu pasażerskim starego pick-upa, obserwując, jak George Orson zmienia biegi, ubrana w ohydny, różowy T-shirt z nadrukiem przedstawiającym stadko motyli z uśmiechniętymi buziami. To George Orson go kupił, w przekonaniu, że takie właśnie ciuchy noszą piętnastolatki.

– Ta bluzka cię odmładza – stwierdził. – I o to chodzi.

– Ona robi ze mnie debila – odparła. – Może powinnam udawać niedorozwiniętą umysłowo? – I tu wywaliła język i chrząknęła gardłowo jak jaskiniowiec. – Bo ja sobie nie wyobrażam żadnej piętnastolatki, która włożyłaby taką szmatę, no chyba że taką, która chodzi do szkoły specjalnej.

– Lucy, Lucy – upomniał ją George Orson. – Wyglądasz, jak trzeba. Stosownie do roli, a tylko to się liczy. Jak już wyjedziemy z kraju, będziesz mogła nosić, co tylko zechcesz.

I Lucy już się dalej nie kłóciła. Przyjrzała się tylko ze smutkiem swojemu odbiciu w lustrze w sypialni: obca osoba, którą natychmiast znielubiła.

Szczególnie niepokoiły ją włosy. Nie dotarło do niej wcześniej, że jest taka przywiązana do swojego naturalnego koloru włosów – które były kasztanowate, poprzetykane rudawymi pasemkami – dopóki nie zobaczyła, jak wyglądają po ufarbowaniu.

George Orson tutaj się uparł – musi mieć włosy mniej więcej w tym samym kolorze co on, bo przecież są niby ojcem i córką – i wrócił z zakupów nie tylko z tą koszmarną, różową bluzką w motylki, ale także z torbą wypełnioną farbami do włosów.

– Kupiłem sześć różnych – oświadczył. Postawił torbę z zakupami na kuchennym stole i wyciągnął błyszczące pudełko z głową modelki. – Nie umiałem zdecydować, która jest właściwa.

Ostatecznie wybrali umbrowy brąz i zdaniem Lucy wyszło tak, jakby ktoś pomalował jej włosy pastą do butów.

– Musisz je umyć kilka razy – poradził George Orson. – Teraz wyglądają nieźle, ale zaczną wyglądać naturalnie dopiero po kilku dniach.

– Czaszka mnie boli – poskarżyła się Lucy. – Za kilka dni pewnie wyłysieję.

Wtedy George Orson objął ją ramieniem.

– Nie gadaj głupot – powiedział. – Wyglądasz rewelacyjnie.

– Mmm – odmruczała i przyjrzała się sobie uważnie w lustrze.

Nie wyglądała rewelacyjnie, na pewno nie. Ale być może wyglądała na piętnastolatkę.

Brooke Catherine Fremden. Nudna dziewczyna, która nie miała przyjaciół, prawdopodobnie patologicznie nieśmiała. Prawdopodobnie podobna do jej siostry, Patricii.

Patricia miewała napady lękowe. O nich właśnie rozmyślała Lucy w pick-upie podczas jazdy do Crawford, przez to, że serce tak jej nienormalnie wibrowało w piersi. U Patricii taki „napad" objawiał się na najdziwaczniejsze sposoby: drętwiały jej czoło i ręce, skarżyła się, że po włosach łażą jej robaki, czuła, że zaciska jej się gardło. Strasznie melodramatyczne, uważała wtedy Lucy, ani trochę nie współczując siostrze. Wciąż pamiętała tamten dzień, kiedy sama stała w drzwiach sypialni, jedząc ze zniecierpliwieniem grzankę, z torbą na książki zarzuconą na ramię, podczas gdy matka nakłaniała Patricię, żeby oddychała do torebki na lunch. „Ja się duszę!" – rzęziła Patricia głosem stłumionym przez papier pakowy. „Błagam, nie każ mi iść do szkoły!"

Dla Lucy wszystko to zakrawało na jedno wielkie udawanie, bo na miejscu Patricii też nie chciałaby iść do szkoły. To było w tym okresie, kiedy grupka szczególnie wrednych chłopaków z siódmej klasy z jakiegoś powodu uwzięła się na Patricię; opracowali całą serię komicznych scenek, w których główną rolę odgrywała właśnie Patricia jako „Miss Patty Śmierdzidupka", niby gospodyni dziecięcego programu z udziałem lalek mówiących jednakowo głupkowatymi głosami. Ogólnie był to przegląd wszelkich odmian chłopięcego poczucia humoru, durnego i wulgarnego: Patricia musiała koniecznie puszczać bąki, menstruować albo mieć karaluchy we włosach łonowych. Lucy zapamiętała, jak któregoś razu podczas lunchu w szkolnej stołówce trzech z tej grupy, Josh, Aaron i Elliot – zapamiętała nawet ich idiotyczne imiona – trzech brzydkich, chudych gówniarzy wykonywało swoją scenkę przy stole i dostali takiego napadu śmiechu, że aż im mleko pociekło z nosów.

Sama Lucy nic z tym wtedy nie zrobiła. Obserwowała wszystko ze stoickim spokojem, jakby oglądała jakiś szczególnie ponury program przyrodniczy w telewizji, w którym szakale zabijają małego hipopotamka.

Biedna Patricia! – pomyślała teraz i przyłożyła dłoń do gardła, które wydawało się lekko ściśnięte. Również twarz zrobiła się jakby drętwa i chyba swędziała.

Ale nie dostanę żadnego napadu lękowego, powiedziała sobie. Panowała nad swoim ciałem, za nic nie pozwalała mu wpaść w panikę. Położyła sobie dłonie na udach i zrobiła spokojny wdech, cały czas z uporem maniaka wpatrując się w schowek w desce rozdzielczej.

Wyobrażała sobie, że wszystkie pieniądze z sejfu są w tym schowku. I że ona i George Orson wcale nie jadą pick-upem. Jadą maserati, ale nie po piaszczystych wzgórzach Nebraski, które zresztą, na ile umiała się zorientować, właściwie wcale nie były pokryte piaskiem; to było jakby pagórkowate jezioro porośnięte rzadką, szarawą trawą i usiane kamieniami.

No więc siedzieli w maserati i jechali drogą, z której roztaczał się widok na ocean, śródziemnomorsko-niebieski ocean, po którym pływały żaglówki i jachty. Zamknęła powieki i zaczęła powoli napełniać płuca powietrzem.

A kiedy znów otworzyła oczy, czuła się lepiej, mimo że wciąż siedziała w pick-upie i była w Nebrasce, gdzie na tle horyzontu tłoczyły się dziwaczne formacje skalne. Jak oni nazywają takie coś? Mesa? Stoliwo? Wyglądały, jakby spadły z Marsa.

– George? – zagadnęła po jakiejś minucie zbierania się do zabrania głosu. – Właśnie sobie pomyślałam o maserati. Co my z nim zrobimy?

Nie odpowiedział. Milczał od niezwyczajnie długiego czasu i wtedy pomyślała, że to właśnie z tego wzięło się jej zdenerwowanie, z braku rozmowy, która wbrew wszystkiemu mogła ją podnieść na duchu. Pragnęła, żeby położył dłoń na jej nodze, tak jak dawniej miał w zwyczaju.

– George? – powtórzyła. – Żyjesz jeszcze? Odbierasz komunikaty?

Obrócił się i wreszcie na nią spojrzał.

– Musisz się pozbyć nawyku nazywania mnie „George'em" – odezwał się w końcu głosem bynajmniej nie tak uspokajającym, jak na to liczyła. W rzeczy samej brzmiał niemal lodowato, przez co przeżyła rozczarowanie.

– Domyślam się, że chcesz, żebym cię nazywała „tatą"?

– Właśnie – odparł George Orson. – Albo nawet „ojcem", gdybyś była taka miła.

– Oblecha – stwierdziła Lucy. – To jeszcze idiotyczniejsze niż nazywanie cię „tatą". Dlaczego nie mogę mówić do ciebie David czy jakoś tak?

I wtedy George Orson spojrzał na nią surowo, jakby naprawdę była rozwydrzoną piętnastolatką i nikim więcej.

– Ponieważ podobno jesteś moją córką – odparował. – A córka powinna okazywać szacunek. Ludzie zauważają, gdy dziecko zwraca się do rodzica po imieniu, zwłaszcza w tak konserwatywnym stanie jak Nebraska. A my nie chcemy, żeby ludzie zwracali na nas uwagę. Nie chcemy, żeby nas pamiętali, kiedy już stąd wyjedziemy. Czy to brzmi sensownie?

– Tak – powiedziała. Ułożyła sobie dłonie na kolanach i wydmuchnęła powietrze z płuc, bo znowu mocno biło jej serce. – Tak, tato – dodała. – To brzmi sensownie. Mam jednak szczerą nadzieję, tato, że nie będziesz przemawiał do mnie tak protekcjonalnie aż do samej Afryki.

Znowu na nią zerknął i w jego oczach pojawił się ostry błysk, cień furii. Wzdrygnęła się wewnętrznie. Nigdy wcześniej nie widziała go naprawdę złym i teraz zrozumiała, że woli go takim nie oglądać. Nie byłby specjalnie miłym ojcem, zrozumiała. Nawet nie wiedziała dlaczego, ale nagle tak ją oświeciło. Byłby zimny, wymagający i niecierpliwy wobec dzieci, gdyby je kiedykolwiek miał.

Wszystko to przyszło jej do głowy właśnie teraz, mimo że twarz mu złagodniała niemal natychmiast.

– Posłuchaj – powiedział. – Jestem tym wszystkim odrobinę zdenerwowany, kochanie. Cała ta nasza impreza zrobiła się teraz dość skomplikowana. Zapamiętaj sobie, że musisz reagować na imię „Brooke" i że nigdy, pod żadnym pozorem, nie wolno ci nazywać mnie George. To bardzo ważne. Wiem, że trudno się będzie przyzwyczaić, ale to tylko na jakiś czas.

– Rozumiem – przytaknęła, znowu gapiąc się na schowek. Za oknem widziała skalną formację, która przypominała wulkan albo gigantyczny lejek.

– Widzisz to coś przed nami? – spytał George Orson. Spytał David Fremden. – To tak zwana Kominowa Skała. Skarb naszej rodzimej przyrody.

– Rozumiem – odparła Brooke.

Dziwaczne uczucie: znowu stać się córką. Czy choćby tylko udawać córkę. Minęło dużo czasu, odkąd po raz ostatni myślała o swoim prawdziwym ojcu, przez wiele, wiele miesięcy mężnie tłamsiła te wspomnienia, stawiając ściany i ekrany, odpychając te myśli, kiedy próbowały dokonywać inwazji na jej codzienną świadomość.

Kiedy jednak wypowiedziała słowo „tato", zrobiło się jeszcze trudniej. W wyobrażeniach jej ojciec sprawiał wrażenie dżina, jakby coś go zamknęło w butelce, dżina z krągłą twarzą, łagodną i szczerą, z otłuszczonymi ramionami i łysiną. Nigdy w życiu nie dał do zrozumienia, że się nią rozczarował z jakiegoś powodu, i mimo że nie wierzyła w duchy, w żadne tam życie po życiu, mimo że nie wierzyła, tak jak Patricia, że ich zmarli rodzice krążą nad nimi jako aniołowie...

A jednak coś ją zakłuło, kiedy nazwała George'a Orsona „tatą". Drobny wyrzut sumienia, jakby jej ojciec mógł się dowiedzieć, że go zdradziła, i teraz po raz pierwszy od swojej śmierci, jakby się nad nią pochylał, odczuwalnie, nie zły, tylko po prostu jakoś zraniony, i dlatego zrobiło jej się głupio.

A więc chyba naprawdę go kochała.

Wiedziała o tym, ale zwykle nie dopuszczała do siebie takich myśli i dlatego to ją tak zdumiało.

W domu był postacią z dalszego planu, która raczej nie wtrącała się do spraw związanych z wychowaniem córek, ale Lucy wierzyła, że usposobieniem bardziej pasował do niej niż do matki. Też był introwertykiem, obdarzonym takim samym cynicznym poczuciem humoru, i Lucy przypomniała sobie ich wspólne wyprawy do kina na horrory, potajemne, bo matka by tego zakazała. Z Patricią nie chodził, bo jej śniły się koszmary po zobaczeniu halloweenowej maski czy byle plakatu filmowego, nie mówiąc już o samym filmie.

Za to Lucy ani trochę się nie bała. Zresztą oboje chodzili na takie filmy nie po to, żeby przeżyć dreszcz strachu. Oglądanie horrorów dziwacznie ich relaksowało, bo to był dla nich akompaniament do tego, co czuli wobec świata. Rozumieli się i Lucy nigdy się nie bała, w każdym razie nie tak na poważnie. Od czasu do czasu, kiedy skądś tam wyskakiwał potwór albo morderca, kładła dłoń na ręce ojca, przysuwała się do niego bliżej i wymieniali spojrzenia. Uśmiechy.

Rozumieli się.

Wszystko to naszło ją teraz, kiedy tak jechali bez słowa, ona i George Orson; przycisnęła policzek do szyby, przyglądając się chmarze ptaków, które poderwały się z pola i pofrunęły w górę, jak smuga dymu. Jej myśli nie były sprecyzowane, ale czuła, że poruszają się prędko, że się nawarstwiają.

– O czym tak myślisz? – spytał George Orson i kiedy to powiedział, jej myśli rozproszyły się, porozbijały na cząsteczki wspomnień, w taki sam sposób, w jaki ptaki odłączają się od stada i stają indywidualnymi ptakami. – Wyglądasz na poważnie zamyśloną – dodał George Orson.

Dodał tato.

Wzruszyła ramionami.

– Nie wiem – odparła. – Chyba się boję.

– Ach tak – powiedział. Przeniósł wzrok z powrotem na drogę, lekko dotknąwszy palcem noska w okularach słonecznych. – To całkowicie naturalne.

Wyciągnął rękę i poklepał ją po udzie, a ona zaakceptowała ten drobny gest, mimo że nie była pewna, do kogo należy ta ręka: do George'a Orsona czy do Davida Fremdena.

– Z początku to jest trudne – podjął. – Moment zamiany ról. Swoisty wybój, który trzeba pokonać. Człowiek się przyzwyczaja do jednego trybu życia, do jednej persony, i dlatego może dojść do dysonansu poznawczego podczas dokonywania przejścia. Doskonale wiem, o czym mówisz. – Przesunął dłonią po obwodzie kierownicy, jakby ją kształtował, lepił z gliny. – Ten strach! – mówił dalej. – Ja też go czułem. Mnóstwo razy! I musisz też wiedzieć, że szczególnie trudny jest ten pierwszy raz, bo przecież tyle zainwestowałaś w tamtą ideę samej siebie. Dorastałaś z tym wyobrażeniem, wydaje ci się, że istnieje jakaś „prawdziwa ty", no i dorobiłaś się też jakichś długotrwałych więzi, znasz pewnych ludzi, chcąc nie chcąc, zaczynasz o nich myśleć, bo przecież musisz ich porzucić...

Westchnął i nawet trochę posmutniał, może pomyślał o swojej zmarłej matce, o bracie, który się utopił, albo może o jakimś rodzinnym wypadzie na pontonie przed wielu laty, kiedy jezioro wciąż jeszcze było pełne wody.

Albo nie.

Znienacka to się wydało oczywiste.

Co George Orson jej powiedział? „Byłem mnóstwem ludzi. Dziesiątkami ludzi".

Przyszło jej na myśl, że już od długiego czasu przebywa w alternatywnym wszechświecie, że dryfuje śladem George'a Orsona, jak w transie. A potem nagle, kiedy tak jechali w stronę odległej poczty, poczuła, że się budzi. Coś zatrzepotało, coś się podniosło i potem jej myśli zaczęły wskakiwać na właściwe miejsca.

On nie miał brata, pomyślała.

Wcale się nie wychował tutaj, w Nebrasce. Nigdy nie studiował na Yale; nic z tego, co jej naopowiadał, nie było prawdą.

– Boże – powiedziała i potrząsnęła głową. – Jaka ja jestem głupia.

A on zerknął na nią, opiekuńczo i tkliwie.

– Ależ nie – odparł. – Wcale nie jesteś głupia, skarbie. O co chodzi?

– Właśnie coś zrozumiałam – odparła Lucy i spojrzała na jego dłoń, która wciąż spoczywała na jej udzie. Na tę dłoń, którą rozpoznałaby wszędzie, dłoń, którą tyle razy trzymała, dłoń, którą przykładała do ust, dłoń, po wnętrzu której wodziła palcami.

– Ty się wcale nie nazywasz George Orson, prawda? – spytała i...

Znieruchomiał. Wciąż prowadził. Wciąż miał na nosie okulary słoneczne, w których odbijała się droga i pofałdowany horyzont, wciąż był tym samym człowiekiem, którego znała.

– George Orson. To nie jest twoje prawdziwe nazwisko – powiedziała.

– Nie – potwierdził.

Zrobił to delikatnym tonem, jakby przekazywał jej złe wieści, i przypomniał jej się tamten dzień, kiedy zginęli rodzice, ostrożne interwały, jakimi policjanci przekazywali wiadomość. „Doszło do strasznego wypadku. Rodzice odnieśli poważne obrażenia. Pogotowie przyjechało natychmiast. Nie byli w stanie nic zrobić".

Przytaknęła, a potem ona i George Orson spojrzeli na siebie. Panowało między nimi zakłopotanie, milczące i czułe. Czy to nie wyszło na jaw już poprzedniego dnia, kiedy pokazał jej wyciąg z konta w banku z Wybrzeża Kości Słoniowej, kiedy jej pokazał ich fałszywe świadectwa urodzenia? Czy już wtedy nie stało się to oczywiste?

Powinno było, domyślała się, ale zaczęło do niej docierać dopiero teraz.

Omiotła wzrokiem przód różowego T-shirta, swoje piersi rozpłaszczone pod sportowym biustonoszem.

– Wcale nie dorastałeś w tym domu, prawda? – podjęła głosem też jakby rozpłaszczonym. – Latarnia morska. Wszystkie twoje opowieści. Ten obraz na sejfie. To wcale nie była twoja babcia.

– Hmm – mruknął i oderwał dłoń od jej uda, by wykonać jakiś mało czytelny gest, zatrzepotać przepraszająco palcami. – To skomplikowane – powiedział ze smutkiem. –Tak to się zawsze kończy – stwierdził. – Wszyscy tak się czepiają tego, co prawdziwe i nieprawdziwe.

– Ano – zgodziła się Lucy. – Pod tym względem ludzie są zabawni.

A jednak George Orson tylko pokręcił głową, jakby ona go nie zrozumiała.

– Może to zabrzmi niewiarygodnie – odparł – ale prawda jest taka, że część mnie naprawdę się tutaj wychowała. Musisz wiedzieć, że nie istnieje tylko jedna wersja przeszłości. Teraz może wygląda to wariacko, ale wierzę, że z czasem, kiedy będziemy to robili nieco dłużej, sama zrozumiesz. Każdy z nas może być tym, kim zechce. Zdajesz sobie z tego sprawę? – I po chwili dodał: – I tylko do tego się to sprowadza. Uwielbiałem być George'em Orsonem. Włożyłem w to mnóstwo namysłu i energii, to wcale nie było sztuczne. Nie próbowałem cię oszukać. Zrobiłem to, bo tak mi się podobało. Bo to mnie uszczęśliwiało.

Lucy zrobiła krótki, niepewny wydech. W głowie miała już całą hordę myśli.

– Skąd ten pomysł, żeby zostać nauczycielem w liceum? – spytała w końcu. To była jedyna rzecz, jaka przyszła jej wyraźnie do głowy, jedyna myśl, jaką udało jej się wyartykułować. – W tym to już chyba nie ma nic zabawnego.

– No jakże! – zaprotestował George Orson i uśmiechnął się do niej promiennie, jakby to było absolutnie najwłaściwsze pytanie, jakby wrócili do sali lekcyjnej i omawiali właśnie różnicę między egzystencjalizmem a nihilizmem, jakby Lucy, jego ulubiona uczennica, podniosła rękę i on z radością reagował na jej dociekliwość. – To było jedno z moich największych życiowych dokonań – oznajmił. – Tamten rok w Pompey. Zawsze chciałem być nauczycielem, już od dziecka. I było wspaniale. Fantastyczne doświadczenie.

Potrząsnął głową, jakby do teraz trwał w oczarowaniu. Jakby liceum było jakąś egzotyczną krainą.

– No i jeszcze poznałem ciebie – dodał. – Poznałem ciebie i zakochaliśmy się w sobie, nie jest tak? Skarbie, czy ty nic nie rozumiesz? Jesteś jedyną osobą na świecie, z którą mogę rozmawiać. Jesteś jedyną osobą na całym świecie, która mnie kocha.

Zakochali się w sobie? Przypuszczała, że rzeczywiście tak było, ale teraz to brzmiało niesamowicie dziwnie, bo przecież się okazało, że „George Orson" wcale nie jest prawdziwą osobą.

Aż jej się zakręciło w głowie od myślenia o tym i jeszcze poczuła mdłości. Jeśli się odjęło wszystkie te elementy, które tworzyły George'a Orsona – motel z dzieciństwa i studia w Yale, zabawne anegdoty, subtelnie ironiczny styl nauczania i czułą troskę, jaką darzył Lucy jako swoją uczennicę – jeśli to wszystko było tylko wymysłem, to w takim razie co zostawało? Prawdopodobnie istniał ktoś pod przebraniem George'a Orsona, jakaś

248

osobowość, para oczu wyzierających na zewnątrz: dusza – bo przypuszczała, że tak pewnie dawało się to nazwać, mimo że wciąż nie znała prawdziwego imienia tej duszy.

Do kogo żywiła uczucia – do George'a Orsona czy do osoby, która go stworzyła? Z którą z tych osób uprawiała seks?

To przypominało jedną z gier słownych, które George Orson tak bardzo lubił proponować uczniom – „Dziwne pętle", tak je nazywał. „Umiar we wszystkim, wszystko w umiarze", powiedział. „Czy odpowiedź na to pytanie brzmi «nie»? Nigdy nie mówię prawdy".

Potrafiła przywołać w wyobraźni szeroki uśmiech, z jakim to mówił. To było, jeszcze zanim w ogóle przyszło jej do głowy, że może zostanie jego dziewczyną, jeszcze zanim mogła sobie wyobrazić, że będzie jechała na jakąś pocztę w Nebrasce z fałszywym świadectwem urodzenia i rezerwacjami na podróż do Afryki. To całe „Nigdy nie mówię prawdy", które powiedział swoim uczniom, stanowiło wersję słynnego paradoksu Epimenidesa; później objaśnił, na czym on polega, i Lucy go sobie zapisała, myśląc, że to się może pojawić na jakimś teście, że może jej się przyda do zdobycia dodatkowych punktów.

Dojechali już prawie do przedmieść Crawford i George Orson – David Fremden – zatrzymał się, żeby zajrzeć do mapy, którą wydrukował z Internetu.

Zaparkowali przed jakimś zabytkowym drogowskazem i George Orson, kiedy już skończył oglądać wydruki, siedział przez chwilę bez słowa, z zainteresowaniem przyglądając się metalowej tabliczce umocowanej do słupa.

Miasto Crawford, nazwane tak ku czci kapitana Emmeta Crawforda, dowódcy Fortu Robinson, jest położone w dolinie rzeki White, w okręgu Pine Ridge, i zaspokaja potrzeby całej okolicy z ogromną liczbą farm trudniących się hodowlą bydła i rolnic-

twem. W XIX wieku przebiegały tędy ważne szlaki handlowe: Szlak Futrzany z Fort Laramie do Fort Pierre w 1840 roku oraz Szlak Sidney–Czarne Góry funkcjonujący podczas gorączki złota w latach 70. W Crawford przebywało z wizytą bądź mieszkało na stałe wiele znanych postaci historycznych, m.in.: wódz Siuksów Czerwona Chmura; David (Doktorek) Middleton, były „desperado"; John Wallace Crawford, poeta-skaut; Calamity Jane, kobieta-rewolwerowiec; Baptiste (Nietoperz) Garnier, zwiadowca wojskowy zastrzelony w saloonie; Walter Reed, chirurg wojskowy, który wygrał z żółtą febrą, oraz prezydent Theodore Roosevelt.

Smętne dziełko, pomyślała Lucy.

Czy raczej to jej wydawało się smętne na tych rozdrożach jej życia. Co George Orson powiedział kiedyś jej klasie? „Ludzie lubią widzieć siebie w jakimś kontekście". „Lubią poczuć, że są związani z możnymi tego świata choćby w skromnym wymiarze". I przypomniała sobie, jak przekrzywił wtedy głowę, jakby chciał dodać: Czy to nie żałosne?

„Ludzie lubią myśleć, że to, co robią, naprawdę ma znaczenie", powiedział też marzycielskim tonem, z zadumą, omiatając wzrokiem ich twarze, i przypomniała sobie, że jego wzrok zatrzymał się szczególnie długo na niej, a wtedy wyprostowała się, bo trochę jej to pochlebiło, a trochę zawstydziło. Spojrzała mu w oczy i przytaknęła.

W trakcie tych rozmyślań przyłożyła dłoń do gardła, które wciąż wydawało się ściśnięte, dotknięte atakiem paniki.

Ludzie lubią myśleć, że to, co robią, naprawdę ma znaczenie.

Uprzytomniła sobie, że przecież jej dowody tożsamości – świadectwo urodzenia Lucy Lattimore, karta ubezpieczenia i tak dalej – wciąż są w Pompey, w Ohio, wciąż w plastikowej torbie, w górnej szufladzie komody jej matki, razem z atramentowymi odciskami stópek maleńkiej Lucy, z historią jej szczepień i innymi papierami, które matka uważała za ważne.

Nie przeszło jej nawet przez myśl, żeby zabrać ze sobą wszystkie te rzeczy, kiedy razem z George'em Orsonem wyjeżdżali z miasta, a teraz dotarło do niej, że prawdopodobnie ma więcej dokumentów wydanych na nazwisko Brooke Fremden niż tych związanych z jej prawdziwym „ja".

Co się teraz stanie z Lucy Lattimore? Jeśli przestanie się pojawiać w aktach urzędowych, jeśli nie podejmie żadnej pracy, nie złoży podania o prawo jazdy, nie będzie płaciła podatków, nie wyjdzie za mąż i nie urodzi dzieci, jeśli nigdy nie umrze, to czy będzie wciąż istniała za dwieście lat od tego dnia, jako dryfujący, nierozwiązany problem w banku danych komputera jakiegoś urzędu od martwego prawa? Czy raczej w którymś momencie postanowią ją wykreślić z oficjalnych wykazów?

A co by było, gdyby do kogoś zadzwoniła? Co by było, gdyby udało jej się porozmawiać z rodzicami, ten jeden ostatni raz, i powiedzieć im, że jest samotna, bez grosza przy duszy, i że lada dzień poleci do Afryki pod przybranym nazwiskiem? Jakiej rady by jej udzielili? I o co w ogóle miałaby spytać?

„Mamo, zastanawiam się, czy nie przestać istnieć, i dzwonię tylko po to, żeby spytać, co ty na to".

Ta myśl niemal doprowadziła ją do śmiechu, a David Fremden spojrzał na nią, jakby zauważył jakiś ruch. Opiekuńczo i tatusiowato.

– No dobrze – powiedział. – Chyba powinniśmy już ruszać.

19

Jay Kozelek stał na krawężniku przed lotniskiem Denver International, kiedy czarny lexus przejechał płynnie obok niego i zatrzymał się kawałek dalej. Przyglądał się, jak przyciemniana szyba po stronie pasażera zsuwa się z cichym, pneumatycznym sykiem, i z wnętrza wozu wyjrzał szczupły, szykowny facet o blond włosach. Młody, na oko jakieś dwadzieścia cztery, dwadzieścia pięć lat. Raczej chłopczyk z dobrego domu.

– Pan Kozelek, domyślam się? – zagadnął, ale Jay tylko sterczał w miejscu, mrugając.

Nie wiedział, czego się właściwie spodziewał, ale z pewnością nie tego – gogusia w designerskich okularach z rogowymi oprawkami, ubranego w schludną, sportową kurtkę, sweter z golfem, z zębami jak u gwiazdy filmowej. A tu przed nim taki Jay, ze starym plecakiem autostopowicza, w katanie z wyprzedaży wojskowej i spodniach od dresu, z kłakami związanymi gumką. Który od dawna się nie mył.

– Umm – wymruczał i gość uśmiechnął się szeroko, zadowolony z siebie, jakby udało mu się wyciąć niezły numer. Zresztą rzeczywiście chyba tak było, stwierdził Jay, i dlatego na wszelki wypadek się uśmiechnął, jak baran, bo jakby trochę puściły mu nerwy.

– Heja, Mike – powiedział bardzo spokojnie. – To gdzie teraz? Na twój jacht?

Mike Hayden zmierzył go wzrokiem. Zero reakcji.

– Wsiadaj – rzucił w końcu, w tylnych drzwiach samochodu rozległ się szczęk uwalnianej blokady zamka i Jay ociągał się jeszcze przez sekundę, zanim wsunął się na tylne siedzenie, wciągając za sobą szmatławy plecak.

Jakaś pułapka czy co?

Wóz był nowiusieńki, bo miał ten skórzano-słodki, chemiczny zapach, i jeszcze nieskazitelnie czysty. Jay umościł kolana, a wtedy Mike Hayden obrócił się w jego stronę i podał mu rękę.

– Miło mi – powiedział.

– Wzajemnie – odparł Jay i uścisnął dłoń Mike'a Haydena, która była chłodna i sucha. Wszystko wskazywało na to, że nie otrzyma zaproszenia, żeby się przesiąść na przód, bo tam leżała sterta papierów, zmięta torba po jakimś fast foodzie, zamknięty laptop i kilka komórek – aż pięć – tkwiło w tych śmieciach jak jaja w gnieździe.

Spojrzeli sobie w oczy i mimo że Jay nie zrozumiał, co się kryło za przeciągłym spojrzeniem Mike'a Haydena, to jednak wychwycił oczekiwanie i ostatecznie opadł na siedzenie, jakby udzielono mu ostrzeżenia.

– Wspaniale poznać cię wreszcie osobiście, Jay – powiedział Mike Hayden. – Bardzo się cieszę, że zdecydowałeś się przylecieć.

– Ano – odparł Jay i naraz wbiło go w siedzenie, bo samochód oderwał się gładko od krawężnika, od razu rozpędzony to się wciskał między inne pojazdy torujące sobie drogę do wyjazdu z lotniska, to je zręcznie omijał, a potem już wjechali na międzystanową i zaciążyły nad nimi deszczowe chmury na bezkresie nieba.

Jay i Mike Hayden poznali się w czatroomie, w jednej z tych ukrytych, prywatnych przestrzeni, gdzie gromadzili się hakerzy i trolle. Od razu się zakumplowali.

To było w czasach, kiedy Jay jeszcze mieszkał w domu w Atlancie, razem z bandą maniaków komputerowych, którzy uważali siebie za rewolucjonistów. „Zrzeszenie" – taką wymyślili sobie nazwę, choć Jay usiłował im przetłumaczyć, że tak się nazywała jedna beznadziejna kapela z lat sześćdziesiątych. „No przecież znacie te debilne kawałki, jak *Windy* albo *Miłować*". I zaśpiewał ze dwie linijki, ale oni tylko gapili się na niego z powątpiewaniem.

I dlatego zaczęło do niego docierać, że jest trochę za stary, żeby z nimi mieszkać. Miewali dobre pomysły w kwestii robienia pieniędzy, ale byli jeszcze gówniarzami, którzy zachowywali się po szczeniacku i ciągle się wślepiali w badziewne horrory albo kłócili na temat popkulturowych bredni, muzyki pop, telewizji, komiksów, różnych stron internetowych i memów, wszystkiego, co ich akurat rajcowało. Za dużo ćpali i byli zbyt leniwi, żeby coś zrobić raz a dobrze, ale z Jayem było inaczej. Miał trzydziechę na karku! Gdzieś tam żyło jego dziecko, piętnastoletni syn. Ryan. I nieważne, że to dziecko nie wiedziało, że on jest jego tatą. Najwyższy czas wziąć się do jakiegoś bardziej poważnego biznesu, stwierdził Jay.

– Wiem, do czego pijesz – powiedział Mike Hayden, kiedy pisali do siebie w czatroomie. – Mnie też interesuje poważny biznes.

W owym czasie Jay jeszcze nie wiedział, że ten facet nazywa się Mike Hayden. Występował pod nickiem „Breez" i był dobrze znany w niektórych kręgach internetowej społeczności. Wszyscy hakerzy w domu Jaya bili przed nim pokłony. Mówiło się, że był osobiście odpowiedzialny za jeden potężny, ogólnokrajowy blackout, że udało mu się wyłączyć linie zasilania na północnym wschodzie i środkowym zachodzie; podobno też ukradł miliony dolarów kilku większym instytucjom bankowym i wyreżyserował skazanie jakiegoś wykładowcy z Yale za handel pedofilskimi fotkami.

– Ja bym tam nie zadzierał z tym gościem na twoim miejscu – powiedział Dylan, jeden ze współlokatorów Jaya, tęgawy, brodaty dwudziestojednolatek z Kolorado, z gębą jak bulwa. – Ten gostek jest jak Terminator, człowieku – stwierdził szczerze Dylan. – Rozpierdzieli ci życie dla samego ubawu.

– Hmm – mruknął Jay. Dziwne, że to mówi akurat Dylan, pomyślał, bo on i jego kumple spędzali sporo czasu na robieniu chamskich, durnych dowcipów w Internecie – wrzucili zoofilne filmiki na stronę jakiejś damulki, którą ta poświęciła swemu ukochanemu psu rasy bichon frise i zatytułowała „Świat cudownego kudłaczka"; przesyłali wyjątkowo wyraziste zdjęcia z wypadków samochodowych na fora dyskusyjne przeznaczone dla dzieci; sterroryzowali jakąś biedną dziewuchę za to, że zrobiła stronę upamiętniającą zmarłą gwiazdę popu, którą gardzili, w ten sposób, że wysyłali pizzę do jej domu, całymi setkami, i sprawili, że odłączono jej prąd; włamali się na stronę Narodowej Fundacji Walki z Epilepsją i zamieścili na niej jakby strobującą animację, która ich zdaniem mogła wywoływać ataki u epileptyków. Siedzieli potem przy komputerze, naśladując konwulsje i rechocząc jak opętani, podczas gdy Jay stał z boku i obserwował ich z dezaprobatą. Naprawdę męczące, powiedział Breezowi.

– „Męczące" – powtórzył Breez. – Łagodnie powiedziane.

Było około trzeciej w nocy; Jay i Breez czatowali sobie towarzysko już od kilku godzin. Miła odmiana, pomyślał Jay, jak człowiek może sobie pogadać z kimś w swoim wieku, choć zarazem czuł się też onieśmielony. Breez pisał całymi zdaniami, stosował akapity, a nie tylko lite bloki tekstu, nigdy nie robił byków ortograficznych, nie używał skrótów ani slangu.

– Bo mnie te wszystkie małe trolle naprawdę trochę już zmęczyły – powiedział Breez. – Te wszystkie głupie numery i szkolne poczucie humoru. Powoli zaczynam uważać, że powinien istnieć jakiś program eugeniczny dla użytkowników Internetu. Zgadzasz się ze mną?

Jay nie bardzo wiedział, co znaczy „eugenika", więc chwilę zwlekał z odpowiedzią. A potem wystukał:

– Pewnie. Cały za.

– Miło spotkać kogoś obdarzonego zdrowym rozsądkiem – odstukał Breez. – Większość ludzi po prostu nie potrafi spojrzeć prawdzie w oczy. Wiesz, o czym mówię. Czy im się naprawdę wydaje, że możemy żyć tak dalej, w tym zalewie bełkotu, jakbyśmy wcale nie stali na skraju katastrofy? Oni tego nie widzą? Czapy lodowe na Arktyce topnieją. Mamy martwe strefy w oceanach, które rozrastają się w astronomicznym tempie. Pszczoły i żaby wymierają, wysychają źródła czystej wody. Globalny system żywnościowy zmierza ku zapaści. Jesteśmy jak te króliki Fibonacciego, nie jest tak? Jeszcze jedno pokolenie, jeszcze dziesięć, piętnaście lat i dotrzemy do punktu zwrotnego. Podstawowe matryce prognoz demograficznych. Racja?

– Racja – odparł Jay i przez chwilę wpatrywał się w kursor migoczący rytmicznie jak mikroskopijne serce.

– Wyznam ci coś w tajemnicy, Jay – napisał Breez. – Wierzę w ruinotwórczy styl życia. Od którego bardzo niedaleko do czystej anarchii. Już niedługo będziemy musieli dokonywać różnych trudnych wyborów. Jest nas zbyt wielu i obawiam się, że nie minie dużo czasu, jak trzeba będzie postawić pytanie: jak prędko da się wyeliminować trzy albo cztery z sześciu miliardów mieszkańców Ziemi? I czy będziemy się ich pozbywać w możliwie najbardziej sprawiedliwy i przyzwoity sposób? Oto kwestia, którą ludzkość powinna rozważyć już teraz.

Jay się zastanawiał. Ruinotwórczy styl życia?

– Z pewnością stado zasłużyło sobie, by niektóre jego części uległy przerzedzeniu, tyle tylko chcę powiedzieć – dodał Breez. – Czy jest jeszcze na Ziemi miejsce dla takich ludzi jak twoi obrzydliwi współlokatorzy, specjaliści od dłubania w nosie? Czy świat nie miałby się lepiej bez ludzi tego pokroju, którzy zostają specami od inwestycji bankowych? Znasz niższą formę życia? Ci ludzie rzekomo są inteligentni i utalentowani. Studiują na Princeton, Harvardzie albo Yale, a potem zostają specjalistami od inwestycji bankowych. Umiesz wymyślić bardziej odrażające marnotrawstwo?

I Jay nic nie powiedział. Gość robił sobie jaja? Był świrem? A jednak był pod wrażeniem tego wszystkiego, o czym mówił mu Dylan. „Ten gostek jest jak Terminator", powiedział. „Ukradł pewnie miliony pierdolonych dolarów..." I Jay czuł, że te myśli powoli się przekrzywiają i z wolna wprawiają w ruch diabelski młyn w jego głowie. Był porządnie nawalony.

I naprawdę, chcąc nie chcąc, się zastanawiał – niby taki sobie facecik... wiedział coś, czego on, Jay, nie wiedział? Czy tylko zwyczajnie był bardziej bystry, podczas gdy większość reszty świata tylko płynęła z prądem, nie zastanawiając się nad niczym, nie wyciągając logicznych wniosków?

Ruinotwórczy styl życia.

– Nie bardzo wiem, co powiedzieć – odpisał wreszcie Jay. – Jest kupa rzeczy, o których nie myślałem zbyt głęboko, tak po prawdzie. – Spauzował. – Coś mi się zdaje, że z ciebie większy bystrzak ode mnie – dodał.

To było włażenie w dupę, bez wątpienia, ale zżerała go ciekawość. Co ten facet miał jeszcze oprócz gadanego?

– A może zadzwonisz do mnie na komórkę? – wystukał Breez. – Cierpię na potworną bezsenność. Miewam koszmary. Lubię posłuchać ludzkiego głosu raz na jakiś czas.

I tak zostali przyjaciółmi.

Tak oto się dowiedział, że sławny „Breez" naprawdę nazywa się Mike Hayden, że jest zwyczajnym człowiekiem, który dorastał na przedmieściach Cleveland i – niezależnie od tego, co osiągnął, jaki był bogaty i wredny – wciąż czuł się samotny. Szukał kogoś, komu może zaufać, twierdził.

– Co nie jest łatwe w naszym biznesie – powiedział.

– Bez wątpienia – odparł Jay i zaśmiał się melancholijnie. On i jego współlokatorzy mieszkali w bungalowie w dzielnicy

Westview, w południowo-zachodniej Atlancie, i musiał przyznać, powiedział, że już myśli o tym, żeby robić coś innego. Bo teraz to przeważnie zabawiali się po amatorsku, wyznał – wysiadywali na parkingach przed BJ's Wholesale Club, Macy's albo Office Max, szukając dziur w bezprzewodowych sieciach tych sklepów, zbierając numery kart kredytowych i debetowych wprowadzanych do rejestrów. Jakoś zmierzało to donikąd.

– W zasadzie to nie taki zły pomysł – stwierdził Mike Hayden. – Znam jednego faceta z Łotwy, z komputerem, w którym dałoby się przechowywać dane, a on z kolei zna faceta z Chin, który umie wdrukować numery do czystych kart. Ludzie robią takie rzeczy. Można mieć z tego niezłe plony, jeśli działasz mądrze i agresywnie.

– No pewno – zgodził się Jay. – Mądrze i agresywnie to nie jest nazwa tej gry, którą się tu uprawia. Moim zdaniem ci smarkacze nie mają pojęcia, co robią.

I tu Mike Hayden się zamyślił.

– Hmm... – mruknął po chwili.

– Ano tak – odparł Jay.

– No więc co z tym zrobisz? – spytał Mike Hayden. – Będziesz tak tam siedział?

– Nie wiem – przyznał Jay.

– Gdybym miał dostęp do tych wszystkich numerów, które pozbieraliście – powiedział Mike – to naprawdę mógłbym coś z nimi zrobić. Tyle tylko ci powiem. Moglibyśmy działać do spółki.

– Hmm – mruknął znowu Jay. W domu było ciemno, ale za jednymi drzwiami widział Dylana, z twarzą rozjaśnioną światłem padającym od komputera; palce chłopaka biegały po klawiaturze i Jay zniżył głos, przykładając dłoń do mikrofonu komórki, przez którą rozmawiał z Mikiem.

– Muszę powiedzieć ci prawdę. Jestem w innej sytuacji niż ci faceci. Muszę zacząć myśleć o przyszłości, chyba rozumiesz, co mam na myśli. Mam trzydzieści lat. Gdzieś tam żyje moje dziecko, syn, piętnastolatek, uwierzyłbyś? Powiem prosto z mostu: już nie jestem w tym wieku, żeby coś sobie roić.

Po tym wyznaniu Mike Hayden znowu chwilę milczał.

– No popatrz, Jay – odezwał się w końcu. – Nie wiedziałem, że masz dziecko! Niesamowite.

– Ehe – zgodził się Jay i poruszył niespokojnie. – Mam syna. Ale sprawa jest skomplikowana. W pewnym sensie oddałem do adopcji. Siostrze. On nie wie, że ja. Że ja jestem jego ojcem.

– Bomba – stwierdził Mike Hayden. – Mocna rzecz.

– Ma na imię Ryan – dodał Jay i jakoś tak zrobiło mu się miło, że wreszcie komuś się przyznał; poczuł, że w jego wnętrzu rozlewa się ciepła, ojcowska aura. – Jest nastolatkiem. Uwierzyłbyś? Sam ledwie w to wierzę.

– Kapitalnie – rzucił Mike Hayden. – To pewnie fantastyczne uczucie mieć prawdziwego syna!

– Chyba tak – zgodził się Jay. – Nie żeby on wiedział czy coś. Chodzi o to, że to taki okropny sekret między mną a moją siostrą. Do mnie to prawie w ogóle nie dociera, tak szczerze. To jest jak jakiś alternatywny wszechświat czy coś w ten deseń.

– Hmm – wymruczał Mike Hayden. – Wiesz co, Jay? Podoba mi się sposób twojego myślenia. Chętnie bym się z tobą spotkał. Chcesz, żebym ci kupił bilet na samolot?

Jay nic nie powiedział. Z dużego pokoju dochodził go rechot współlokatorów rozbawionych jakimś nowym kawałem, który ostatnio zrobili, sztuczką z przerobionymi zdjęciami jakiejś celebrytki. Od tygodni nie zarobili ani grosza.

W tym samym czasie Mike Hayden wciąż mówił o Ryanie.

– Jezu, jak ja bym chciał mieć syna! Byłbym taki szczęśliwy. Z całej rodziny został mi tylko brat bliźniak, ale ostatnio bardzo mnie rozczarowuje.

– To nieładnie – odparł Jay i odruchowo wzruszył ramionami, ale na szczęście przypomniał sobie, że Mike Hayden nie zobaczy tego gestu przez telefon. – Pewnie nad takimi więziami trzeba pracować, racja? Nie da się brać niczego na wiarę.

– Trafiłeś w samo sedno – uznał Mike Hayden.

A teraz Jay był tutaj. Minął tydzień i razem z Mikiem Haydenem jechali na wschód od Denver, on i Breez, on i Terminator, podróżowali przez Kolorado i Jay zasadniczo był gotów zdradzić swoich byłych współlokatorów.

Nie czuł się z tym źle. Naprawdę byli dupkami, uważał, ale też, chcąc nie chcąc, był zdenerwowany, kiedy nad Międzystanową 76 niebo pociemniało i przejeżdżali przez gęste pióropusze pary, które unosiły się znad cukrowni tuż za Fort Morgan, a z pola wzbiło się ku niebu stado wilgowronów, długą, strumieniową formacją. Tak to wszystko wyglądało, jakby cały świat spiskował, żeby sprawiać wrażenie złowieszczego.

Pochylił się, podniósł swój plecak i przesunął odrobinę w prawo. Jakoś tak głupio siedziało się z tyłu, jakby Mike Hayden był taksówkarzem albo szoferem, choć sam Mike zachowywał się swobodnie w tej sytuacji.

– No to jak się miewa twój syn? – spytał, a kiedy Jay podniósł wzrok, zobaczył oczy Mike'a we wstecznym lusterku.

Wzruszył ramionami.

– Dobrze. Tak mi się wydaje.

Zrobiło się nieteges. Choć zarazem nie było nikogo innego na całym świecie, z kim by rozmawiał o tych sprawach.

– Nie wiem – wyznał w końcu. – My... właściwie, mówiąc uczciwie, Mike, nigdy nie rozmawiałem z tym dzieciakiem. No wiesz, po tym, jak siostra go adoptowała... Miałem trochę problemów. Siedziałem w pudle przez jakiś czas. I jeszcze moja siostra, Stacey. Pożarliśmy się, w dużym stopniu z jej winy, bo nie chciała, żeby on wiedział. Że niby nie trzeba mieszać mu w głowie, co chyba rozumiem, ale... trudno mi się myśli o tej sprawie.

– To znaczy... że on cię nigdy nie poznał? – spytał Mike Hayden.

– Niezupełnie – odparł Jay. – Ja i siostra nie gadaliśmy ze sobą, odkąd skończył mniej więcej rok. Wątpię, czy widział jakieś moje zdjęcie, no chyba że z dzieciństwa. Siostra była uparta jak osioł w tych sprawach. Jak już się od ciebie odcina, to na dobre i tyle. Raz próbowałem do niej zadzwonić. No wiesz, z ciekawości. Tak sobie tylko pomyślałem, że mógłbym powiedzieć „cześć" swojemu dzieciakowi, ale w ogóle nie chciała o tym słuchać. Jeśli chodzi o tego chłopaka, to ja prawie dla niego nie istnieję.

– Ja cię... – powiedział Mike Hayden.

Jay znowu zobaczył oko, odbite we wstecznym lusterku, zerkające na niego. Zaskakująco posmutniałe, współczujące oko, pomyślał Jay, ale też denerwujące.

– Ja cię... – powtórzył Mike. – Niesamowita historia.

– Chyba tak – zgodził się Jay.

– Tragiczna.

– Tego to nie wiem – powiedział Jay i znów wzruszył ramionami. Właściwie to nie miał pojęcia, jak się powinien czuć – tutaj, w tej bajeranckiej, kosztownej kabinie lexusa, w towarzystwie zaskakującego Mike'a Haydena, w sportowej kurtce, z równo przyciętymi paznokciami i kulturalnym zachowaniem, który go wypytywał o te wszystkie prywatne sprawy.

Odkąd nawiązali kontakt telefoniczny, odbyli z sobą kilka bardzo długich, osobistych rozmów – nie tylko wymieniając się pomysłami na biznes, ale też na temat życia. Jay poznał dzieciństwo Mike'a, którego ojciec był hipnoterapeutą i popełnił samobójstwo, kiedy Mike miał trzynaście lat; o jego brutalnym ojczymie, o bracie bliźniaku, który był ulubieńcem wszystkich, któremu zawsze wszystko uchodziło na sucho, podczas gdy Mike był zasadniczo niewidzialny.

– Byłem bardzo blisko z tatą, a kiedy umarł, poczułem się

jak intruz we własnej rodzinie – wyznał Mike. – Wydawało się, że będą szczęśliwi beze mnie, no więc odszedłem. Więcej ich nie widziałem i podejrzewam, że już nigdy nie zobaczę.

– Wiem, co masz na myśli – zapewnił go Jay. – W mojej rodzinie było identyko. Stacey była dziesięć lat starsza ode mnie i na dodatek taka, no tego, szkolna gwiazda. Byli z niej tacy dumni, bo dostała medal wybitnego ucznia. Pieprzona księgowa! A ja miałem być wobec niej, no wiesz: „Och-ach, klękajcie narody. Jaka ona niesamowita".

Mike Hayden uznał, że to prześmieszne.

– „Och-ach, klękajcie narody! Jaka ona niesamowita!" – powtórzył, naśladując ton Jaya. – Facet, ty mnie dobijasz.

Mike Hayden stwierdził, że Jay powinien nawiązać kontakt z synem. Że Ryan powinien usłyszeć prawdę o swojej adopcji i całą resztę.

– Moim zdaniem ma do tego prawo – powiedział. – To nie jest fajna sytuacja z twoją siostrą. Strasznie się rządzi, nie uważasz? I pomyśl o biednym Ryanie! Jeżeli kogoś kochasz i ten ktoś ukrywa przed tobą coś tak ważnego, to jest to potężna zdrada. To jedna z tych rzeczy, która psuje karmę całego świata.

– Nie wiem – odparł Jay. – Jemu tak pewnie lepiej.

A jednak pod pewnymi względami wziął sobie tę radę do serca. Faktycznie dużo myślał o tej sytuacji od czasu, kiedy stuknęła mu trzydziestka, a przyjaźń i dobre rady ze strony Mike'a Haydena wiele dla niego znaczyły.

A zarazem to było takie odjechane, że rozmawia o tym teraz z tym obcym człowiekiem. Z tym młodym, wymuskanym Mikiem Haydenem. Na tym zawsze polegał problem z wirtualnymi przyjaźniami, z internetowymi przyjaźniami czy jakkolwiek to nazwać. Zawsze się kończyło szokiem, bo docierało do ciebie, że osoba, której obraz budowałeś sobie w głowie – atrapa, awatar – ani trochę nie przypomina człowieka z krwi i kości.

Zastanawiał się, czy to był rzeczywiście dobry pomysł z tym

wyjazdem z Atlanty. Być może nie należało tyle gadać o tym, co wyprawia Zrzeszenie, pomyślał; może nawet nie należało wspominać o synu i poczuł leciutkie ukłucie niepokoju, bo wyobraził sobie tego chłopaka, jego syna, jak siedzi spokojnie, nieświadom niczego, w domu Stacey, „dobrze mu się wiedzie", tak napisała Stacey w czasie, gdy Jay miał pierwszą odsiadkę, a Ryan dopiero raczkował. „Zrobiłeś dla niego dobrą rzecz, Jay. Nie zapominaj o tym".

A teraz Mike Hayden – Breez – wiedział o nim. Znowu przypomniał sobie to, co Dylan powiedział na temat Breeza: „Rozpierdzieli ci życie dla samego ubawu".

Wytarł spocone dłonie o spodnie, potem przeczesał palcami włosy. Akurat opuszczali Kolorado i wjeżdżali do zachodniej Nebraski. Słuchali jakiejś okropnej, repetycyjnej muzyki klasycznej; koszmar, jakby ktoś bez końca grał gamy na pianinie.

Zaczynało zmierzchać, kiedy zatrzymali się przed motelem. Nazywał się „Pod latarnią morską", ale neon się nie świecił i miejsce wyglądało na opuszczone.

– Nareszcie w domu! – powiedział Mike Hayden i zamaszystym gestem wsunął dźwignię biegów na miejsce. Obejrzał się przez ramię z szerokim uśmiechem, gdy tymczasem Jay z tylnego siedzenia oderwał wzrok od swych mamroczących myśli.

– To moje miejsce – oświadczył Mike Hayden. – Jestem jego właścicielem.

– Ach tak – powiedział Jay i wyjrzał przez okno. Zobaczył staromodny motel z dziedzińcem i wielką budowlą w kształcie latarni morskiej przy wjeździe, coś w rodzaju cementowego rożka pomalowanego w czerwono-białe paski jak te stare słupki, które wieszali kiedyś przy zakładach fryzjerskich. – Ha – rzucił i postarał się z uznaniem pokiwać głową. – Super.

Wspinali się po ścieżce, która wiodła od motelu do starego domu na wzgórzu, nic do siebie nie mówiąc. Był koniec października, mżyło, ale mżawka jakby sama nie wiedziała, czego jej się chce: przejść w deszcz czy raczej w śnieg. Wiatr miotał we wszystkie strony wyschłymi, wybujałymi chwastami.

Dom, który stał nad motelem, był jednym z tych miejsc, jakie się widuje na ilustracjach do święta Halloween, klasyczny „nawiedzony dom", zdaniem Jaya, mimo że Mike tak się zachowywał, jakby to był jakiś architektoniczny cud.

– Powalający, prawda? – spytał. – To tak zwany styl królowej Anny. Asymetryczna fasada. Sterczynowe szczyty. I ta wieżyczka! No powiedz, że cię nie zachwyca!

– Pewnie – odparł Jay i Mike Hayden nachylił się w jego stronę.

– Udało mi się zrobić kilka nadzwyczaj interesujących rzeczy z tą posiadłością – powiedział. – Była właścicielka umarła kilka lat temu, ale jej numer ubezpieczenia ciągle działa. W oficjalnych rejestrach ona wciąż żyje.

– No popatrz – rzucił Jay. – To zajebiście.

– Czekaj. To jeszcze nic – ciągnął Mike. – Bo jak się okazuje, miała dwóch synów. Obaj umarli młodo, ale moim zdaniem da się ich wskrzesić. A co najlepsze, gdyby teraz żyli, byliby mniej więcej w naszym wieku! George. I Brandon. Obaj się utopili, kiedy byli nastolatkami. Pływali w jeziorze i Brandon próbował ratować George'a. Chyba mu się nie udało.

Mike Hayden zaśmiał się sztywno, jakby w tym fakcie było coś gorzko-śmiesznego, ale Jay nie do końca zrozumiał co to takiego.

– Posłuchaj – powiedział Mike. – A może byśmy tak zostali braćmi? Co ty na to?

– Hmm... – mruknął Jay. Zerknął na swoje ramię, na którym spoczywała teraz dłoń Mike'a, ale ani się nie skulił, ani nie wzdrygnął. To była jedna z tych przydatnych umiejętności, które nabył podczas roku spędzonego w Vegas: prawdziwie pokerowa twarz.

Oferowano mu okazję. Wylądował w ślepym zaułku w Atlancie i teraz miał szansę znowu ruszyć z miejsca.

Czy miało znaczenie to, że ktoś trochę z nim pogrywał? Czy miało znaczenie to, że było mu bliżej do Mike'a Haydena – Breeza – niż to nakazywał rozsądek? Czy miało znaczenie to, że ujawnił prywatne informacje? Czy miało znaczenie to, że ten facet, jakkolwiek się nazywał, znał prywatne szczegóły z jego życia? Wiedział o jego synu. Znał jego tajemnice.

Tak, to miało znaczenie, ty durna pało. Sam był durniem, a Mike Hayden – czy ktokolwiek to był – uśmiechał się łagodnie. Jakby Jay był szczeniakiem zamkniętym w klatce w sklepie ze zwierzętami.

– To jedna z rzeczy, które chętnie ci pokażę – powiedział Mike Hayden. – Z trupami można robić fenomenalne numery. Masz pojęcie, ile jest bezpańskich nieruchomości w tym kraju? To jak gra w „Ryzyko", „Monopol" czy tym podobne. Wystarczy, że wylądujesz w takiej posiadłości, i zasadniczo jest już twoja, jeśli wiesz, co robisz.

Zaczął się śmiać i Jay też trochę się śmiał, choć nie bardzo był pewien, co w tym takiego śmiesznego. Doszli do werandy nawiedzonego domu i Jay się przyglądał, jak Mike Hayden wyciąga pęk kluczy z kieszeni, gruby i pobrzękujący jak dzwonki, które się wiesza na werandzie. Ile? Dwadzieścia? Czterdzieści?

Nie miał jednak trudności ze znalezieniem właściwego. Wsadził klucz do dziurki, tuż pod klamką, a potem wykonał jeszcze jeden zamaszysty gest dłonią, zupełnie jak magik: abrakadabra.

– Tylko czekaj, aż zobaczysz wnętrze – powiedział. – Tam jest biblioteka. Z prawdziwym sejfem w ścianie ukrytym za obrazem! To cię nie powala?

I w tym momencie Mike Hayden zesztywniał – jakby nagle

się zawstydził swoim wybuchem głupiego entuzjazmu, jakby pomyślał, że Jay mógłby się z niego nabijać.

– Tak się cieszę, że będziemy razem pracowali – powiedział. – Zawsze żałowałem, że nie mam prawdziwego brata, wiesz? Kiedy się rodzisz jako bliźniak, zawsze masz w sobie coś takiego, co łaknie drugiej osoby. Pokrewnej duszy. Ma to dla ciebie jakiś sens?

Otworzył drzwi i ze środka buchnęło obcym, stęchłym zapachem. Jay widział z tego miejsca, tuż za przedsionkiem, za połacią spłowiałego, orientalnego dywanu, jakieś meble nakryte prześcieradłami i wielką klatkę schodową ze spiralnymi poręczami.

– A tak nawiasem mówiąc, to zająłem się twoimi wspólnikami z Atlanty za ciebie – oznajmił Mike Hayden. – Podejrzewam, że federalni już zaczęli osaczać tych małych gnojków, więc chociaż z tą przeszkodą na razie się uporaliśmy.

I z tym on i Jay weszli do domu.

Część trzecia

„Najpierw powiedz sobie, kim będziesz. Później rób to, co musisz robić".

Epiktet

20

Na fotografii młody mężczyzna i dziewczyna siedzą razem na kanapie. Oboje mają na kolanach pakunki opakowane jak prezenty i trzymają się za ręce. Młody mężczyzna to szczupły blondyn, sympatycznie wyluzowany. Patrzy na dziewczynę; widać po wyrazie jego twarzy, że sobie z czegoś łagodnie dowcipkuje i że dziewczyna właśnie zaczyna się śmiać. Ma kasztanowe włosy i żałobnie smutne oczy, ale patrzy na niego z jawną czułością. To oczywiste, że są w sobie zakochani.

Miles siedział tam, gapił się na to zdjęcie i nie bardzo wiedział, co powiedzieć.

To był Hayden, bez dwóch zdań.

To był jego brat, choć nikt by nie uwierzył, że on i Miles to bliźniacy. Jakby Hayden od urodzenia wychowywał się w jakimś innym życiu, jakby ich ojciec nigdy nie umarł, jakby matka nigdy nie zrobiła się zła, niedostępna i zrozpaczona z powodu Haydena, jakby Hayden nigdy nie wygłaszał na leżąco napuszonych tyrad w swoim pokoju na poddaszu, z rękoma przywiązanymi do łóżka płóciennymi pętami, jakby nie pokrzykiwał ochryple, histerycznie zza zamkniętych drzwi, głosem stłumionym, ale za to natarczywym: „Miles! Pomóż mi! Miles, przykryj mi szyję. Proszę, bardzo proszę, ktoś musi mi przykryć szyję!"

Jakby przez cały ten czas jakiś inny, normalny Hayden dorastał, studiował, zakochiwał się w Rachel Barrie. Wślizgiwał się potajemnie do świata zwyczajnego szczęścia – tego życia, pomyślał Miles, które należało się im obu, takim grzecznym chłopcom z klasy średniej, z przedmieść.

– Tak – powiedział Miles. Przełknął ślinę. – Tak. To mój brat.

Siedzieli w pokoju Lydii Barrie w hotelu Mackenzie, w Inuvik, ale poczucie, że znajdują się w jakimś konkretnym miejscu, na chwilę gdzieś się zapodziało. To miasteczko, pudełkowate, marne budynki z przerdzewiałymi okładzinami z blachy, tak nietrwałe jak pospiesznie zbudowany plan filmowy, ten pokój z obwódką ze światła słońca, jednostajnego i budzącego podejrzliwość, przeświecającego zza zasłon w oknie – wszystko to wydawało się o wiele mniej realne niż ci młodzi ludzie na zdjęciu, dlatego Miles wcale by się nie zdziwił, gdyby się okazało, że w rzeczywistości to on i Lydia są niczym innym jak tylko wytworami wyobraźni.

Mimo woli dotknął lekko opuszkami palców lśniącej powierzchni zdjęcia, jakby w ten sposób mógł dotknąć twarzy brata, a potem przyglądał się, jak Lydia wyciąga rękę i delikatnie wyjmuje zdjęcie z jego dłoni.

– Słuchaj... – powiedział. – Czy istnieje możliwość, żebym dostał odbitkę? Bardzo by mi zależało.

Za nic nie umiałby opisać smutku, który nim teraz owładnął, poczucia, że zdjęcie, które Lydia zaczęła już chować, wydawało mu się niemal nadprzyrodzone: zdjęcie tego, jak mogło być. Z nim. Z Haydenem. Z ich rodziną.

Tylko co z tego mogła zrozumieć Lydia Barrie, zastanawiał się. Dla niej Hayden był zwykłym macherem, specem od przekrętów, hochsztaplerem uwiecznionym na jej rodzinnej fotografii. Nie dotarło do niej, że osoba, którą poznała jako Milesa Spady'ego, to realna możliwość. Rzeczywisty byt, który mógł zaistnieć.

– Liczysz pewnie, że go uratujesz, wyobrażam sobie – powiedziała Lydia Barrie i obdarzyła Milesa przeciągłym, taksującym spojrzeniem, nie do końca dla niego zrozumiałym.

Sporo wypiła tamtego wieczoru, ale w zasadzie nie zachowywała się jak pijana. Nie potykała się ani nic takiego, choć jej ruchy wydawały się bardziej przemyślane, jakby musiała zawczasu je planować. Tak czy owak zresztą w jej zachowaniu, postawie było sporo precyzji. Była prawniczką demonstrującą odmianę wdzięku właściwą właśnie prawnikom – zamaszysty ruch nadgarstka, z jakim wsunęła folder na swoje miejsce w skórzanym segregatorze, ostry, wyreżyserowany trzask, z jakim otworzyła pochodzącą od kompletu walizeczkę, elegancki papier towarzyszący wykładaniu dokumentów na łóżku między nimi. To, że jest pijana, było widać dopiero wtedy, kiedy spojrzało się jej w oczy, pełne wilgotnego, rozmytego napięcia.

– Wierzysz, że gdyby udało ci się go znaleźć, tobyś go jakoś przekonał, żeby... no co?

Zamilkła na dostatecznie długą chwilę, by oboje mogli zauważyć, jak niedorzeczne są jego plany.

– Co ty dokładnie sobie wymyśliłeś, Miles? – spytała łagodnym tonem. – Że jakoś go namówisz, żeby oddał się w ręce władz? Albo że skłonisz go do powrotu do Stanów, razem z tobą, żeby poszedł na terapię czy coś? Wierzysz, że pozwoli się zamknąć w jakimś szpitalu?

– Nie wiem – odparł Miles.

To niepokoiło, że jest aż tak przezroczysty. Nie bardzo rozumiał, jakim sposobem udało jej się wyartykułować jego tok rozumowania, te wątpliwe pomysły, którymi zabawiał się od lat, ale usłyszawszy je wypowiedziane na głos, uświadomił sobie, jak nieprzekonująco i marnie brzmią.

Prawda była taka, że zasadniczo nie miał żadnego planu. Zawsze, od samego początku wiedział, że kiedy – jeśli – wreszcie dopadnie Haydena, będzie musiał improwizować.

– Nie wiem – powtórzył, a Lydia Barrie utkwiła w nim rozweselone, zamazane spojrzenie. Mimo że była taka pijana, widział, że jest znakomitym prokuratorem – śmiertelnie groźna podczas krzyżowego ognia pytań, bez wątpienia.

Spuścił wzrok, z zawstydzonym, smętnym uśmiechem. Sam trochę wypił i być może dlatego tak łatwo go było rozszyfrować. Ale też to fakt, że nie był szczególnie szczwany, pomyślał. Na tym zawsze polegał jego problem – w łonie matki musiał go pewnie obmywać jakiś dziwaczny płyn owodniowy, już od dnia narodzin tak go kształtowano, by to on był tym naiwnym, potulnym bliźniakiem łatwo ulegającym manipulacjom.

– On nie jest taki, za jakiego go uważasz, Miles – powiedziała. – Wiesz o tym, prawda?

Już wcześniej zaznajomiła go ze swoimi rozmaitymi teoriami odnośnie do Haydena.

Z niektórymi zasadniczo się zgadzał.

Nie kwestionował tego, że Hayden to złodziej, że zdefraudował pieniądze wielu ludzi i korporacji, że zasadził się szczególnie na kilka banków inwestycyjnych, którym być może ukradł miliony dolarów.

Aczkolwiek wątpił, by rzeczywiście chodziło o aż taką kwotę.

Ale co do innych oskarżeń Lydii Barrie już nie miał takiej pewności. Czy Hayden był odpowiedzialny za rozmaite robaki szalejące po Internecie – w tym za tego, który unieruchomił komputery Korporacji Diebolda na ponad czterdzieści pięć minut? Czy Hayden naprawdę zwędził komórkę jakiejś dziedziczki imperium w branży hotelarskiej, dzięki czemu na krótki czas udało mu się wmówić jej ojcu, że została porwana? Czy Hayden naprawdę zniszczył karierę jakiegoś wykładowcy politologii z Uniwersytetu Yale w ten sposób, że zainstalował mu pedofilskie zdjęcia w komputerze? Czy naprawdę wspierał i finansował organizacje terrorystyczne, w tym ugrupowanie enwironmentalistów, które zalecało powszechne stosowanie broni biologicznej jako metodę ograniczania przeludnienia?

Czy Hayden faktycznie wywołał podejrzenia o defraudację, które zmusiły Lydię Barrie do odejścia z firmy prawniczej

Oglesby i Rosenberg, w atmosferze niepotwierdzonych oskarżeń, jakie skaziły, a może nawet zrujnowały jej karierę? Sugerowanie, że za tym wszystkim stoi właśnie Hayden, było pochopne, zdaniem Milesa. Zbyt liczne i zbyt różne były te afery.

– Z tego, co mówisz, wynika, że on jest jakimś superprzestępcą – powiedział Miles i parsknął cicho, żeby jej pokazać, jak to głupio brzmi.

Ale ona tylko wyczekująco uniosła brew.

– Moja siostra zaginęła trzy lata temu – oznajmiła. – Dla mnie to nie jest jakiś komiks. Traktuję to bardzo poważnie.

I Miles poczuł, że się zaczerwienił. Że pałają mu policzki.

– Ano tak... – odparł. – Rozumiem. Nie chciałem... lekceważyć... twojej sytuacji.

Spojrzał na swoje dłonie, na schludne stosy papierów, które Lydia ułożyła specjalnie dla niego, zagapił się na nagłówek skserowanego artykułu z gazety: „Amerykańscy prokuratorzy stawiają oskarżenia 11 osobom w sprawie o masowe fałszerstwa tożsamości". I co tu powiedzieć?

– Ja nie staram się go usprawiedliwiać – powiedział. – Tylko mówię... że to naciągane, jeśli chodzi o wiarygodność, rozumiesz? To przecież jeden człowiek. I właściwie to... dorastałem razem z nim i wiem, że to nie jest żaden geniusz. Chcę powiedzieć, że jeśli to naprawdę on zrobił to wszystko, o czym mi opowiedziałaś, to czy nie jest dziwne, że dotąd nikt go nie złapał?

Lydia Barrie przekrzywiła głowę i nie odwróciła wzroku, kiedy spojrzał jej w oczy.

– Miles, ty się nie przyjrzałeś tym wszystkim informacjom, które tu zgromadziłam, prawda? Oboje, i ty, i ja, być może znajdujemy się w tej wyjątkowej sytuacji, że możemy postawić twojego brata przed wymiarem sprawiedliwości. Spróbować mu pomóc, wyleczyć go, jeśli tego właśnie chcesz. Sprawić, żeby się rozliczył z tego, co zrobił. Może on nie jest „superprzestępcą", jak to ująłeś, ale chyba oboje się zgadzamy, że sam dla siebie stanowi zagrożenie. I dla innych ludzi. Możemy się tutaj zgodzić, prawda, Miles?

– Wierzę, że on nie jest zły – odparł Miles. – On... on się pogubił. Z ręką na sercu uważam, że bardzo wiele z tego wszystkiego przypomina grę. Bawiliśmy się w mnóstwo takich gier, kiedy byliśmy mali, i pod wieloma względami to jest wciąż to samo. Dla niego to jest jak odgrywanie ról. Rozumiesz, co chcę powiedzieć?

– Rozumiem – potwierdziła Lydia Barrie i pochyliła się do przodu, z niemal smutną, prawie współczującą miną. – Jesteś bardzo uczuciowym człowiekiem – stwierdziła, uśmiechnęła się, krótko i łagodnie, po czym położyła chłodną, gładką dłoń na jego nadgarstku. – I wyjątkowo lojalnym. Strasznie to podziwiam.

Dotarło do niego, że ona go zaraz pocałuje, że istnieje taka możliwość.

Nie był pewien, co o tym myśli, ale poczuł to dziwne, ciężkie coś w powietrzu, niczym spadek ciśnienia przed burzą. Nie zrozumiała tego, co starał się jej powiedzieć, pomyślał. Nie była jego prawdziwym sojusznikiem, ale i tak odruchowo zamknął oczy, kiedy nachyliła się w jego stronę. Zasłony wciąż miały obwódkę z tego niesamowitego, słonecznego światła, kiedy jej dłoń sunęła po jego przedramieniu w stronę bicepsa, no i super, tak, ich wargi się dotykały.

Kiedy Miles obudził się rankiem, Lydia Barrie wciąż jeszcze spała; poleżał jakiś czas, z otwartymi oczami, gapiąc się na czerwone liczby na wyświetlaczu starego, cyfrowego budzika na szafce nocnej. W końcu zaczął dyskretnie macać pod kołdrą w poszukiwaniu swoich majtek, a kiedy już je znalazł, ostrożnie wsunął nogi w otwory i naciągnął bokserki na uda. Lydia Barrie nie poruszyła się, kiedy podreptał do łazienki.

No cóż. Tego się nie spodziewał.

I nic na to nie umiał poradzić, że był ociupinę zadowolony z siebie. Ociupinę podniesiony na duchu. Brakowało mu wprawy w czymś takim: niecodziennie wskakiwał do łóżka z kobietą, nawet jeśli była bardzo pijana. Przyjrzał się sobie krytycznie w lustrze w łazience. Niby nie miał podwójnego podbródka, ale właściwie prawie już miał, jeśli go nie zadzierał. I był taki tłusty, że aż dostał męskich cycków i krągłego brzucha jak u maleńkiego dziecka. Co za wstyd! Na umywalce stała miniaturowa buteleczka z płynem do płukania ust, więc nalał go na jeden palec do szklanki i przepłukał nim usta.

Jest mocno szurnięta, pomyślał. Prawdopodobnie dlatego się z nim przespała. Przyjrzał się badawczo swojej twarzy, przesunął dłonią po potarganych włosach i przeczesał palcami zbitą, poskręcaną plątaninę brody.

Była tak samo opętana jak on, jeśli nie bardziej – bardziej ukierunkowana spiskowo, bardziej skupiona na własnych metodach, lepiej zorganizowana, bardziej profesjonalna. Istniało spore prawdopodobieństwo, stwierdził, że znajdzie Haydena wcześniej niż on.

Nalał trochę wody do umywalki i wklepał w policzki.

I naprawdę była atrakcyjna. Pod wieloma względami nie z jego ligi, przypuszczał. Znowu pomyślał o zdjęciu, które mu pokazała, o zdjęciu Haydena i Rachel Barrie, przypomniał sobie tę czczość w żołądku, kiedy przyglądał się ich szczęśliwym twarzom, to wrażenie zadawnionej rany, jeszcze z dzieciństwa.

Dlaczego to nie mogłem być ja? – zastanawiał się. Dlaczego jakaś piękna dziewczyna nie mogła zakochać się we mnie? Dlaczego to Hayden zawsze dostaje wszystko?

Kiedy wyszedł z łazienki, Lydia Barrie była już na nogach, częściowo ubrana; odwróciła się w jego stronę, z jakąś taką melancholijną miną.

– Dzień dobry – powiedziała. Miała na sobie biustonosz

i halkę, a jej przedtem upięte w kok włosy były zmierzwione, jak peruki czarownic, które sprzedawali w magicznym sklepie w Cleveland. Makijaż rozmazał jej się niemal kompletnie, oczy miała podsinione, skacowane. Nie ulegało wątpliwości, że zbliżała się do czterdziestki, ale jego ten fakt, rzecz jasna, nie odstręczał. Wręcz ciągnęło go do niej, takiej zmiętej, rozmamłanej i kruchej.

– Hej – odpowiedział bojaźliwie i uśmiechnął się, kiedy nieśmiało wsunęła dłoń we włosy.

I wtedy zobaczył broń.

To był mały rewolwer; trzymała go luźno w lewej dłoni, jednocześnie przygładzając włosy prawą. Widział, jak stara się go schować do kabury. Przez sekundę zachowywała się tak, jakby miała nadzieję, że nie zauważył.

– Jasna dupa – wyrwało się Milesowi.

Zrobił krok w tył.

Uprzytomnił sobie, że w zasadzie nigdy wcześniej nie widział broni na własne oczy, choć prawdopodobnie widział setki uzbrojonych ludzi w telewizji, w filmach i grach wideo. Wielokrotnie oglądał zabijanie, wiedział, jak to powinno wyglądać: mała, okrągła dziurka w piersi albo brzuchu, krew rozlewająca się plamą Rorschacha po koszuli.

– Jezus – powiedział. – Lydia.

Wyraz jej twarzy nie był sprecyzowany. Z początku wyraźnie miała nadzieję, że może udawać niewiniątko – wytrzeszczyła oczy, jakby chciała powiedzieć: Co? O czym ty mówisz? A potem zdała sobie sprawę, że taka taktyka jest bezowocna, i na jej twarzy pojawiły się chłód i buta. W końcu wzruszyła ramionami i uśmiechnęła się do niego żałośnie.

– No co? – spytała.

– Ty masz broń – powiedział. – Po co ci ona?

Stał tam w samych majtkach, wciąż lekko zamroczony, wciąż

lekko oszołomiony faktem, że po raz pierwszy od dwóch lat uprawiał seks, wciąż krążył myślami wokół rozmowy, którą odbyli poprzedniego wieczoru, wokół zdjęcia Haydena i Rachel, smutku, jaki temu wszystkiemu towarzyszył. Lydia Barrie uniosła brwi.

– Nie masz pojęcia, jak to jest być kobietą – powiedziała. – Wiem, że twoim zdaniem twój brat nie jest niebezpieczny, ale bądź realistą. Postaw się na moim miejscu. Potrzebuję jakiegoś zabezpieczenia, Miles.

– Och – westchnął.

Stali tak chwilę, twarzą w twarz, po czym Lydia położyła rewolwer na łóżku i podniosła ręce, tak jakby to Miles miał broń.

– To tylko malutki pistolecik – powiedziała. – Mała beretta kalibru 25. Od lat go noszę przy sobie – dodała. – Na tle innych typów broni te nie są specjalnie śmiercionośne, nazwałabym go raczej odstraszaczem, jeśli już.

– Rozumiem – odparł Miles, mimo że nie bardzo rozumiał. Wciąż tam sterczał, w samych gaciach z idiotycznym nadrukiem w ostre papryczki, z rękoma niepewnie założonymi na piersiach. Przez jego gołe nogi przebiegł niepewny dreszcz i przelotnie się zastanowił, czy nie powinien pobiec do wyjścia.

– Zamierzasz zabić mojego brata? – spytał w końcu, a Lydia spojrzała na niego zogromniałymi oczyma, jakby teraz to on ją zadziwił.

– Oczywiście, że nie – odparła i Miles wciąż stał, kiedy wciągała spódniczkę na biodra i zapinała zamek błyskawiczny z tyłu, a potem obdarzyła go zaciętym uśmiechem. – Miles – powiedziała. – Kochaniutki, spytałam cię zeszłego wieczoru, czy masz jakiś plan, a ty mi wyjaśniłeś, że masz zamiar improwizować czy coś w tym guście, kiedy już namierzysz brata. No więc ja nie zamierzam improwizować. Kiedy mnie wylali z Oglesby i Rosenberg, jedną z pierwszych rzeczy, jakie zrobiłam w swoim „wolnym czasie", było zdobycie licencji prywatnego detektywa oraz licencji agenta poszukującego zbiegłych przestępców, którzy wyszli za kaucją; obie obowiązujące na terenie stanu Nowy Jork. I to mi się niesamowicie przydało, kiedy szukałam... Haydena. – Zdecydowanymi ruchami wsunęła ręce w rękawy bluzki. – A pierwszą rzeczą, jaką zrobiłam po przybyciu do Kanady, było zatrudnienie Joego Itigaituka, który ma kanadyjską licencję prywatnego detektywa, więc kiedy doprowadzimy do aresztowania twojego brata, nie będę się mieszała w suwerenność obcego państwa.

Miles przyglądał się, jak Lydia zapina guziki biegnące przez środek bluzki, od szyi do brzucha, jej palcom posługującym się zręcznie językiem migowym, podczas gdy jednocześnie mówiła.

Zerknął na drzwi wychodzące na korytarz i przez jego nogę znowu przebiegł dreszcz.

– Nie jestem morderczynią, Miles – powiedziała Lydia i oboje znów stali w miejscu, patrząc sobie w oczy, po chwili ona zmierzyła go wzrokiem od stóp do głów i wyraz jej twarzy złagodniał. – Może lepiej się ubierz – rzuciła. – Za kilka godzin lecę z panem Itigaitukiem na Wyspę Banksa i pomyślałam, że może chciałbyś polecieć z nami. Dzięki temu będziesz mógł być pewien, że nikt nic mu nie zrobi. Jeśli ty tam będziesz, może on pozwoli się zabrać bez walki.

Lydia była przekonana, że Hayden mieszka w opuszczonej stacji meteorologicznej na północnym skraju Wyspy Banksa, nieopodal granicy wiecznej zmarzliny.

– Aczkolwiek granica wiecznej zmarzliny nie jest tak stabilna jak kiedyś – powiedziała w taksówce. – Globalne ocieplenie i tak dalej.

Milesowi nie bardzo chciało się gadać. Z głową opartą o szybę przyglądał się ulicom, przy których nie rosły żadne drzewa, rzędom kolorowych domków – turkus, słonecznikowa żółć, czerwień kardynalska – poustawianych jeden przy drugim jak dziecięce klocki. Błoto na drogach miało barwę węgla drzewnego, na niebie żadnych chmur i widział topniejącą tundrę tuż za linią domów i magazynów. Tam była zieleń, i to gdzieniegdzie upstrzona polnymi kwiatami, ale Milesowi się wydawało, że ten krajobraz nie będzie do końca sobą, jeśli znowu nie skuje go lód.

Lydia nie wyjaśniła mu dokładnie, w jaki sposób namierzyła Haydena w tym szczególnym miejscu, podobnie jak Miles nie zwierzył jej się ze swoich mniej racjonalnych metod – nic nie powiedział o intuicji, przeczuciu czy też zidioceniu, które kazały mu jechać przez wiele dni, żeby pokonać cztery tysiące mil. Lydia ze swej strony była dość pewna swego.

– Fakt, że oboje jesteśmy w Inuvik, to raczej dobry znak, prawda? Właściwie to czuję się bardzo podniesiona na duchu. A ty nie?

– Chyba tak – odparł Miles, choć teraz, odkąd zawisła nad nim wizja pojmania Haydena, miał wrażenie, że lęk przebił go swym konarem i usiłuje zapuścić w nim korzenie. Przypomniało mu się, jak Hayden darł się jak opętany, kiedy ubrali go w kaftan w szpitalu psychiatrycznym. To była jedna z tych najbardziej okropnych rzeczy, jakie Miles kiedykolwiek słyszał – jego brat, osiemnastoletni, dorosły mężczyzna, wydający z siebie potworny skrzek jak wrona, młócący ramionami, kiedy dopadli go sanitariusze. To się działo kilka dni po Nowym Roku, w Cleveland padał śnieg i Miles i matka stali w zimowych kurtkach, z płatkami śniegu jak puch mlecza topniejącymi we włosach, obserwując Haydena przyciśniętego do podłogi, z plecami wygiętymi w łuk, z podrygującymi nogami, który z wytrzeszczonymi oczyma próbował się wyrywać, gryźć. „Miles!" – krzyczał. „Miles, nie pozwól im. Oni zadają mi ból, Miles. Ratuj mnie, ratuj..."

Czego Miles nie zrobił.

– Milczysz – zauważyła Lydia Barrie, wyciągnęła rękę i pogładziła go po przedramieniu, jakby był tam jakiś okruch albo pyłek kurzu. – Martwisz się?

– Trochę – odparł. – Zastanawiam się tylko, jak on zareaguje. Nie wiem, to tylko... Nie chcę, żeby coś mu się stało.

Lydia Barrie westchnęła.

– Jesteś taki kochany – stwierdziła. – Masz dobre serce, a to cudowna cecha. Ale wiesz co, Miles? Jemu kończą się możliwości.

Miles przytaknął i spojrzał na swoją dłoń, na to miejsce tuż pod nadgarstkiem, gdzie Lydia wcisnęła opuszki palców.

– Sam się zapędził w kozi róg – powiedziała Lydia. – A ja zaryzykuję stwierdzenie, że gdzieś tam są wyjątkowo źli ludzie, którzy się na niego zasadzili. Ludzie o wiele groźniejsi ode mnie.

Tyle to sam podejrzewał, kiedy dostał tamten list od Haydena. *Ukryłem się głęboko, bardzo głęboko, ale nie ma dnia, żebym nie myślał, jak bardzo mi Ciebie brakuje. Tylko obawa o własne bezpieczeństwo nie pozwalała mi się z Tobą skontaktować.*

– Tak – przyznał. – Pewnie masz rację.

Chcąc nie chcąc, znowu pomyślał o zdjęciu Haydena i Rachel, siedzących na kanapie w Boże Narodzenie. Miał nadzieję, że nadal są razem – że Rachel będzie z nim w tej stacji meteorologicznej. Wyobrażał sobie ten moment, kiedy on i Lydia otwierają drzwi i widzą Haydena i Rachel, którzy stoją na środku maleńkiej izdebki, wynędzniali i przestraszeni, prawdopodobnie wychudli. No bo czym się żywili tam, w tej opustoszałej stacji? Rybami? Puszkami? Mogli wziąć prysznic? A może się okaże, że są zarośnięci jak jacyś pustelnicy?

Najpierw na pewno wpadną w panikę. Pomyślą, że to jakiś groźny oprych albo rzutki, skuteczny zabójca...

A potem zobaczą, że to tylko Miles. Że to tylko Miles i Lydia, brat i siostra. No przecież po tym pierwszym dreszczu rozpoznania będą chyba wdzięczni? To będzie w pewnym sensie spotkanie po latach. On i Lydia przyjechali ich uratować i wtedy zrozumieją, że nie mają dokąd uciec, że dotarli do kresu.

I że przynajmniej znalazł ich ktoś, kogo kochali.

Taksówka dojechała do lotniska, gdzie czekał na nich pan Itigaituk. Wysiedli, Lydia zapłaciła taksówkarzowi, a potem obróciła się i pomachała w stronę zbliżającego się pana Itigaituka. Okazał się niskim, wąsatym Inuitem w średnim wieku, ubranym w sztruksową kurtkę, dżinsy i kowbojki. Zdaniem Milesa bardziej przypominał nauczyciela matematyki niż prywatnego detektywa.

Pan Itigaituk zmarszczył czoło na widok Milesa, ale nic nie powiedział. Miles przyglądał się, jak on i Lydia podają sobie ręce, i stał w pewnym oddaleniu, kiedy rozmawiali ze sobą przyciszonymi głosami. W którymś momencie pan Itigaituk zmierzył Milesa sceptycznym wzrokiem, a potem przytaknął, nie odrywając chłodnego spojrzenia ciemnych oczu od jego twarzy.

Lotnisko znajdowało się około dziesięciu mil za miastem i Miles znowu zauważył to bezkresne światło, tę zieleń, płaską połać tundry rozlewającej się dookoła we wszystkich kierunkach, dalekie błyski trzęsawisk i stawów powstałych z roztopionego lodu. Nieco dalej, na płycie lotniska czekała już sześcioosobowa cessna, która miała ich zawieźć na Wyspę Banksa, do Aulavik.

21

Ryan podniósł głowę i zobaczył postać stojącą w drzwiach. Prawie przysnął, zgarbiony nad komputerem, z dłońmi na stanowisku, z palcami ułożonymi na *asdf jkl*; jego podbródek robił się coraz cięższy, aż wreszcie omdlała mu szyja, zwiotczały łokcie i czoło rozpoczęło powolny spadek w stronę stołu.

Osobliwy to był stan, podobny do snu. Dopadł go po kilku piwach, po kilku machach fajki wodnej, po długiej podróży połączonej z przekraczaniem kolejnych stref czasowych – pacyficznej, górskiej, centralnej i wschodniej – po tym, jak już uspokoił pijanego, prawdopodobnie nawalonego grzybkami ojca, który zataczał się z bronią w ręku, po tym, jak wpakował go do łóżka, delikatnie wyciągnął broń z jego omdlałej dłoni i odłożył tę broń, a potem jeszcze siedział przez jakiś czas, z zamkniętymi oczyma, przed ekranem komputera.

Posłusznie zarezerwował bilety na lot do Quito w Ekwadorze, na nazwiska Max Wimberley i Darren Loftus; potwierdzenie wciąż się jeszcze wyświetlało, po powierzchni monitora nadal dryfowało jakieś okno, niczym liść na stawie, a jemu cały czas krążyło po głowie: Powinienem iść spać. Jestem taki zmęczony, że nie wiem. Przesunął wyschniętym, lepkim językiem po wnętrzu ust, a potem z trudem rozwarł powieki.

Takie sny już mu się kiedyś zdarzały.

Widział sylwetkę mężczyzny stojącego za ekranowymi drzwiami. Padało na nią światło lampy na werandzie, otoczone ćmami, które obijały się jak ogłupiałe od sufitu; stąd ten efekt wirującego cienia nad głową mężczyzny. Ryan przymknął oczy.

Miewał te halucynacje już od jakiegoś czasu: wyobrażał sobie, że widzi znajomych mu ludzi, znienacka, przelotnie, ale wiedział, że to nic innego jak złogi potężnego zmęczenia, stresu i nieustającego poczucia winy, za dużych ilości piwa i zioła, tego, że za dużo czasu spędzał z Jayem i że poza nim raczej nie miał z kim pogadać, że za dużo czasu spędzał przed ekranem komputerowym, który niekiedy zdawał się pulsować gwałtownymi, milisekundowymi strobami, jak te stare, podprogowe reklamy, o których tyle się naczytał.

To mu przypominało pewien epizod z czasu na Northwestern. Razem z Walcottem imprezowali cały weekend; siedział w oknie swojego pokoju na trzecim piętrze, palił jointa. Trzymał rękę w powietrzu, żeby wnętrze pokoju nie zaśmierdło, i próbował wydmuchiwać kółka w mglistą, wiosenną noc, wyglądając z góry na pusty chodnik i uliczne latarnie, które przypominały z wyglądu te staromodne gazowe, po jezdni nic nie jechało. I nagle ktoś wyciągnął rękę i złapał go za nadgarstek.

Poczuł to bardzo wyraźnie, choć wiedział, że to niemożliwe. Jego ręka wisiała w powietrzu na wysokości czterech kondygnacji od ziemi, a jednak ktoś wyciągnął rękę i przez sekundę ściskał jego dłoń. Takie to sprawiało wrażenie, jakby wywiesił dłoń poza burtę łodzi, a nie z trzeciego piętra, jakby jego palce ocierały się o powierzchnię jeziora i nagle z wody wyskoczyła i schwyciła go za nadgarstek ręka topielca.

Krzyknął odruchowo, joint wypadł mu spomiędzy palców i jeszcze zdążył zobaczyć pomarańczowe światełko rozżarzonej końcówki toczące się przez ciemną przestrzeń, zanim prędko wycofał się do wnętrza pokoju.

– Ożeż kurwa! – krzyknął, sprawiając, że Walcott oderwał wzrok od ekranu laptopa i spojrzał sennie na Ryana.

– Co jest? – spytał, ale Ryan tylko usiadł, trzymając się za nadgarstek, jakby się poparzył.

Co miał powiedzieć? „Ręka ducha właśnie dofrunęła do trzeciego piętra i próbowała mnie schwycić. Ktoś próbował wywlec mnie za okno".

– Coś mnie ugryzło – powiedział w końcu spokojnym głosem. – Zgubiłem jointa.

Wydarzenie wróciło teraz do niego nadzwyczaj plastycznie – bardziej na podobieństwo podróży w czasie niż wspomnienia – więc potrząsnął głową, gestem kogoś, kto buja w obłokach, jakby można było potrząsnąć mózgiem, żeby wskoczył z powrotem na swoje miejsce.

Zacisnął powieki, myśląc, że może w ten sposób wytrze tablicę do czysta, ale kiedy je otworzył, postać w drzwiach stała się jeszcze bardziej wyraźna.

Mężczyzna zdążył już przestąpić próg i szedł teraz w stronę Ryana, wysoki, ubrany w czarny garnitur; lśniąca tkanina, z której był uszyty, iskrzyła się w świetle.

– Czy Jay jest w domu? – spytał.

Ryan wzdrygnął się gwałtownie, odzyskując pełną świadomość.

– Jestem znajomym Jaya – oświadczył tamten.

Był prawdziwy. Nie wziął się ze snu.

W dłoni trzymał przedmiot z czarnego plastiku, który na pierwszy rzut oka wyglądał jak elektryczna golarka. Coś, co dawało się podłączyć do komputera? Jakieś urządzenie komunikacyjne, na przykład telefon komórkowy albo słuchawka z wystającą parą elektrycznych zacisków?

Mężczyzna ruszył prędko do przodu, trzymając to coś w wyciągniętej ręce, jakby chciał to ofiarować Ryanowi, i Ryan nawet wyciągnął dłoń, na sekundę, tuż przed tym, jak przedmiot został przytknięty do jego szyi.

To jest paralizator, dotarło do Ryana.

Poczuł, że przepływa przez niego prąd. Mięśnie skurczyły się boleśnie, przez ręce i nogi przebiegły drgawki, język cały stwardniał, stając się grubym kawałkiem mięcha, powodując, że w głębi gardła coś zabulgotało. Z ust wyleciał bryzg śliny. A potem stracił przytomność.

To nie były żadne halucynacje. To nie było nic, tylko pustka i grube, włochate, czarne plamy, które zaczęły mu się rozrastać w polu widzenia. Jak pleśń rosnąca na płytce Petriego. Jak komórki roztapiającej się taśmy filmowej.

I potem głosy.

Jay – jego ojciec – nerwowy, kulący się pod ścianą.

Potem spokojna odpowiedź. Głos z taśmy relaksacyjnej?

Szukam Jaya. Możesz mi
w tym pomóc?

Au, odparł Jay trochę piskliwie.

Nie wiem, ja nie

Czy nazwisko Jay Kozelek jest ci znane?

Ja...

Gdzie on jest?

...nie wiem

Ja tylko potrzebuję adresu. Możemy ci to bardzo ułatwić.

Przysięgam

Przyda nam się wszystko, co wiesz.

Przysięgam na Boga

Ja nie

Ryan podniósł głowę, ale miał wrażenie, że jego szyja to zwiędła łodyga. Siedział na krześle i czuł ucisk taśmy, która przytrzymywała go na miejscu – za przedramiona, piersi, łydki, kostki – i kiedy eksperymentalnie próbował się wyprężyć, zrozumiał, że jest bardzo mocno skrępowany. Spojrzał przez szparę w powiekach i zobaczył, że on i Jay siedzą naprzeciwko siebie przy kuchennym stole. Widział, że z włosów Jaya ścieka strumyczek krwi i biegnie dalej przez skroń, lewe oko, dookoła nosa i do ust. Jay wydawał takie dźwięki, jakby miał zatkany nos, jakby był przeziębiony; w pewnym momencie kilka kropel krwi skapnęło mu z nosa i upstrzyło blat stołu.

– Słuchaj – mówił właśnie Jay do mężczyzny pokornym głosem. – Wiesz, jaki jest ten biznes. Ludzie są nieuchwytni. Prawie nie znam tego faceta – dodał bardzo szczerym tonem, bardzo starając się pomóc, wciąż usiłując się czepiać swego zwyczajnego, czarującego „ja". – Prawdopodobnie ty wiesz o nim więcej.

I wtedy stojący nad nim facet zadumał się.

– No co ty powiesz – odparł, nadal tam stojąc, patrząc z góry na Jaya.

To był ten facet, który sparaliżował Ryana, i Ryan dopiero teraz dobrze mu się przyjrzał. To był rosły gość, dobiegający trzydziestki, obdarzony wąskimi ramionami i szerokimi biodrami, mniej więcej sześć stóp i jeden albo dwa cale wzrostu, ubrany w lśniący, czarny włoski garnitur, który mógłby nosić jakiś mafiozo – ale facet nie wyglądał jak gangster. Miał głowę jak wielki ziemniak, typową dla mieszkańca Środkowego Zachodu, do tego szopa włosów słomianej barwy; jeśli już kogoś przypominał, to tylko asystenta, z którym Ryan miał zajęcia z informatyki na Northwestern.

– Wiesz co? – rzucił facet. – Nie wierzę ci.

Podniósł pięść i walnął Jaya w twarz. Mocno. Tak mocno, że Jay aż się wygiął w tył i kolejne krople krwi prysnęły mu z ust. Mimowolnie krzyknął głośno, ze zdziwieniem.

– To pomyłka! – wycharczał. – Posłuchaj, dopadłeś nie tego człowieka, to wszystko. Nie wiem, co chcesz usłyszeć. Powiedz, czego ode mnie chcesz!

Ryan starał się pozostać jak najmniejszy i jak najcichszy. Słyszał ruch – jakieś nieokreślone łomotanie i trzaski w sąsiednim pokoju; za drzwiami widział mężczyzn w czarnych spodniach i koszulach, dwóch, tak mu się wydawało, choć być może było ich więcej; wypinali twarde dyski od komputerów ustawionych na stołach i zrzucali monitory, klawiatury i inne urządzenia zewnętrzne na podłogę, niektóre rozbijając długimi, zakrzywionymi kawałkami metalu albo łomami, w pewnym momencie jeden z nich wziął ze stolika tablicę Ouija, przyjrzał jej się z zainteresowaniem, od przodu i od tyłu, jakby to była jakaś technologiczna nowinka, z którą nigdy wcześniej się nie zetknął. A potem znieruchomiał, być może wyczuwając, że Ryan na niego patrzy, i Ryan prędko zamknął oczy.

– Tak jakby się zastanawiam, czy nie poddać was torturom – powiedział do Jaya mężczyzna od paralizatora. Miał cichy, rozsądny, niemal monotonny głos, jak didżej ze studenckiej rozgłośni radiowej. – Posłuchaj mnie. Właściwie to jest jedno z tych marzeń, które mnie niosło przez te wszystkie lata. Myśl o torturowaniu Jaya Kozelka to jedna z tych kilku rzeczy, dzięki którym byłem szczęśliwy w pierdlu, więc mi tu nie podskakuj. To ja go tu wytropiłem. Wiem, że on gdzieś tu jest. I jeśli mi nie powiesz, gdzie jest Jay, będę cię torturował, ciebie i tego młodego, aż zaczniecie rzygać krwią. Okay?

Usta Ryana rozchyliły się, ale nic się z nich nie wydobyło. Żaden dźwięk, nawet oddech.

To była sytuacja, nad którą Ryan nigdy się specjalnie nie zastanawiał. Przez cały ten czas, kiedy on i Jay angażowali się w działalność przestępczą, nawet wtedy, kiedy dostawał wiadomości po rosyjsku, nawet gdy uciekał przed tamtymi facetami w Las Vegas, ani razu nie przyszło mu do głowy, że będzie siedział przywiązany do krzesła w chacie ukrytej w lasach Michigan, a przed nim będzie stał człowiek, który będzie mówił: „Zastanawiam się, czy nie poddać was torturom".

Był zdziwiony, że jego umysł jest aż tak bezużyteczny. Zawsze sobie wyobrażał, że w rozpaczliwej sytuacji jego umysł się wyostrzy – że jego myśli wpadną w cwał – że zaleje go epinefryna – że na przód wybije się instynkt przetrwania – ale zamiast tego czuł pulsujące otępienie, drętwe uderzenia serca niczym przyspieszony oddech złapanego w pułapkę gryzonia. Pomyślał, że taki królik czy jakieś inne dzikie stworzenie w podobnej sytuacji mogłoby znieruchomieć, udawać, że jest niewidzialne. Przypomniały mu się taśmy medytacyjne Jaya. „Wyobraź sobie krąg energii tuż przy podstawie kręgosłupa. To silna energia. Ona łączy cię z ziemią".

Ale kiedy tak siedział, miał wrażenie, że nie jest niczym innym jak ziemią. Workiem ziemi.

W tym samym czasie mężczyzna schwycił Jaya za długie włosy i w trakcie mówienia najpierw owinął sobie po jednym paśmie dookoła każdego z palców, a potem zaciskał te pętle coraz mocniej, mówiąc jednocześnie coraz cichszym głosem.

– Siedziałem trzy lata – mówił. – W więzieniu. Może ty o tym nie wiesz, koleś, ale z więzieniem tak już jest, że człowiek robi się tam wredny. I wiesz co? Dzień w dzień, miesiąc w miesiąc tylko ta jedna rzecz mnie uszczęśliwiała: wymyślanie sposobów, na jakie mógłbym zadać Jayowi ból. Dużo o tym myślałem. Czasami tylko zamykałem oczy i zadawałem sobie pytanie: Co zrobić z Jayem? Myślałem o jego twarzy i jak on będzie wyglądał przywiązany do krzesła. Myślałem: Co by było najgorsze? Od czego cierpiałby najbardziej?

Mężczyzna zadumał się, wciąż trzymając garść włosów Jaya przeplecioną między palcami, naprężając ją.

– Tak więc sam widzisz – dodał. – Fakt, że jeszcze nie dopadłem Jaya, naprawdę mnie wkurza.

W tym momencie dla Ryana ta rozmowa nabrała surrealistycznego, mało zrozumiałego wymiaru, ale naprawdę trudno mu się było skupić na czymkolwiek oprócz wyrazu twarzy jego ojca, oprócz zaciśniętych zębów Jaya, jego pustych, usidlonych oczu.

Ryan domyślał się, że mężczyzna planował wyrwać kępę włosów Jaya, ale to wymagało więcej siły, niż pierwotnie założył. „Au!", wrzasnął Jay, ale włosy pozostały uparcie przyrośnięte do jego czaszki i po krótkiej walce mężczyzna zrozumiał, że to będzie wymagało większej siły dźwigni albo mięśni, niż chciał albo mógł w to włożyć.

– Cholera jasna – powiedział i w zamian energicznie potrząsnął głową Jaya, tak jak pies mógłby wytargać szmatę w zębach, i twarz Jaya gwałtownie zadrgała, zanim mężczyzna zrezygnował i zamaszystym gestem wypuścił jego włosy.

Nic mu nie wyrwał, ale musiał zadać duży ból, bo Jay zaskomlał i gwałtownie się skulił.

– Od lat go nie widziałem – wyrzęził. – Nie mam pojęcia, gdzie on jest, przysięgam.

Trochę popłakiwał, trochę pociągał nosem jak małe dziecko, jednocześnie podrygując ramionami. Mężczyzna znieruchomiał: torturowanie kogoś wymagało więcej pracy, niż to przewidywały jego fantazje.

– Ostatnim razem, kiedy go widziałem, planował jechać na Łotwę. Do Rezekne – zapewnił szczerym tonem Jay i wciągnął mokry oddech przez nos. – Dawno temu zniknął z wizji, bardzo dawno temu.

Ale mężczyzna nie to chciał usłyszeć, a Ryan nie miał pojęcia, o kim oni rozmawiają. Istniał jakiś inny Jay?

– Nie zrozumiałeś mnie? No przyznaj się – odparował mężczyzna. – Tobie się wydaje, że możesz mi wciskać kit za kitem. – I tu zaniósł się kostycznym, teatralnym rechotem. – Ale my mamy szposzoby, szeby czę zmuszyć do mówienia – dodał, naśladując niemiecki albo może rosyjski akcent.

Ryan przyglądał się, jak mężczyzna obmacuje kieszeń marynarki, jak ktoś, kto szuka szczęśliwej monety, a kiedy już znalazł poszukiwany przedmiot, jego oczy odzyskały ostrość, stanowczość i na jego twarzy wykwitł tajemniczy uśmieszek.

Wyciągnął z kieszeni zwój cienkiego, srebrzystego drutu i przyjrzał mu się z taką miną, jakby przypomniało mu się coś miłego z dawnych czasów.

Jay milczał. Zwiesił tylko głowę, sprawiając, że długie włosy opadły mu na twarz na podobieństwo namiotu; jego ramiona unosiły się i opadały w rytm oddechu. Z nosa na koszulę kapnęła samotna kropla krwi.

Mężczyzna tego nie zauważył. Zapomniał o Jayu i patrzył teraz na Ryana.

– No dobra – powiedział. – To kogo my tu mamy?

Ryan czuł na sobie spojrzenie mężczyzny. Krótkie poczucie własnej niewidzialności gdzieś się zapodziało; patrzył, jak tamten rozwija drut na całą długość – okazało się, że przy obu końcach są umocowane zwyczajne, gumowe uchwyty. Mężczyzna przekrzywił głowę.

– Jak ci na imię, kolego? – spytał. Rozprostowywał drut, jakby od niechcenia, aż wreszcie tak go napiął, że aż wprawił w drgania jak strunę gitary.

– Ryan.

Mężczyzna kiwnął głową.

– Jest dobrze. Umiesz odpowiadać na pytania.

Ryan nie wiedział, jak na to zareagować. Gapił się ponad stołem, w nadziei, że Jay uniesie głowę, że spojrzy na niego, że wyśle mu jakiś sygnał, wskazówkę, co robić.

Ale Jay nie podniósł głowy, a mężczyzna skupił się całkowicie na Ryanie.

– Ty pewnie jesteś Kasimir Czernewski, domyślam się? – powiedział.

Ryan wbił wzrok w blat stołu, na którym plamy wody utworzyły coś w rodzaju mapy – kontynent otoczony maleńkimi wysepkami.

Czuł, że przez jego skórę przebiegają drgawki – normalnie taką mimowolną, fizyczną reakcję skojarzyłby z tym, że jest przemoczony i przemarznięty, ale wiedział, że to objaw prawdziwego strachu, że takie odczucia towarzyszą śmiertelnemu przerażeniu.

– Na ciebie też mieliśmy oko, wiesz? – ciągnął mężczyzna. – Zdziwisz się, jak się dowiesz, ile twoich trefnych kont bankowych nie jest już wypłacalnych.

Ryan słyszał poszczególne słowa wypowiadane przez mężczyznę, potrafił je przetworzyć, rozumiał ich znaczenie – ale jakoś mu się nie układały w prawdziwe zdania. Zapadały w jego świadomość jak obciążona wędka zarzucona do stawu i nawet czuł zmarszczki rozchodzące się kręgami od jego ciała.

Czego w tym momencie chciał od Jaya? Czego syn oczekuje od ojca w takiej sytuacji?

Przede wszystkim te rojenia o heroicznych wyczynach. O ojcu, który mógłby mrugnąć do ciebie w taki sposób, żebyś zrozumiał, że masz się nie denerwować – ciche *szsz, szsz* kącikiem ust – i nagle wyswobadza się z więzów, wyciąga broń do tej pory przypasaną do kostki, kule trafiają w potylicę napastnika, ten nieruchomieje w pół kroku, pada na ziemię, twarzą w dół, i twój tato obdarza cię chytrym uśmiechem, jednocześnie odrywając taśmę ze swoich nóg, obraca się błyskawicznie, z uniesioną bronią, mierząc z niej w pozostałych oprychów...

Albo ojciec uosabiający stalową determinację. Ojciec, który ci pokazuje swoimi zaciśniętymi zębami: „Trzymaj się! Stawimy temu czoło razem! Nic nam nie będzie!"

Albo ojciec, który jest pełen żalu – ma czułe, smutne spojrzenie, które mówi: „Jestem z tobą. Jeśli będziesz cierpiał, ja będę cierpiał po dziesięciokroć. Całą swoją miłość i siłę kieruję..."

I jeszcze był Jay. Krew spływała mu z włosów na twarz i łzy robiły ścieżki w tej krwi, która już zakrzepła; ledwie się nawzajem rozpoznali, kiedy ich spojrzenia się spotkały.

Ryan po raz pierwszy od dłuższego czasu pomyślał o Owenie. O swoim drugim ojcu. O swoim byłym ojcu – tym, którego znał od urodzenia, tym, który go wychował, tym, który myślał, że on nie żyje. Dokładnie w tym momencie Owen być może budził się właśnie w Iowa, być może wypuszczał psa na dwór, stał na podwórku w piżamie i przyglądał się, jak pies węszy i biega w kółko, popatrywał na uliczne latarnie, które zaczynały gasnąć, bo już wschodziło słońce, pochylał się, żeby podnieść z trawy gazetę.

Ryan przez chwilę prawie tam był. Mógł siedzieć jak ptak w koronie starego dębu przed ich domem, z czułością przyglądać się z góry Owenowi, jak rozwija „The Daily Nonpareil", żeby przeczytać nagłówki, jak pstryka palcami i gwiżdże na psa, żeby do niego przybiegł, a potem jeszcze podnosi wzrok, jakby wyczuł, że Ryan jest tam gdzieś nad nim, że nachyla się ku niemu, że to on jest tą szczotką z powietrza, która musnęła czubek jego nieuczesanej, zaspanej głowy.

– Tato – odezwał się Ryan. – Tato, proszę, tato.

I zobaczył, że Jay się krzywi. Nie spojrzał na niego, nie podniósł głowy, ale jego ciałem wstrząsnął dreszcz i mężczyzna w garniturze wyprostował się z zainteresowaniem.

– Mój ty Boże – powiedział. – Co za niespodziewany rozwój wypadków.

Ryan opuścił głowę.

– Ryan, czy to jest twój ojciec? – spytał mężczyzna.

– Nie – wyszeptał Ryan.

Jego wzrok wrócił do podobnej do chmury plamy wody na blacie stołu. Kontynent, znowu mu się pomyślało. Wyspa, podobna do Grenlandii, jakaś wymyślona kraina, i pozwolił swym oczom powędrować wzdłuż linii brzegowych, zatok i archipelagów i niemalże słyszał ten głos z taśmy medytacyjnej.

„Wyobraź sobie jakieś miejsce", powiedział głos. „Najpierw zwróć uwagę na światło. Czy jest jasne, naturalne czy przyciemnione? I zwróć też uwagę na temperaturę. Jest gorąco, ciepło czy zimno? Pamiętaj o barwach, które cię otaczają. Pozwól sobie zwyczajnie istnieć..."

Kryjówka, pomyślał i przez sekundę wyobrażał sobie namioty, które miał zwyczaj konstruować, kiedy był małym chłopcem: krzesła z kuchni nakryte wielką kołdrą, ciemna przestrzeń pod spodem, gdzie układał stosy poduszek i pluszaków, jego własne, podziemne gniazdo, które w jego wyobraźni rozciągało się na zewnątrz w miękkie, ciemne, kręte korytarze wyborowane przez pierze i koce.

– Zacznę od lewej dłoni – powiedział mężczyzna. – Potem będzie lewa stopa. Później prawa dłoń i tak dalej.

Mężczyzna wyciągnął rękę i dotknął piegowatej skóry na przedramieniu Ryana, bardzo lekko.

– Tu założymy opaskę uciskową – mruknął. – Będzie bardzo ciasna. Ale dzięki temu nie wykrwawisz się tak szybko, kiedy obetnę ci dłoń.

Ryan z jakiegoś powodu zupełnie się rozkojarzył. Myślał o Owenie. Myślał o tej upiornej ręce, która pojawiła się znikąd i schwyciła go za nadgarstek, kiedy był jeszcze studentem, kiedy mieszkał w akademiku. Myślał o swojej jaskini urządzonej pod kapą na łóżko.

– Nad nadgarstkiem? Czy pod nadgarstkiem? – spytał mężczyzna.

I Ryan niemalże nie rozumiał, o co go pytają, dopóki nie poczuł, że drut otacza jego rękę tuż nad dłonią, tuż nad stawem kciuka. Trząsł się tak mocno, że aż wprawił drut w drgania, kiedy mężczyzna go zacisnął.

– Proszę, nie – powiedział szeptem Ryan, ale nie był pewien, czy z jego ust dobył się jakikolwiek dźwięk.

– No już, Ryan – powiedział mężczyzna. – Zaapeluj do ojca o rozsądek.

Jay obserwował to wszystko zbolałym, szklistym spojrzeniem, a potem wytrzeszczył oczy, kiedy zobaczył, że mężczyzna oplata nadgarstek Ryana cienkim drutem.

– To ja jestem Jay! – krzyknął chrapliwie, tak że zabrzmiało to jak wrzask wrony siedzącej na gałęzi. – Jestem Jay, jestem Jay, to mnie szukacie, nazywam się Jay Kozelek, to mnie chcecie...

Ale mężczyzna tylko parsknął głucho, z obrzydzeniem.

– Chyba uważasz mnie za jakiegoś przygłupa – wyskrzypiał. – Znam Jaya Kozelka. Mieszkałem razem z nim. Wiem, jak wygląda. Siedzieliśmy razem, gadaliśmy, oglądaliśmy filmy i inne takie; uważałem go za kumpla. To jest najgorsze. Naprawdę czułem się z nim osobiście związany, więc dobrze wiem, jak wygląda jego twarz. Dociera? Wiem, jak wygląda jego twarz. Naprawdę myślisz, że mnie wyruchasz, po całym tym czasie? Wydaje ci się, że jestem debilem? Myślisz, że ja tu się tylko zabawiam...

Ryan nie znajdował w tym wszystkim żadnego sensu, ale tak czy owak w ogóle nie był w stanie myśleć jak należy.

Mężczyzna już zaczął zaciskać dłonie na uchwytach i Ryan wrzasnął przeraźliwie.

Właściwie to trwało bardzo krótko.

Zdumiewająco krótko.

Drut był ostry i wrył się od razu głęboko w ciało, zatrzymując na stawie promieniowo-nadgarstkowym. Szarpnął się tuż pod kością promieniową i łokciową, prześlizgnął po skraju, aż wreszcie natrafił na bardziej miękką tkankę i wtedy mężczyzna zacisnął dłonie na uchwytach jeszcze mocniej i zaczął napierać z całej siły, poruszając rękoma prędkim ruchem piłowania i dłoń nagle odpadła. Czyściutko.

Ugh, mruknął mężczyzna.

Było to wspomnienie

duchа, który wyciąga rękę z powietrza, dotyka jego nadgarstka i

Nie do końca przytomny.

Nie patrzył, nie patrzył na swoją dłoń, ale słyszał ten twardy głos – Kurwa, Jezu, co ty wyprawiasz? – i Ryanowi otworzyły się oczy, zobaczył tego człowieka, stał nad nim, patrzył z góry na podłogę, mrugał. Wciąż trzymał poluzowany drut w dłoniach, ale jego zwilgotniała twarz pobladła. Miał taką kwaśną minę, jakby napił się czegoś, ale natychmiast zrozumiał, że musi to wypluć.

Był tam teraz jeszcze drugi mężczyzna – jeden z tych, o których Ryan myślał, że są „od brudnej roboty". Boże, Dylan, jesteś nienormalny, mówiłeś, że wcale nie zamierzasz tego zrobić, mówił ten mężczyzna, Ryan dygotał, omdlewał, dwie postacie nagle się zamazały, a potem znowu wyostrzyły na tle rozbłysku światła w kuchennej szybie, jeden z nich trzymał ścierkę i pochylał się nad Ryanem

i głos Jaya –

Słuchajcie, on się wykrwawi na śmierć, to nie jego wina, błagam, nie pozwólcie, żeby się wykrwawił na śmierć –

I ten mężczyzna, Dylan, gapił się na Ryana szeroko otwartymi oczyma, z odrazą i przerażeniem. Zmięty, czarny garnitur gangstera wisiał na nim jak kostium, w który ktoś go przebrał, kiedy on spał; stał tam, oszołomiony, niepewny, co robić, jak somnambulik, któremu się wydawało, że śni mu się wnętrze jakiegoś pokoju, i który znienacka ocknął się właśnie w tym pokoju.

– O Jezu... – szepnął Dylan.

A potem pochylił się i zwymiotował.

22

Lot z Denver do Nowego Jorku liniami lotniczymi JetBlue Airways trwał trzy i pół godziny, wystarczająco długo, by zdążyć kilka razy się przehuśtać od paniki do pogodzenia się z losem; Lucy siedziała sztywno na swoim miejscu, w stanie niepokoju, wahadłowego zawieszenia, z dłońmi ciasno splecionymi na kolanach.

Nigdy wcześniej nie leciała samolotem, ale nie potrafiła się zmusić i przyznać do tego wstydliwego faktu George'owi Orsonowi.

Davidowi Fremdenowi. Tacie.

Bardzo się starała wbić sobie do głowy fakt, że nie ma takiej osoby, która nazywa się George Orson.

To nie było po prostu tak, że wszystko, co wiedziała na jego temat, zostało wymyślone, pożyczone albo wyolbrzymione – to nie było po prostu tak, że on kłamał. To było coś więcej, jakieś nieziemskie uczucie, które wykwitało w jej głowie za każdym razem, kiedy próbowała przemyśleć całą sytuację spokojnie i logicznie.

On już nie istniał.

Przypomniały jej się tamte dni tuż po śmierci rodziców, kosz wciąż pełen ich nieupranych rzeczy, lodówka wyładowana jedzeniem, które matka planowała ugotować w tamten weekend, komórka ojca wypełniająca się telefonami od klientów, którzy chcieli wiedzieć, dlaczego nie przyszedł na umówione spotkanie. Najpierw się okazało, że zostawili kilka luk w świecie –

klientów, którzy polegali na ojcu, pacjentów, którzy oczekiwali, że matka będzie ich pielęgnowała w szpitalu, przyjaciół, współpracowników i znajomych, którzy za nimi tęsknili, do czasu – ale to były bardzo drobne rozdarcia i dziury w tkance rzeczywistości, łatwe do zreperowania, i najbardziej ze wszystkiego szokowało ją to, że te luki zaczęły się wypełniać tak prędko. Już po upływie kilku tygodni było widać, jak szybko zostaną zapomniani, że ich obecność przeobraziła się w nieobecność i potem – no właśnie co? Jak nazwać nieobecność, która przestała się stawać nieobecnością, jak nazwać zapełnioną dziurę?

No tak, stale myślała. Oni już nigdy nie wrócą. Jakby sama ta wizja była nadprzyrodzona, rodem z jakiegoś science fiction. Jak ktoś miałby uwierzyć, że coś takiego jest możliwe?

Taka ją naszła myśl, w łóżku obok niego tamtego wieczoru, kiedy powiedział jej prawdę, kiedy wodziła palcami po jego ręce, która nie była ręką George'a Orsona. Już nigdy więcej nie porozmawiam z George'em Orsonem, pomyślała i cofnęła dłoń.

On tam był, to samo fizyczne ciało, z którym była już od tak dawna, a jednak nic na to nie mogła poradzić, że czuła się samotna.

Och, George, pomyślała. Tęsknię za tobą.

A teraz znowu jej to przyszło do głowy, kiedy tak siedziała obok Davida Fremdena w samolocie i próbowała pozbierać myśli.

Tęskniła za George'em Orsonem. Z którym nigdy więcej nie miała już rozmawiać.

Nigdy wcześniej nie leciała samolotem i czuła tę straszną, niewyobrażalną odległość między sobą a ziemią. Czuła, że powietrze drga pod jej stopami, czuła wibracje pustej przestrzeni i dlatego starała się nie wyglądać przez okno. Jeszcze nie było tak źle, kiedy się wyjrzało i zobaczyło grube, bezowate kontury chmur, ale robiło się gorzej, kiedy przez te chmury zaczynała przeświecać ziemia. Topografia. Geometryczne połacie ludzkich siedzib, cieniutkie, ołówkowe kreski miedz i dróg, pudełkowate rozbryzgi miast – i odruch nakazywał wyobrażać sobie, jak to jest, kiedy się spada – jak długo się pikuje, zanim się wreszcie rozbije.

Tego akurat i tak nigdy nie powiedziałaby George'owi Orsonowi. Za nic nie chciałaby wyjść na tak mało wyrafinowaną, pokazać się George'owi Orsonowi jako durna prostaczka, którą mrowiło od ignoranckiego strachu przed podróżą samolotem, wbijającą paznokcie w tapicerkę fotela, jakby to ją w jakiś sposób mogło zakotwiczyć.

Z kolei David Fremden wyglądał na całkowicie opanowanego. Zapatrzony w miniaturowy ekran telewizyjny, wmontowany w zagłówek siedzenia przed nim, zatrzymał się najpierw na programie o piramidach na History Channel, potem przeleciał prędko przez wiadomości i prognozę pogody, a w końcu zaczął się nostalgicznie uśmiechać do jednego z odcinków starego sitcomu z lat osiemdziesiątych. Nie patrzył na nią, ale trzymał dłoń na jej przedramieniu.

– Kochasz mnie jeszcze, prawda? – spytał ją wcześniej i to pytanie zapulsowało, jakby je przesłały spiralki na opuszkach jego palców.

Były jednak jeszcze inne rzeczy, o których musiała myśleć. Teraz już wszystko działo się dość prędko. Świat toczył się dalej, a ona musiała podjąć kilka decyzji mimo braku wiarygodnych informacji. W banku w Wybrzeżu Kości Słoniowej było 4,3 miliona dolarów. A w chwili obecnej mieli w swym posiadaniu ponad sto tysięcy.

Ich podręczny bagaż spoczywał w przegrodzie tuż nad ich głowami i na razie tak było dobrze, ale to też stanowiło źródło niepokoju.

Spędzili ostatnią noc w motelu „Pod latarnią morską"; siedzieli obok siebie w bibliotece, każde z własną rolką taśmy klejącej, każde ze swoim stosem studolarówek.

David Fremden miał wielki, stary atlas, dwadzieścia pięć na dwadzieścia cali, a Lucy miała słownik i powieść Dickensa. Siedzieli i przyklejali banknoty do kartek.

– Jesteś pewien, że to się uda? – spytała Lucy. Przedzierała się akurat przez *Samotnię* i fragmenty tekstu wyskakiwały na nią, kiedy układała banknot na stronie i przyklejała taśmą. – *Istotnie mgła jest niezwykle gęsta!* – powiedziałem. Nakryła rządki słów Benem Franklinem i przeleciała kilka kartek do przodu. – *To wstrętne* – ciągnęła. – *Cały nasz dom jest wstrętny.* Znowu zakryła tekst, choć po raz kolejny z książki wyskoczył na nią jakiś okruch: *Zastałyśmy w pokoju do pracy panią Jellyby, gdzie usiłowała korzystać z ciepła przy ogieńku...**

– To nie problem – powiedział David Fremden. Sam pracował w szybszym tempie niż ona, układając kolumnę złożoną z trzech setek na samym środku Irlandii, przyciskając kciukiem języr taśmy do skraju banknotów. – Już to kiedyś robiłem.

– Okay – odparła.

– *Wygląda na to* – powiedział – *że w danym przypadku wszechświat okazał się niezbyt troskliwym rodzicem.*

– Oni tam nie mają jakiegoś rentgena? – spytała. – A jeśli uda im się prześwietlić okładki?

...Portret nad kominkiem przedstawia obecną lady Dedlock. Słynie z niezwykłego podobieństwa i...

– Posłuchaj – powiedział David Fremden i westchnął. – Musisz mi zaufać w tej sprawie. Wiem, jak działają systemy bezpieczeństwa. Naprawdę wiem, co robię.

I jak dotąd, owszem, wychodziło na jego, ale i tak była koszmarnie zdenerwowana. Jej ciało zdawało się niemal mistycznie rzucać w oczy, kiedy podeszli do punktu odpraw, jakby od jej

---

* Wszystkie cytaty za: Charles Dickens, *Samotnia*, przeł. Tadeusz J. Dehnel, Czytelnik, Warszawa 1975.

skóry biła jakaś świetlna aura. Była zszokowana, że ludzie się na nią nie gapią, że nikt jakby niczego nie zauważył. Wsadziła swoją torbę – która zawierała kilka przyborów toaletowych, T-shirt i książki – do tuby z szarego plastiku i nic na to nie mogła poradzić, że myślała o napuchniętej *Samotni* wypchanej po brzegi pieniędzmi, nawet wtedy, kiedy się pochyliła, żeby zdjąć buty, kiedy pas przeniósł jej torbę przez tunel rentgena.

– Okay – powiedział celnik, gruby facet o pustym spojrzeniu i wyglądzie ciężarowca, bodajże niewiele starszy od niej, gestem nakazując jej przejść przez wykrywacz metalu w kształcie framugi drzwi, więc przeszła i nie rozległ się żaden alarm, jej torba pojechała dalej bez wahania, facet nie przyjrzał się jej katastrofalnie ufarbowanym włosom, nic.

David Fremden obłapił dłonią jej łokieć.

– Dobra robota – wymruczał.

A teraz samolot stał już na płycie lotniska w Nowym Jorku. Siedzieli na swoich miejscach, czekając, aż kapitan zgasi napis ZAPIĄĆ PASY, choć niektórzy pasażerowie blisko nich już się wiercili ze zniecierpliwieniem. Sama Lucy wciąż starała się odzyskać równowagę po tym doświadczeniu, jakim było lądowanie: zgrzytanie wysuwającego się podwozia, nagły, chybotliwy podskok, kiedy samolot zetknął się z pasem, to, że jej uszy wypełniły się korkami z lepkiego powietrza. Próbowała być dla siebie surowa. Jesteś idiotką, Lucy. Czego ty się boisz, ty buraku, ty biała nędzo? Czego ty się boisz?

A jednak prawda była taka, że w nodze dorobiła się tiku, czuła, że przez któryś z jej mięśni przebiega drobny, mimowolny skurcz, a kiedy położyła dłoń na udzie, w jej głowie rozległ się jakiś głos: cichy, smutny, drżący.

Ja nie chcę tego robić. Chyba się pomyliłam.

To było takie uczucie, jakby zaczęły ją obsiadać motyle, setki motyli i każdy z nich był z ołowiu. W bardzo krótkim czasie oblepiły ją całą.

Coś zadzwoniło, miękko i głęboko, i pozostali pasażerowie *en masse* zaczęli wzdychać i podnosić się z miejsc, zbierając się w przejściach, otwierając szafki nad głowami i nachylając się blisko do osoby siedzącej przed nimi, nie na łapu-capu, niezupełnie, ale prawie tak jak ławica ryb albo stado migrujących ptaków, ale ona sama tylko zadarła głowę, kiedy David Fremden wstał z miejsca, żeby dołączyć do pozostałych.

– Brooke – powiedział. Wyciągnął rękę, ujął jej dłoń, ścisnął mocno. – No chodź, skarbie – szepnął. – Nie zawiedź mnie teraz.

Nawet całkiem łatwo było wstać. Nawet całkiem łatwo było poczłapać w głąb wąskiego przejścia między siedzeniami, śladem Davida – jej ojca.

Wręczył jej plecak z towarzyszeniem tego leciutko naigrywającego się uśmiechu, który tak bardzo przypominał jej George'a Orsona. Tego uśmiechu, który robił na niej takie wrażenie w czasie, kiedy jeszcze chodziła na jego lekcje historii, w czasie, kiedy jej mówił, że jego zdaniem ona jest *sui generis*. „Ludzie tacy jak ty i ja tworzą samych siebie", powiedział, ale wtedy żadną miarą nie mogła wiedzieć, że on to mówi w dosłownym sensie.

Tęskniła za George'em Orsonem.

A jednak zrobiła głęboki wdech i wsunęła się do szeregu człapiących podróżników. Okazało się, że to wcale nie jest takie trudne. Że nie jest trudno spuścić głowę i przecisnąć się przez przejście między rzędami siedzeń. Że nie jest trudno minąć stewardesę, która stała na przedzie samolotu, kłaniając się jak ksiądz, pokój z tobą, pokój z tobą, zaganiając ich do akordeonowego tunelu, który łączył się z terminalem.

– Zmizerniałaś – stwierdził David. – Dobrze się czujesz?

– Nic mi nie jest – zapewniła go Lucy.

– Może pójdziemy napić się kawy? – zaproponował. – Albo czegoś zimnego? Coś na ząb?

– Nie, dzięki – powiedziała Lucy.

Skręcili w krętą aleję wytyczoną obok jakichś bramko--kontuarów i podwyższeń otoczonych skupiskami zakotwiczo-nych w podłodze krzeseł, kokonów pełnych czekających ludzi, i na ile Lucy umiała się zorientować, nikt na nich nie patrzył. Nikt im się nie przyglądał, nikt się nie zastanawiał, kim są: oj-cem i córką, kochankami, nauczycielem i uczennicą? Czy kim tam bądź. W Pompey, w Ohio, jako para wywołaliby zaciekawienie, ale tutaj ledwie odnotowano ich obecność.

Lucy zagapiła się na trzy kobiety w burkach, niebieskie, bez-twarzowe, podobne do zakonnic, gawędzące przyjaźnie w swo-im ojczystym języku, i na wysokiego, łysawego mężczyznę, który przemknął obok nich na ruchomym chodniku, klnąc radośnie do swojej komórki, a potem na staruszkę na wózku inwalidz-kim, ubraną w futro do kostek, którą popychał czarnoskóry mężczyzna ubrany w szary kombinezon...

Czuła ciężar swojego plecaka. *Samotnia*, słownik Webstera i *Marjorie Morningstar*, które kryły w swych wnętrzach jakieś pięćdziesiąt tysięcy dolarów.

Poprawiła pasek na ramieniu, obciągnęła znienawidzony T-shirt z motylami, bo się zadarł, obnażając jej brzuch. Wiedzia-ła, że w swoim czasie nie cierpiałaby Brooke Fremden. Gdyby Brooke Fremden błąkała się po korytarzach liceum w Pompey, w tych rozkosznych ciuszkach z centrum handlowego i z infantyl-nym, słodziutkim plecaczkiem, Lucy nie posiadałaby się z odrazy.

Kiedy jednak David Fremden obejrzał się na nią przez ramię, wzrok miał łagodny, ojcowski i rozkojarzony. Była tylko dziew-czynką, nastoletnią dziewczynką. Tak właśnie wyglądali; dla niego to nie miało znaczenia, dopóki dotrzymywała mu kroku.

Dotarło do niej, że on nie tęskni za Lucy.

– Już to kiedyś robiłeś – powiedziała. – Nie jestem pierwsza.

To było tamtego ostatniego wieczoru przed ich wyprawą. Jeszcze znajdowali się w domu nad motelem „Pod latarnią morską", siedzieli na kanapie w pokoju z telewizorem, obok siebie, bagaże mieli już spakowane, a w pokojach panowała cisza, jak to bywa z miejscami, które mają zostać opuszczone.

Do książek wkleili mnóstwo pieniędzy i należało już iść do łóżka, ale zamiast tego siedzieli, oglądali monolog otwierający jakiś późny talk show i twarz Davida była zupełnie nieprzenikniona, miała płaski wyraz kogoś wgapionego w telewizor, więc w końcu Lucy powtórzyła:

– Już ci się zdarzało udawać innych ludzi – powiedziała, a on wreszcie oderwał wzrok od telewizora i spojrzał na nią czujnie.

– To skomplikowana kwestia – odparł.

– Nie uważasz, że byłoby fair, gdybyś był wobec mnie szczery? – spytała. – Jesteśmy...

Parą?

Tu się zastanowiła.

Może lepiej było nic nie mówić. Jakie to dziwne – ile czasu spędziła w tym zatęchłym pokoju, ile godzin siedziała sama, nie mając nic do towarzystwa oprócz starych kaset wideo – *Rebecca*, *Pani Miniver*, *Podwójne ubezpieczenie*, *Zielona dolina*, *My Fair Lady* i *Mildred Pierce*. Cały czas opijając się dietetycznymi napojami, wyglądając na zdewastowany ogród japoński i czekając, aż wreszcie znowu będzie mogła wsiąść do maserati i odjechać do jakiegoś cudownego miejsca.

Był „wieloma innymi ludźmi". Do tego się przyznał.

A zatem logika nakazywała myśleć, że były też inne dziewczyny, inne Lucy, które siedziały na tej samej kanapie, oglądały te same stare filmy i wsłuchiwały się w tę samą martwotę, gdy tymczasem motel „Pod latarnią morską" zamyślał się nad zapyloną połacią pustego dna jeziora.

– Ja tylko chcę wiedzieć – powiedziała. – Chcę wiedzieć o tych innych. Ile ich było w twoim życiu. W tym wszystkim.

I wtedy podniósł wzrok. Oderwał go od telewizora, spojrzał jej w oczy i wyraz jego twarzy się zmienił.

– Nigdy nie było żadnej innej – odparł. – Tego właśnie nie rozumiesz. Szukałem... szukałem bardzo długo. Ale nigdy nie znalazłem żadnej takiej jak ty.

A więc to tak.

Nie, nie wierzyła mu, choć może on to sobie skutecznie wmówił. Może naprawdę myślał, że to nie ma znaczenia, czy ona ma na imię Lucy, Brooke czy jeszcze jakoś inaczej. Może wyobrażał sobie, że ona w środku pozostanie tą samą osobą, niezależnie od tego, jakie imię czy tożsamość przyjmie.

Ale tak nie jest, stwierdziła.

W coraz większym stopniu do niej docierało, że Lucy Lattimore rozstała się z tą ziemią. Już prawie nic z niej nie zostało – kilka szczątkowych dokumentów, świadectwo urodzenia i karta ubezpieczenia w szufladzie matki, w starym domu, wykaz jej ocen w jakimś przestarzałym komputerze, wyraźne wspomnienia o Patricii, niewyraźne wspomnienia o ludziach z jej klasy i nauczycielach.

Prawda była taka, że zabiła siebie wiele miesięcy wcześniej. A teraz w zasadzie stała się nikim: bezimienna, fizyczna postać, którą dawało się zastępować innymi, bez końca, aż wreszcie nie zostałoby nic prócz cząsteczek.

„Materia gwiazd?" – coś takiego powiedział raz George Orson, kiedy wygłaszał jakąś kolejną perorę na lekcji historii. „Wodór, węgiel i wszystkie podstawowe pierwiastki, które istnieją od zarania dziejów: to z nich właśnie jesteście zbudowani", powiedział im.

Jakby to miało być jakieś pocieszenie.

Najpierw mieli polecieć do Brukseli. Siedem godzin, dwadzieścia pięć minut, boeingiem 767, i potem, sześć godzin później, do Abidżanu. Już udało im się pokonać najtrudniejszy odcinek, powiedział David Fremden. Kontrola celna w Belgii i na Wybrzeżu Kości Słoniowej miała być nieistotna.

– Właściwie to już możemy odetchnąć i pomyśleć o przyszłości.

4,3 miliona dolarów.

– Nie chcę zostawać w Afryce zbyt długo – powiedział. – Chcę tylko rozwikłać sytuację z pieniędzmi i potem będziemy mogli pojechać, dokąd tylko zechcemy. – Nigdy nie byłem w Rzymie – oznajmił. – Chciałbym spędzić trochę czasu we Włoszech. Neapol, Toskania, Florencja. Uważam, że dla ciebie byłoby to cudowne doświadczenie poszerzające horyzonty. Myślę wręcz, że byłoby podniecające. Byłabyś jak Henry James – powiedział. – Jak E.M. Forster – powiedział. – Jak Lucy Honeychurch – powiedział i zaśmiał się, jakby ona mogła docenić to, że on jej funduje chwilę beztroski.

Tymczasem ona nie miała pojęcia, o czym on mówi.

Dawniej, kiedy był jeszcze George'em Orsonem, a ona jego uczennicą, poniekąd podobały się jej te jego górnolotne frazesy, odpryski elitarnego wykształcenia, które zwykł wkręcać do rozmowy. Przewracała wtedy oczami i udawała, że drażni ją ta jego pretensjonalność, to, że tak unosił brwi z łagodną przyganą – jakby ona okazała jakieś luki w wiedzy, które go zaskoczyły. „Kto to jest Spinoza?" Albo: „Co to jest tiopental?" Czasami potrafił udzielić skomplikowanej i nawet interesującej odpowiedzi.

Ale już nie teraz, bo już nie byli Lucy i George'em Orsonem, dlatego siedziała bez słowa na swoim miejscu, wpatrywała się w bilet z Nowego Jorku do Brukseli i

Kto to jest Lucy Honeychurch? Kto to jest E.M. Forster?

To nie miało znaczenia. To nie było ważne, choć nie mogła nic na to poradzić, że znowu jej się przypomniało pytanie, które zadała George'owi Orsonowi poprzedniego wieczoru: co się stało z tamtymi, z tymi przede mną?

Wyobrażała sobie tę Lucy Honeychurch – bez wątpienia blondynka, osoba, która nosiła sweterki ze sklepu z używanymi rzeczami i staromodne okulary, dziewczyna, która prawdopodobnie uważała, że jest mądrzejsza, niż była w rzeczywistości. Czy zabrał ją do motelu „Pod latarnią morską"? Czy spacerowali razem wśród pozostałości zatopionej wsi? Ją też przebrał w cudze ubrania i pospiesznie wywiózł na jakieś lotnisko, z podrobionym paszportem w torebce, do innego miasta, innego stanu, gdzieś za granicę?

Gdzie jest teraz ta dziewczyna? – zastanowiła się Lucy, akurat wtedy, gdy ludzie zaczęli podnosić się z miejsc, bo ogłoszono, że pasażerowie mogą już wsiadać na pokład samolotu lecącego do Brukseli.

Gdzie jest teraz ta dziewczyna? – rozmyślała Lucy. Co się z nią stało?

23

Wyspa Banksa, Park Narodowy Aulavik. Polarna pustynia, powiedział im zwięźle pan Itigaituk swoim łagodnym, wypranym z emocji głosem. Podczas lotu pokazywał im różne miejsca, jakby byli na wycieczce: a to pokazał im pingo, szyszkowate wzgórze w kształcie wulkanu, zamiast lawy wypełnione lodem, a to Sachs Harbour, który okazał się grupką domków pobudowanych na nagim, błotnistym wybrzeżu, a to niewielkie, połączone z sobą jamy suchych dolin, a to – O, patrzcie! – stado piżmowołów!

Teraz jednak, kiedy tak wędrowali przez tundrę w stronę miejsca, gdzie miała się znajdować stara stacja badawcza, oddalając się od coraz to mniejszej cessny, pan Itigaituk zrobił się małomówny. Przystawał mniej więcej co dwadzieścia minut, żeby sprawdzić, co pokazuje jego kompas, przyciskał lornetkę do oczu i omiatał nią otoczenie pokryte kamykami i głazami.

Milesowi dano parę gumiaków i kurtkę; wlókł się teraz po mokrym żwirze i kałużach, przez chłodne, lekko mgliste powietrze, co rusz oglądając się nerwowo przez ramię.

Dla odmiany Lydia Barrie kroczyła obok niego z niezwykłym opanowaniem i godnością, niezwykłym tym bardziej że zdaniem Milesa musiała cierpieć z powodu potężnego kaca. A jednak jej twarz tego nie uzewnętrzniała i kiedy pan Itigaituk pokazał podobne do misy zagłębienie wypełnione szaro-białym futrem – truchło lisa, z którego gęś zrobiła sobie gniazdo – Lydia przyjrzała mu się z obojętnym zainteresowaniem.

– Oblecha – powiedział Miles, gapiąc się na łeb lisa, na czaszkę ciasno obleczoną skórą, ze skurczonymi oczodołami i obnażonymi kłami, upstrzoną kropkami gęsiego łajna. W owalnym dołku w przegniłej sierści leżały dwa jaja.
– Słusznie – mruknęła Lydia.

Zdążyli pokonać kilka mil od czasu, kiedy po raz ostatni cokolwiek do siebie powiedzieli. Naturalnie panowało między nimi pewne skrępowanie, biorąc pod uwagę to, co zaszło poprzedniej nocy, coś w rodzaju postintymnej niechęci – i niczego nie ułatwiał ten niepokój, który go osaczył. I jeszcze szum w uszach, który za nic nie chciał minąć.
To było wariactwo, pomyślał.
Czy to prawdopodobne, że Hayden przyjechał tutaj, czy to możliwe, że naprawdę stał się mieszkańcem tundry, która była tak płaska, że nawet ich cessna wciąż była widoczna w oddaleniu wielu mil, choć już maleńka jak łepek szpilki?
Może jednak miał za sobą więcej takich jałowych wypraw niż ona, może stał się fatalistą. Tak czy owak to wszystko nie wyglądało obiecująco.
– Jak daleko jeszcze musimy iść, twoim zdaniem? – spytał, zerkając taktownie w stronę pana Itigaituka, który znajdował się właśnie jakieś dziesięć jardów przed nimi. – Jesteś pewna, że idziemy w dobrym kierunku?
Lydia Barrie poprawiła palce rękawiczki, wciąż gapiąc się na lisa, na kości i futro, dzięki którym jakieś gęsi znalazły taki wygodny dom.
– Ja czuję się dość pewnie – powiedziała i oboje popatrzyli na siebie.
Miles przytaknął bez słowa.

Przez jakiś czas opowiadał jej o Cleveland.
Naturalnie o Haydenie, ale także o ich dzieciństwie, o ojcu

i nawet o swoim teraźniejszym życiu, o pracy w starym sklepie z magicznymi gadżetami, o pani Matalov i jej wnuczce...

– A jednak znalazłeś się tutaj – wtrąciła Lydia. – To brzmi tak, jakbyś mógł być szczęśliwy, Miles, a jednak wylądowałeś tutaj, na wyspie na Oceanie Arktycznym. Wielka szkoda.

– Pewnie tak – odparł Miles. Lekko zmieszany wzruszył ramionami. – Nie wiem. „Szczęśliwy" to mocne słowo.

– „Szczęśliwy" to mocne słowo? – powtórzyła łagodnym tonem, jaki stosują psychoterapeuci. Uniosła brwi. – Mówisz dziwne rzeczy.

Miles jeszcze raz wzruszył ramionami.

– Nie wiem – odparł. – Ja tylko chciałem powiedzieć... że nie byłem aż taki szczęśliwy w Cleveland.

– Rozumiem.

– Czułem się po prostu nijak. No bo zasadniczo pracowałem nad katalogiem firmy. To nie było nic specjalnego. No wiesz. Prawie wszystkie wieczory spędzałem w pustym mieszkaniu, przed telewizorem.

– Tak – odparła i postawiła kołnierz płaszcza, bo zaczął wiać wiatr.

Właściwie to wcale nie było zimno. Wedle szacunków Milesa było około pięćdziesięciu stopni Fahrenheita i wciąż lało się na nich to niekończące się światło. Niebo miało w sobie szklistą, srebrzystą jaskrawość – bardziej przypominało odbicie w okularach lustrzankach. Ten niesamowity fosforyzujący błękit, jaki ma Ziemia oglądana z kosmosu.

– No to powiedz – odezwała się w końcu Lydia – będziesz szczęśliwy, jeśli go znajdziemy?

– Nie wiem – wyznał Miles.

Kiepska odpowiedź, bez wątpienia, ale naprawdę nie wiedział, jak się poczuje. Kiedy sprawy wreszcie się rozwiążą, po tych wszystkich latach? Nie bardzo potrafił to sobie wyobrazić.

A ona jakby to rozumiała. Szła z pochyloną głową, ich stopy

cicho poświstywały na drobniutkich otoczakach układających się w faliste pręgi jak kamienie na dnie strumienia. Miles się domyślał, że to efekt gromadzenia się, a potem topnienia śniegu. – A jeśli go nie znajdziemy? – spytała Lydia po dłuższej chwili dalszego wleczenia się w milczeniu. – Co wtedy? Wsiądziesz do samochodu ot, tak sobie i pojedziesz z powrotem do Cleveland?

– Chyba tak.

Znowu wzruszył ramionami i tym razem Lydia się roześmiała zaskakująco beztrosko, wręcz czule.

– Och, Miles – powiedziała. – Nie potrafię uwierzyć, że pokonałeś samochodem taki kawał drogi aż do Inuvik. To mnie po prostu zdumiewa. – Powiodła wzrokiem w stronę pana Itigaituka, który parł z determinacją do przodu, wyprzedzając ich o jakieś kilkanaście, może więcej jardów. – Jesteś bardzo dziwnym człowiekiem, Milesie Cheshire – stwierdziła i przyjrzała mu się uważnie. – Jak ja bym chciała...

Ale nie dokończyła zdania, tylko pozwoliła mu zawisnąć w próżni i Miles domyślił się, że postanowiła go jednak nie kończyć.

Próbował myśleć o przyszłości.

Im dłużej szli, tym bardziej stawało się dla niego oczywiste, że to jeden z wymyślnych kawałów Haydena, kolejny labirynt jego autorstwa, przez który muszą się teraz przedzierać.

Domyślał się, że wróci. Z powrotem do Cleveland, do „Sezamu Matalova", gdzie zniecierpliwiona staruszka czeka na jego powrót; do wyznaczonego mu kąta w zagraconym sklepie; będzie tam siedział przed komputerem, pod oprawionymi w ramki, czarno-białymi zdjęciami ze starych wodewilów, czasami kontemplując zdjęcie swojego ojca, swojego taty, ubranego w pelerynę i frak, trzymającego zamaszystym gestem różdżkę.

A co do samego Milesa, on nie był magikiem ani też nie miał

nim nigdy zostać, ale wyobrażał sobie siebie, jak wyrasta wśród nich na szanowaną postać. Jak zostaje właścicielem ich sklepu. Już nabrał wprawy w katalogowaniu i naliczaniu kosztów, uporządkował zabałaganione półki i uaktualnił stronę internetową, dzięki czemu robienie zakupów stało się bardziej przyjazne dla klientów, robił wreszcie coś użytecznego, torował sobie skromną ścieżkę przez życie, którą jego ojciec pewnie by szanował.

Czy to nie wystarczało? Czy nie istniała tu możliwość, że mógł się ustatkować, że mógłby stać się szczęśliwy albo przynajmniej zadowolony? Czy nie istniała szansa, że – po tym jednym, ostatnim razie cień Haydena zaczną się odsuwać od jego myśli i nareszcie uda mu się ostatecznie uciec?

Czy to było aż takie trudne? Takie nieprawdopodobne?

A potem podniósł wzrok dokładnie w chwili, kiedy pan Itigaituk się odwrócił i zaczął wołać w ich stronę:

– Widzę! – krzyknął. – Jest zaraz przed nami!

Lydia poprawiła okulary słoneczne i wyciągnęła szyję, a Miles osłonił dłonią oczy przed połyskującym niebem i wiatrem, zezując w stronę horyzontu.

Wszyscy stali w miejscu, niepewnie.

– Ano tak... – przemówił Miles. – To co teraz?

Pan Itigaituk i Lydia Barrie wymienili spojrzenia.

– Pytam, czy zwyczajnie podejdziemy do drzwi i zapukamy? – spytał Miles. – Czy co?

I Lydia przyjrzała mu się zza okularów słonecznych, w których malowała się nieodgadniona pustka.

– A masz jakiś inny pomysł? – odparła.

Stacja badawcza przypominała domek na plaży. Konstrukcja na palach, tyle że w zasięgu wzroku nie było ani wody, ani żadnego wybrzeża, nic też nie wskazywało na to, że tu kiedykolwiek mogłoby dojść do powodzi.

Sam budynek był nieco większy niż trzy połączone ze sobą

domy na kółkach, wzniesiony na kamieniach usypanych w sterty; od poziomu ziemi dzieliły go jakieś cztery stopy, może pięć. Miał tę samą okładzinę z białego, skorodowanego metalu, jakie Miles tak często widywał w Inuvik, a na płaskim dachu był zamontowany mały lasek metalowych anten, talerzy satelitarnych i innych urządzeń transmisyjnych. Przy bocznej ścianie stał wielki zbiornik w kształcie kapsuły, z gatunku tych, w których przechowuje się gaz, a oprócz niego kilka metalowych beczek, też ustawionych na palach, prawdopodobnie na ropę. Od głównego budynku do małej, drewnianej szopy o kształcie i wielkości wychodka biegły jakieś przewody.

– Jest pan pewien, że to... – zaczął Miles, a pan Itigaituk obrócił się i spiorunował go skupionym wzrokiem energicznego myśliwego.

– Ciii – skarcił go.

Najwyraźniej opuszczone miejsce, pomyślał Miles. Te okna – po cztery z każdej strony – nie były oknami, przez które dałoby się wyglądać na zewnątrz. Pokrywała je szara, mętna powłoczka, prawdopodobnie jakaś forma izolacji. Na dachu, w niewzruszonym gąszczu metalowych prętów, skrzypiał aluminiowy wiatrowskaz.

Kiedy pan Itigaituk zaczął podkradać się bliżej, z dachu rozklekotanej konstrukcji podobnej do wychodka poderwał się kruk.

– Jego tu nie ma – szepnął Miles bardziej do siebie niż do Lydii.

Nigdy nie wierzył w żadne z paranormalnych bredni Haydena, niemniej przez lata posłusznie się bawił w jego rozmaite obsesje: poprzednie wcielenia i linie geomantyczne, numerologię i tablicę Ouija, telepatię i podróże pozacielesne.

Ale tak poza tym to jednak w coś wierzył.

Naprawdę wierzył, że jeśli wreszcie znajdzie Haydena, że kiedy wreszcie będzie go miał w zasięgu ręki, to będzie wiedział. Bo wtedy uruchomi się jakiś pozazmysłowy radar „na bliźniaka", uważał. Uruchomi się alarm i on go wyczuje w swoim ciele. Ten alarm uruchomi się w jego piersi niczym telefon komórkowy nastawiony na wibracje. Gdyby Hayden był w tym budynku, Miles by o tym wiedział.

– To nie tu – wymruczał.

Lydia tylko odwróciła się w jego stronę z nieodgadnionym spojrzeniem. Wyciągnęła dłoń w rękawiczce i położyła na ramieniu Milesa.

Cisza!

Obserwowała z uwagą, żarliwie, niemal drżąc. Wyglądała jak hazardzista podczas tej modlitewnej sekundy wstrzymywania oddechu, kiedy koło ruletki zwalnia i srebrna kulka wreszcie wpada w swoje miejsce.

Wydawała się taka pewna swego, taka skupiona, że chcąc nie chcąc, zwątpił w swoje instynkty.

Może. Może to możliwe?

W końcu zdawała się wiedzieć to, czego on nie wiedział. I najwyraźniej odrobiła swoją pracę domową.

A jeśli Hayden naprawdę tam był w środku? To co wtedy?

Miles i Lydia przystanęli w pewnej odległości, za to pan Itigaituk podszedł do drewnianych schodków, które wiodły do wejścia budynku.

Oboje mu się przyglądali, jak przyczajony pokonywał kolejne schodki. Obserwowali go razem; razem wstrzymali oddech, kiedy położył dłoń na klamce.

Drzwi nie były zamknięte na klucz.

Miles zamknął oczy. Okay, pomyślał.

Okay. Tak. Stało się.

W stacji nie było nikogo.

Drzwi otworzyły się chwiejnie i pan Itigaituk stał, jak się wydawało, bardzo długo na progu, zaglądając do środka. A potem się odwrócił i spojrzał na nich.

– Nikt tu nie mieszka – oświadczył i czar wreszcie prysł.

Do Milesa i Lydii dotarło, że stali tak w oddaleniu, jakby czekali, aż pan Itigaituk odpali jakąś bombę.

– Nic – powiedział niezadowolonym tonem pan Itigaituk i obdarzył ich oboje łagodnie oskarżycielskim spojrzeniem. – Tu nikogo nie było od długiego czasu.

Od bardzo długiego czasu, zrozumiał Miles. Może od roku, może jeszcze dłużej. Zrozumiał to, kiedy weszli do środka, dzięki grzybnej, piwnicznej woni unoszącej się w powietrzu.

Pomieszczenie od frontu, wielkością i kształtem porównywalne z grubsza do przyczepy półciężarówki, było wyłożone szarą wykładziną i zupełnie pozbawione umeblowania. Do korkowych tablic na ścianach były przyczepione jakieś kartki i nagłe wtargnięcie wiatru do wnętrza budynku sprawiło, że zatrzepotały z kurnikowym niepokojem.

– Halo? – zawołała Lydia, ale jej głos był cichy i słaby. – Rachel? – powiedziała i podeszła z wahaniem do otwartych drzwi, przez które przechodziło się do pomieszczeń na tyłach. – Halo? Rachel?

Tam było ciemniej.

Nie ciemno choć oko wykol, ale mrocznie, jak w hotelowym pokoju z zasuniętymi roletami; przemyślny pan Itigaituk wyciągnął z kieszeni latarkę i zapalił.

– Cholera jasna – powiedziała Lydia Barrie.

Miles nic nie powiedział.

Tu, w tym kolejnym pomieszczeniu, zobaczyli składane stoły zamontowane w ścianach, takie same, jakie można spotkać w niektórych szkolnych stołówkach. I do tego sprzęt niewiadomego przeznaczenia – jakiś duży, kanciasty obiekt z ostrymi zębami jak sztachety w płocie, niewielkie wiatrowskazy, różdżki podobne do sztucznych ogni, szafka na akta, z której ktoś powyciągał wszystkie szuflady; ten ktoś porozrzucał też na podłodze wszystkie foldery.

Smród starych, zapleśniałych ubrań stał się tu silniejszy i pan Itigaituk posłał snop światła latarki do pomieszczenia obok, które służyło za kuchnię i spiżarnię. W zlewie spoczywał stos brudnych naczyń, na blacie i pod szafkami, które były pootwierane i prawie puste, walały się opróżnione puszki i opakowania od batonów.

Na stole stało pudełko po płatkach śniadaniowych Cap'n Crunch, tak spłowiałe, że prawie nierozpoznawalne, tuż obok miseczki, łyżki i puszki po skondensowanym mleku.

Pan Itigaituk obrócił się uroczyście w stronę Lydii, z wyrazem twarzy, który potwierdzał to, co pomyślał sobie Miles: to miejsce było opuszczone od lat. A więc cała ta sytuacja to nie było nawet żadne „o mały włos".

– Kurwa mać – zaklęła pod nosem Lydia Barrie, wyjęła z torby flaszkę i pociągnęła łyk. Twarz miała ściągniętą, zmęczoną; drżała jej ręka, kiedy podsunęła butelkę w stronę Milesa. – Czułam się taka pewna swego – powiedziała, kiedy Miles wziął od niej flaszkę.

Nie napił się, choć rozważał ten pomysł.

– Tak – odparł. – On jest w tym dobry. W robieniu z ludzi głupków. Chyba można powiedzieć, że to dzieło jego życia.

Podsunął jej flaszkę; odebrała ją i znowu upiła łyk.

– Przykro mi – powiedział Miles.

Robił to od tak dawna, że znakomicie już znał to uczucie – ten pośpiech, oczekiwanie, narastanie emocji. I potem rozczarowanie. Antyklimaks, który na swój sposób przypominał smutek. Wyobrażał sobie, że podobnie jest z zawodem miłosnym.

A potem oboje podnieśli wzrok, bo pan Itigaituk chrząknął. Stał kilka jardów dalej, blisko pociemniałego wejścia do pomieszczeń na tyłach.

– Pani Barrie – powiedział. – Pewnie chce to pani zobaczyć.

To była sypialnia.

Stanęli na progu i zajrzeli do środka; to właśnie w tym miejscu biło najsilniej wonią ziemi i spleśniałych tkanin. Pokój był wąski, ledwie starczało w nim miejsca na łóżko i jakieś półki, ale za to ktoś go z rozmachem udekorował.

Udekorował? Czy to było właściwe słowo?

Milesowi przypomniał się jeden z wykładów z historii sztuki, na które chodził na Uniwersytecie Ohio. Art brut, takiego terminu używał ich wykładowca, sztuka outsiderów. Skojarzył to wtedy z dioramami i posągami, które w dzieciństwie tworzył Hayden.

Te „dekoracje" też były mniej więcej takie, tyle że znacznie bardziej dopracowane i wypełniały cały pokój. Z sufitu zwisały mobile – origami w kształcie ryb, łabędzi, pawi, muszli nautilusów i sztucznych ogni, chmury z waty, dzwonki wietrzne z kamyczków i szkiełek do mikroskopu. Z kolei na półkach stały twory, które Hayden zrobił z kamieni, kości, gwoździ, kawałków drewna, puszek po zupach, plastikowych opakowań, pasków tkaniny, piór, futra, części komputerowych i całego mnóstwa innych, nierozpoznawalnych śmieci.

Część tych dzieł tworzyła tableau – Miles pracował dostatecznie długo w sklepie dla magików, żeby rozpoznać tu scenki z kart tarota. Zauważył Czwórkę Mieczy: maleńka figurka ulepiona z gliny, błota albo mąki, spoczywająca na łóżku z kartonu i nakryta maleńkim kocykiem ze sztruksu; nad łóżkiem wisiały trzy gwoździe wycelowane ostrymi końcami w dół. Zauważył też wieżę – stożkowatą budowlę zbudowaną z kamyków; z samego szczytu rzucało się w przepaść dwoje ludzików zrobionych ze spinaczy i patyczków.

Pod tymi obiektami na łóżku leżały ułożone rzeczy. Obok siebie: biała bluzka i biały T-shirt, rękawy rozciągnięte na boki. Dwie pary dżinsów. Dwie pary skarpetek. Jakby oni spali tu obok siebie i potem zwyczajnie wyparowali, nie pozostawiając po sobie nic oprócz ubrań.

Z kolei dookoła tych sylwetek leżały girlandy z kwiatów: lilie z gęsich piór, róże z kartek wyrwanych z książek, gipsówka z drutu i kawałków izolacji. Plamki miki zaiskrzyły się, kiedy pan Itigaituk omiótł latarką tę...

Kapliczkę, tak to należało nazwać, przypuszczał Miles.

To wnętrze naprawdę przypominało kapliczki, jakie się widuje przy autostradzie: zbieraniny krzyży, plastikowych bukietów, pluszowych zwierzątek i ręcznie wypisanych tabliczek, upamiętniających miejsca, gdzie ktoś zginął w wyniku kraksy samochodowej.

Nad ubraniami leżały spore, płaskie kamienie ułożone w łuk i we wszystkich tych kamieniach wyryte zostały runy.

Runy: ich dawna zabawa, stary alfabet, który wymyślili, kiedy mieli dwanaście lat, „litery" stanowiące coś w rodzaju skrzyżowania alfabetu fenicjańskiego z Tolkienowskim. Udawali, że to jakiś starożytny język.

Z odczytaniem symboli poszło mu całkiem nieźle. Wciąż pamiętał.

R-A-C-H-E-L. H-A-Y-D-E-N.

A pod spodem mniejsze litery układały się w:

e-a-d-e-m m-u-t-a-t-a r-e-s-u-r-g-o

Domyślił się, że to coś w rodzaju grobu.

Cała ich trójka stała tam niemo; zrozumieli, co ta wystawa ma oznaczać, zrozumieli, że stoją przed kapliczką albo grobowcem. Od strony frontowych drzwi musiał powiać wiatr, bo mobile zaczęły się lekko ruszać, rzucając na ścianę leniwie obracające się cienie, kiedy pochwyciła je latarka pana Itigaituka. Dzwonki wietrzne odezwały się nieśmiałym, grzechotliwym szeptem.

– Podejrzewam, że to są rzeczy Rachel – odezwała się wreszcie Lydia chrapliwym głosem, a Miles wzruszył ramionami.

– Ja bym nie był taki pewien – odparł.

– Co to jest? – spytała Lydia. – Jakaś wiadomość?

Miles pokręcił głową. Myślał o dziwnie ułożonych postaciach z kamieni i gałązek, które Hayden zwykł tworzyć na podwórku za ich starym domem po śmierci ojca. Myślał o zniszczonym egzemplarzu *Frankensteina*, który dostał pocztą nie tak długo po swojej wyprawie do Dakoty Północnej, z zakreślonym fragmentem ostatniego rozdziału:

Idź za mną. Zdążam teraz na północ do krainy wiecznych lodów, gdzie odczujesz najdotkliwsze zimno i najsroższe mrozy, na które moje ciało jest zupełnie nieczułe... Dalej, naprzód, wrogu mój!*

– Moim zdaniem to znaczy, że oboje nie żyją – powiedział w końcu Miles i umilkł.

Naprawdę tak myślał? Czy tylko chciał, żeby to była prawda?

Lydia dygotała lekko, ale jej twarz pozostała spokojna. Nie wiedział, co ona czuje. Wściekłość? Rozpacz? Czy raczej była to tylko jakaś odmiana tej odrętwiałej, nieprzeniknionej, bezsłownej pustki, która nim owładnęła w chwili, gdy przypomniał sobie list od Haydena: *Pamiętasz Wielką Wieżę Kallupilluka? Niewykluczone, że to ona właśnie stanie się miejscem mojego ostatniego spoczynku, Miles. Być może już więcej o mnie nie usłyszysz.*

– Zostawił te rzeczy dla mnie – powiedział cicho. – Chyba uznał, że ja zrozumiem, co oznaczają.

Znał Haydena i dlatego zakładał, że każdy obiekt w tym pokoju to wiadomość, że każda figurka i diorama opowiadają jakąś historyjkę. Że wszystkie znajdujące się tutaj obiekty miały zwracać na siebie taką samą uwagę, jaką archeolog zwróciłby na komplet dawno temu zaginionych zwojów.

I Miles podejrzewał, że naprawdę rozumie ukryty w tym

---

* Mary Wollstonecraft Shelley, *Frankenstein*, przeł. Henryk Goldmann, Muza, Warszawa 1998.

wszystkim sens. Albo że przynajmniej potrafi podać pewną interpretację – tak samo jak wróżki, które umieją doszukać się jakiejś historii w przypadkowych liniach we wnętrzu ludzkiej dłoni albo w patyczkach *I Ching*, tak samo jak mistycy, którzy znajdowali wszędzie tajemne komunikaty dzięki temu, że dokonywali konwersji liter w liczby i liczb w litery, magiczne cyfry zagnieżdżone w wersetach Biblii, zaklęcia rzekomo odkrywane w niekończących się rzędach cyfr tworzących π.

Czy byłoby kłamstwem stwierdzenie, że w tym zbiorowisku dioram, figurek i mobili dałoby się odnaleźć jakąś narrację? Byłoby to nieuczciwe? Czy to by się różniło od tego, co robi psychoterapeuta, który bierze treść snów, krajobrazy, obiekty, przypadkowe, surrealne wydarzenia i tka z nich pewne znaczenie?

– To list samobójczy – powiedział w końcu Miles bardzo łagodnie i wskazał stos kamyków z ludzikami ze spinaczy rzucającymi się z jego szczytu. – To Wielka Wieża Kallupilluka – dodał. – To... to jest historyjka, którą wymyśliliśmy, kiedy byliśmy mali. To latarnia morska na końcu świata; tam właśnie odchodzą nieśmiertelni, kiedy są gotowi opuścić to życie. Odpływają łodziami od wybrzeża za latarnią, prosto do nieba.

Wpatrywał się z napięciem w przedmioty, które Hayden zostawił dla niego, jakby każdy z nich był hieroglifem, jakby każdy był stop-klatką niczym cykle fresków z dawnych czasów.

Tak. Można było stwierdzić, że w tym wszystkim jest ukryta pewna opowieść.

W swojej wersji wydarzeń Miles uznał, że mogli tu przybyć jesienią.

Hayden i Rachel. Byli w sobie zakochani, dokładnie tak jak na fotografii, którą pokazała mu Lydia. Myśleli, że uda im się tu ukryć, na krótko, dopóki Hayden nie uporządkuje spraw.

Nie planowali, że zostaną tu długo, ale zima nadeszła prędzej, niż się spodziewali, i zanim się połapali, utknęli w pułapce.

A Rachel – została uwieczniona w mobilu z piórek i kawałków kolorowego szkła – zachorowała. Wyszła na zewnątrz, żeby popatrzeć na zorzę polarną. Była nieżyciową romantyczką, fotografikiem-amatorem – w tamtej dioramie znajdowały się rolki filmu, być może nadawały się do wywołania, być może zawierały zdjęcia, które zrobiła podczas ostatnich dni...

Nie zdawała sobie sprawy. Nie rozumiała, że w tym kraju nawet kilkuminutowe wystawienie się na działanie żywiołów może być straszliwie niebezpieczne. Została uwieczniona, jak bredziła w gorączce, na tamtym łóżku, pod gwoździami...

W tym czasie jedzenie już się kończyło i Hayden nie wiedział, jak długo będzie działał generator. I dlatego zrobił sanie dla Rachel, owinął ją kocami, kurtkami i futrem i wyruszył w drogę. Planował dojść pieszo do południowej części wyspy. To była ich jedyna szansa.

– Nie – zaprotestował pan Itigaituk i cynicznie pokręcił głową. – To idiotyczne. Nie daliby rady. To by było niemożliwe.

– On o tym wiedział – odparł Miles. – To właśnie znaczą te kamyczki, o tutaj. Rozumiał, że to beznadziejne, ale i tak chciał spróbować.

Spojrzał na Lydię, która stała, słuchając go z nieprzeniknioną twarzą. Słuchając jego tłumaczenia.

– Nie – powiedziała. – To nie ma sensu. Mieliby umrzeć tak dawno temu? Jak to... przecież mamy listy od niego wysłane całkiem niedawno...

Listy, które mógł zostawić u kogoś, niewykluczone. Proszę, wyślij je, jeśli nie wrócę za rok. Tu masz sto, dwieście dolarów za fatygę.

– Może masz rację – zgodził się z nią Miles. – Może oni ciągle gdzieś żyją.

Ale Lydia pogrążyła się we własnych myślach. Nieprzekonana, ale...

A jednak.

To pewnie nie była prawda, ale czy nie byłoby miło w to wierzyć?

To byłaby taka ulga, pomyślał Miles, taka pociecha myśleć, że wreszcie dotarli do kresu tej historii. Czy to, co zostawił dla nich Hayden, ta wystawa, to nie był podarunek? Czy nie na tym polegała Haydenowa wersja dobra?

Prezent dla ciebie, Miles. I także dla ciebie, Lydio. Dotarliście nareszcie na kraniec świata i teraz wasza wyprawa dobiegła końca. Zakończenie dla was, jeśli chcecie.

Jeśli je przyjmiecie.

24

Ryan mieszkał w Ekwadorze już prawie od roku i zaczął się przyzwyczajać do myśli, że pewnie nigdy więcej nie zobaczy Jaya.

Przyzwyczajał się do wielu rzeczy.

Mieszkał w Quito, na Starym Mieście – w Centro Historico – w małym mieszkanku przy Calle Espejo, dość tłocznym deptaku, i zdążył już zobojętnieć na odgłosy miasta, na to, że budziło się zawsze tak wcześnie. Tuż pod jego oknem było stoisko z gazetami, więc nie potrzebował budzika. Już o świcie słyszał metalowe poszczękiwanie, bo señor Gamboa Pulido rozstawiał stojaki i układał na nich gazety, a krótko potem do nie całkiem rozbudzonej świadomości Ryana zaczynały wplatać się głosy. Przez dłuższy czas hiszpańskie zdania nie zdawały się niczym więcej jak bulgotliwą muzyką, ale w końcu i to się zmieniło. Wcale nie trwało aż tak długo, jak się z początku spodziewał, zanim sylaby zaczęły krzepnąć w słowa, zanim do niego dotarło, że myśli po hiszpańsku.

Oczywiście wciąż miał swoje ograniczenia. Wciąż dawało się w nim rozpoznać Amerykanina, a jednak radził sobie na targowisku albo na ulicy, potrafił zrozumieć szwargotanie dyskdżokejów z radia, mógł oglądać telewizję i rozumieć wiadomości, fabuły i dialogi w operach mydlanych, był w stanie wziąć udział w przyjaznych pogawędkach w kawiarniach albo kawiarenkach internetowych, wiedział, kiedy ludzie rozmawiali o nim – przyglądając się jednocześnie z ciekawością, kiedy się pochylał nad klawiaturą, wyraźnie pod wrażeniem, że tak prędko potrafi wystukiwać czcionki jedną dłonią.

Do tego też się powoli przyzwyczajał.

Bywało, że rankiem coś go dziwnie świerzbiało. Bolał go fantom dłoni, swędziało go jej wnętrze, palce zdawały się naprężać. Ale już się nie dziwił, kiedy otwierał oczy i stwierdzał, że jej nie ma. Przestał się budzić z przeświadczeniem, że dłoń do niego wróciła, że w jakiś sposób się zrematerializowała w środku nocy, że wykiełkowała i zregenerowała się z kikuta nadgarstka.

Dojmujące poczucie straty zblakło i z czasem przekonał się nawet, że coraz rzadziej potyka się o ten brak. Potrafił się ubrać, a nawet zawiązać sobie buty bez większego problemu. Umiał zrobić sobie grzankę i kawę, rozbić jajko na patelnię, wszystko jedną dłonią, a bywały nawet takie dni, kiedy nie chciało mu się wkładać protezy.

„Jajka": to było jedno z tych słów, o które się czasami potykał. *Huevos? Huecos? Huesos?* Jaja, dziury, kości.

Na razie używał mioelektrycznego haka, wkładał go na kikut jak rękawicę. Potrafił rozprostowywać i zwierać te zęby, zwyczajnie naprężając mięśnie przedramienia, i naprawdę nabrał w tym sporej wprawy. A jednak zdarzały się dni, kiedy było łatwiej – bo mniej rzucało się w oczy – zwyczajnie zapiąć guzik przy mankiecie na gołym, pustym nadgarstku. Nie lubił tego zainteresowania, jakie hak budził w ludziach, tych przestraszonych spojrzeń, lęku na twarzach kobiet i dzieci. Już i tak wystarczało, że był gringo, jankesem, więc nie miało sensu jeszcze bardziej rzucać się w oczy.

Na początku, kiedy przechodził przez Plaza de la Independencia otaczający skrzydlatą statuę zwycięstwa, stwierdzał, że

zwraca na siebie uwagę, choć wcale tego nie chciał. Przypomina
ły mu się przestrogi Walcotta: „Nigdy nie patrz ludziom prosto
w oczy". A mimo to odkrył, że mali chłopcy zarabiający na ulicach jako pucybuci, ścigają go, wydając piskliwe, niezrozumiałe
okrzyki, a stare wieśniaczki, z siwymi warkoczami i czepkami
anaco, marszczą czoła jeszcze mocniej, kiedy je mija. Poza tym
Quito było miastem pełnym zadziwiającej liczby klownów i mimów, których też do niego ciągnęło. Obszarpany, czerwononosy
szkielet na szczudłach, zombi z białą twarzą w zakurzonym czarnym garniturze, idący jak mechaniczna zabawka po przejściu
dla pieszych, starszy mężczyzna z uszminkowanymi ustami,
powiekami pomalowanymi na zielono, w różowym turbanie,
który trzymał karty tarota i wołał za nim: „Fortuna! Fortuna!"
Czasami nadarzał się jakiś student, z plecakiem, w sanda
łach, ubrany w wojskowe ciuchy. „Hej, kolego! Jesteś Amerykaninem?"

To mu się teraz zdarzało rzadziej. Przechodził przez plac bez
większych incydentów. Stary wróżbita, z tym samym burdelowym makijażem rozmazanym przez pot, tylko zadzierał głowę,
kiedy Ryan przechodził obok, i potem odprowadzał go smutnym wzrokiem, gdy wędrował w stronę Pałacu Prezydenckiego
z fasadą z białymi kolumnami i starymi, osiemnastowiecznymi
celami więziennymi na najniższym poziomie, teraz otwartymi
i przekształconymi w salony fryzjerskie, sklepy z odzieżą i lokale z fast foodem.

Ze szczytów gór spoglądała na miasto kalwaria anten i talerzy satelitarnych. A w przerwach między budynkami widywał
czasem wielki posąg Madonny w tanecznej pozie, górujący nad
całą doliną ze szczytu wzgórza Panecillo.

Finansowo radził sobie nieźle. Sporo kont mu zablokowali,
ale wciąż dysponował kilkoma takimi, które nie zostały odkryte,
i zaczął, bardzo ostrożnie, przelewać środki z jednego na dru-

gie – skromnym strumyczkiem umożliwiającym mu wygodne życie. Zainwestował też trochę w fundusze, które naprawdę przynosiły dywidendy, znalazł też sobie i przysposobił nowe nazwisko: David Angel Verdugo Cubrero, mieszkaniec Ekwadoru, posiadacz paszportu i tak dalej. Kiedy ludzie przyglądali mu się dziwnie, wzruszał ramionami i mówił: „Moja matka była Amerykanką". Założył konto oszczędnościowe Davidowi, załatwił mu też kilka kart kredytowych i wyglądało na to, że będzie dobrze. Najwyraźniej udało mu się uciec.

Ludzie, którzy ich zaatakowali, ludzie, którzy odcięli mu dłoń, chyba zgubili jego ślad.

Domyślał się, że Jay nie miał takiego szczęścia.

Cokolwiek się wydarzyło tamtej nocy, w jego wspomnieniach stanowiło zamazaną plamę. Wciąż nie wiedział, o co chodziło tym ludziom, dlaczego się upierali, że Jay to nie Jay, dlaczego odjechali w takiej panice ani też jakim sposobem Jayowi udało się wyswobodzić z krzesła, do którego przykleili go taśmą. Ilekroć próbował pozbierać to wszystko do kupy, wydarzenia uparcie pozostawały nielogiczne, przypadkowe, pokawałkowane.

Zanim dojechali do szpitala, stracił mnóstwo krwi i całe jego pole widzenia zostało wyprane z koloru. Pamiętał – albo mu się wydawało, że pamięta – drzwi, które rozsunęły się automatycznie, kiedy dobrnęli do wejścia na izbę przyjęć. Pamiętał zdziwioną, drżącą pielęgniarkę w fartuchu we wzorek z baloników, która nie wiedziała, co robić, kiedy Jay wcisnął jej w ręce turystyczną lodówkę do piwa. „Tam jest jego dłoń", powiedział. „Przyszyjecie ją, prawda? Możecie to naprawić?"

Pamiętał, jak Jay całował go po włosach i szeptał głucho: „Nie umrzesz, kocham cię, synu; jesteś jedyną bliską mi osobą; nie pozwolę, żeby ci się stało coś złego; nic ci nie będzie..."

– Tak – powiedział Ryan. – Okay.

A kiedy zamknął oczy, usłyszał, jak Jay mówi do kogoś:

– Spadł z drabiny. Zaczepił ręką o drut. To się stało tak szybko.

Dlaczego on kłamie? – rozmyślał sennie Ryan.

A następną rzeczą, jaką pamiętał, było szpitalne łóżko, kikut jego nadgarstka obandażowany jak mumia, tępe pulsowanie fantomu dłoni; młody lekarz, doktor Ali, z czarnymi włosami związanymi w kitkę i zmęczonymi, brązowymi oczami, tłumaczył mu, że ma nieprzyjemną wiadomość w związku z jego dłonią, że nie byli w stanie przyszyć kończyny, bo upłynęło za dużo czasu, a poza tym są małym szpitalem, więc brak im sprzętu...

– Gdzie ona jest? – spytał Ryan. To była jego pierwsza myśl. Co oni zrobili z jego dłonią?

A lekarz zerknął na drobną, blondwłosą pielęgniarkę, która stała z boku.

– Przykro mi – odparł ze smutkiem. – Już jej nie ma.

– Gdzie mój ojciec? – spytał wtedy Ryan. Wszystko rozumiał jak należy, ale nic do niego nie docierało. Jego mózg wydawał się płaski, dwuwymiarowy; patrzył niepewnie na drzwi pokoju. Słyszał plask-plask czyichś butów z twardymi podeszwami na korytarzu. – Gdzie jest mój tato? – spytał i lekarz z pielęgniarką znowu wymienili żałobne spojrzenia.

– Panie Wimberley – powiedział lekarz. – Czy ma pan numer telefonu, pod którym moglibyśmy nawiązać kontakt z pana ojcem? Czy może jest ktoś inny, do kogo moglibyśmy zadzwonić w pana imieniu?

Ryan znalazł ten list dopiero wtedy, gdy zajrzał do portfela. Portfel – w którym wciąż znajdowało się prawo jazdy na nazwisko Max Wimberley – był wypchany pieniędzmi. Piętnaście studolarówek, kilka dwudziestek, jednodolarówki i oprócz tego mała, złożona karteczka, z równymi, drukowanymi literkami Jaya:

R – Wyjedź natychmiast z kraju. Spotkamy się w Quito, skontaktuję się, jak tylko będę mógł. Spiesz się!

Zawsze Twój, Jay.

Od dnia, w którym przyleciał do Quito, cały czas się spodziewał, że Jay dobije do niego lada chwila. Omiatał wzrokiem przechodniów na placu i na brukowanych chodnikach, zaglądał do wąskich, zagraconych sklepików, wysiadywał godzinami w kawiarenkach internetowych i wpisywał nazwiska Jaya do wyszukiwarek, wszystkie, jakie udało mu się spamiętać. Sprawdzał kolejno wszystkie skrzynki pocztowe, jakie kiedykolwiek założył, sprawdzał je raz i potem znowu.

Nie chciał myśleć, że Jay nie żyje, choć może to było łatwiejsze niż uznanie, że Jay po prostu nie przyjedzie.

Że Jay go porzucił.

Że Jay nawet nie był Jayem, tylko jakimś – no czym – innym awatarem?

Podczas tamtych początkowych miesięcy stawał na balkonie swojego mieszkania na pierwszym piętrze i przysłuchiwał się dwóm ulicznym przekupkom, które wystawały pod Teatro Bolivar, tuż przed następną przecznicą. Piękne, smutne Otavaleñas, może siostry, może nawet bliźniaczki, z czarnymi włosami splecionymi w warkocze, w białych, chłopskich bluzkach i czerwonych szalach; trzymały swoje koszyki z truskawkami, fasolą lima albo kwiatami, skandując: „Jeden dolar, jeden dolar, jeden dolar, jeden dolar". Z początku mu się wydawało, że one śpiewają. Ich głosy były takie słodkie, melodyjne i przepełnione tęsknotą, raz splatały się ze sobą kontrapunktowo, innym razem harmonijnie. „Jeden dolar, jeden dolar, jeden dolar, jeden dolar". Jakby ktoś złamał im serca.

A teraz minął prawie rok i już nie myślał o Jayu tak często. A nawet wręcz rzadko.

Popołudniami szedł na Calle Flores do ulubionej kawiarenki internetowej. Znajdowała się tuż za pomalowanymi na koralowy kolor, gipsowymi murami hotelu Viena Internacional, gdzie zatrzymywali się amerykańscy i europejscy studenci, bo było tam tanio, i gdzie ekwadorscy biznesmeni spędzali kilka godzin z prostytutkami. Tuż pod wzgórzem, gdzie wąska, boczna uliczka otwierała się znienacka na panoramę wschodniego pasma gór, pod rzadkim, błękitnym niebem, w zakolach stały niezliczone stosy domów.

To tutaj. Wystarczyło otworzyć drzwi z ręcznie namalowanym szyldem: INTERNET i dalej wiodły strome, połupane schody. Ciasny pokoik na tyłach z rzędami starożytnych, brudnych komputerów.

Właścicielem był stary Amerykanin. Raines Davis, tak się nazywał, na oko siedemdziesięcioletni; siedział za kontuarem i powoli zapełniał popielniczkę petami. Jego gęste, siwe włosy miały żółtawy nalot, jakby zabarwił je dym.

W kawiarence często przesiadywały tłumy studentów, zgarbionych nad klawiaturami, niewidzących świata poza ekranem, ale czasami późnym popołudniem robiło się tam pustawo i tę porę Ryan lubił najbardziej; w lokalu stawało się bardzo spokojnie, bardzo prywatnie, tuż pod sufitem unosił się cienki obłok dymu papierosowego. Owszem, czasami wstukiwał do okna wyszukiwarki „Ryan Schuyler", żeby tylko sprawdzić, czy coś się objawiło; oglądał też zdjęcia satelitarne Council Bluffs, bo w tych czasach były takie dokładne, że widział swój dom, widział samochód Stacey na podjeździe. Wyjeżdżała do pracy, domyślał się.

Zastanawiał się nawet, co by było, gdyby się z nimi skontaktował, gdyby ich powiadomił, że jednak żyje. Czy byłby to akt dobroci czy okrucieństwa, rozmyślał. Czy ktoś rzeczywiście mógłby sobie życzyć powrotu zmarłego bliskiego do życia po tym, jak już włożył tyle energii w przywracanie porządku w swoim świecie? Nie był pewien – nie wiedział, kogo spytać – ale wyobrażał sobie, że zada kiedyś to pytanie panu Davisowi, kiedy poznają się lepiej.

Pan Davis nie zaliczał się do gadatliwych osób, ale od czasu do czasu rozmawiali. Był starym wojskowym, prawdziwym ekspatriantem. Wychował się w Idaho, ale w Quito mieszkał od trzydziestu lat i nie sądził, by kiedykolwiek miał wrócić do Ameryki. Nawet już o tym nie myślał, powiedział.

I Ryan tylko pokiwał głową.

Wyobrażał sobie, że musi nastąpić taki moment, w którym przestajesz być gościem. Kiedy inni turyści już odlecieli, kiedy studenci z wymiany przestali udawać tubylców, kiedy idea „powrotu do domu" zaczęła sprawiać wrażenie fikcji.

Był już bardzo daleko od tego dziecka, którym był dla Stacey i Owena Schuylerów. Bardzo daleko od tego ofermowatego, napalonego chłopaka, którym był dla Pixie, od tego współlokatora, którym był dla Walcotta, od tego syna, którym był dla Jaya.

Czy to wszystko było mniej realne niż drobne, przejściowe wcielenia, które odrzucił? Kasimir Czernewski, Matthew Blurton, Max Wimberley.

W którymś momencie musisz móc się zerwać z uwięzi. W którymś momencie odkrywasz, że cię uwolniono.

Można być każdym, pomyślał.

Można być każdym.

25

George Orson tracił nerwy.

Obudził się w środku nocy, z rozdzierającym krzykiem, a potem siedział z podkulonymi nogami, przy zapalonej lampce nocnej i włączonym telewizorze.

– Znowu mam złe sny – powiedział i Lucy przysiadła potem przepłoszona obok niego, a on tymczasem zionął długim, jałowym milczeniem.

To był ich drugi dzień w Afryce, zadekowali się w hotelu Ivoire, w pokoju na piętnastym piętrze; George Orson wychodził, wracał, wychodził, wracał i po każdym takim powrocie wydawał się jeszcze bardziej zaczerwieniony i podminowany.

Lucy w tym czasie siedziała w pokoju, wysoko nad ziemią, w wieży drapacza chmur, w którym mieścił się hotel, znudzona i sama mocno rozchwiana emocjonalnie, to ostrożnie odklejając banknoty od stronic książek, to gapiąc się z góry na sześciopasmową autostradę wypełnioną strumieniami pojazdów jadących po obwodzie laguny Ebrie – która wcale nie była lazurowa, jak to wnosiła Lucy na podstawie broszur, tylko zwyczajnie szarawa, przez co niewiele się różniła od jeziora Erie. Ale przynajmniej rosły tam palmy.

Usłyszała go, był już za drzwiami, gwałtownie zazgrzytał klamką, mamrocząc coś pod nosem, wreszcie wtargnął do środka i cisnął magnetyczną kartę do otwierania zamka na dywan, szczerząc przy tym zęby.

– Skurwysyństwo – warknął i rzucił teczkę na łóżko. – Ja pierdolę – powiedział.

Lucy stała w miejscu, ze studolarówką w dłoni, mrugając ze strachem. Nigdy wcześniej nie słyszała, żeby przeklinał.

– Co się stało? – spytała i patrzyła, jak on głośno łomocząc butami, podchodzi do minibaru i otwiera go gwałtownie. Pusto.

– Pierdolony, gówniarski hotel – rzucił. – To mają być cztery gwiazdki?

– Co się stało? – powtórzyła, ale on tylko potrząsnął głową w jej stronę, z irytacją, pocierając się palcami po czaszce, po włosach sterczących suchymi, trawiastymi kępkami.

– Musimy zdobyć nowe paszporty – oświadczył. – Musimy jak najszybciej pozbyć się Davida i Brooke.

– Nie mam nic przeciwko temu – odparła i patrzyła teraz, jak podchodzi do telefonu i podnosi słuchawkę z widełek zamaszystym gestem kontrolowanej furii.

– *Allo? Allo?* – rzucił do słuchawki.

Zrobił wdech i wtedy stwierdziła, że to jest coś niesamowitego. Twarz naprawdę jakby mu się zmieniała, kiedy przerzucał się na swój basowy, przesadzony francuski akcent. Powieki opadały mu nieznacznie, usta wyginały się w podkówkę, podbródek się zadzierał.

– *Service des chambres?* – spytał. – *S'il vous plaît, je voudrais une bouteille de whiskey. Oui. Jameson, s'il vous plaît.*

– George – wtrąciła, znowu się zapominając, zapominając, że on jest jej „tatą". – Mamy jakiś problem? – spytała, ale on tylko podniósł palec: Ciii.

– *Oui* – powiedział do telefonu. – *Chambre quinze quarante-et-un* – dodał, odłożył słuchawkę i dopiero wtedy spojrzał na Lucy.

– Co się dzieje? – spytała raz jeszcze. – Jakiś problem?

– Muszę się napić; to jest główny problem – wyjaśnił, usiadł na łóżku i zdjął but. – Ale jeśli chcesz znać prawdę, to ci powiem, że coś mnie lekko zaniepokoiło i dlatego musimy przyjąć nowe nazwiska. Już jutro.

– Okay – powiedziała. Położyła *Samotnię* na stoliku i dyskretnie wsunęła sto dolarów do przedniej kieszeni swoich dżinsów. – Ale to nie jest odpowiedź na moje pytanie. Co się dzieje?

– Jest dobrze – odparł zwięźle. – Po prostu dopadła mnie lekka paranoja – dodał i rzucił drugi but na podłogę. Wsuwany, męski mokasyn, z rzemykami zamiast sznurowadeł. – Jutro rano masz iść do tego salonu na dole – powiedział. – Spytaj, czy mogą cię przerobić na blondynkę. I każ się obciąć – polecił i wtedy wyobraziła sobie, że słyszy w jego głosie lekką nutę niesmaku. – Jakoś wymyślnie. Powinni sobie z tym poradzić.

Lucy przyłożyła dłoń do swoich włosów. Jeszcze nie rozplotła warkoczy Brooke Fremden, mimo że ich nie cierpiała. Zbyt dziecinne, stwierdziła. „Mam być szesnastolatką czy ośmiolatką?" – spytała, choć ostatecznie dała się przekonać po naleganiach George'a Orsona.

Przede wszystkim w ogóle nie chciałam takich włosów. To właśnie pragnęła mu przypomnieć, ale to pewnie nie miało znaczenia. Wyjął teraz notes z kieszeni marynarki, coś w nim napisał swymi starannymi, drukowanymi literkami.

– No więc rano zaczniesz od zrobienia sobie włosów – mówił. – Przed południem zrobimy sobie zdjęcia i może już w środę rano będziemy mieli wyrobione nowe paszporty. Po południu w środę przeniesiemy się do innego hotelu. Powinniśmy jak najszybciej wyjechać z tego kraju. Chciałbym już w sobotę być w Rzymie, najpóźniej.

Przytaknęła i wbiła wzrok w dywan, we wklęsłe, czarne plamy wypalone przez papierosy. W zżutą gumę do żucia rozdeptaną na kształt monety. Najwyraźniej nieusuwalną.

– Okay – powiedziała, choć teraz ją też dopadło zdenerwowanie. Nie wychodziła z pokoju hotelowego bez George'a Orsona i pomysł z salonem fryzjerskim nagle wzbudził w niej lęk. „Dopadła mnie lekka paranoja", powiedział, ale ona była pewna, że miał powody do zdenerwowania, nawet jeśli nie chciał się do tego przyznać.

To będzie koszmar, tak myślała o wyjściu do publicznych obszarów hotelu zupełnie sama.

Tu wszyscy byli czarni, to po pierwsze. Będzie niemile świadoma, że jest białą dziewczyną, będzie rzucała się w oczy w sposób, do którego nie była przyzwyczajona, nie rozpłynie się w tłumie i jeszcze przypomniały jej się tamte sytuacje, kiedy razem z rodziną przejeżdżała przez czarne dzielnice Youngstown, jak się wtedy czuła, gdy ludzie na ulicy, zwłaszcza ci czekający na przystankach autobusowych, zadzierali głowy i gapili się na nich. Jakby ich stary, czterodrzwiowy sedan wlókł za sobą aurę białoskórości, jakby wręcz nią fosforyzował. Matka wciskała guziki automatycznej blokady drzwi, a potem dwa razy sprawdzała zamki.

„To zła dzielnica, dziewczynki", mówiła, a wtedy Lucy przewracała oczami. Jakie to rasistowskie, myślała i ostentacyjnie odblokowywała zamek przy swoich drzwiach.

Tu oczywiście było inaczej. Tu była Afryka. To był kraj Trzeciego Świata, gdzie dochodziło do zamachów stanu i zbrojnych powstań, gdzie małe dzieci zostawały żołnierzami, a poza tym czytała poradnik Departamentu Stanu: *Obywatele amerykańscy powinni unikać tłumów i demonstracji, znać swoje otoczenie i kierować się zdrowym rozsądkiem, aby unikać sytuacji i miejsc, które mogą być niebezpieczne. W związku z silnymi nastrojami antyfrancuskimi osoby o wyglądzie nieafrykańskim mogą stanowić potencjalny cel przemocy.*

A jednak nie chciała też wyjść na tchórza, dlatego stała spokojnie, przyglądając się, jak George Orson zdejmuje skarpetki i masuje sobie kciukiem piętę.

– Oni tam będą mówili po angielsku? – spytała z wahaniem. – U fryzjera? A co jeśli nie będą mówili po angielsku?

I wtedy George Orson spojrzał na nią surowo.

– Na pewno będą mieli tam kogoś, kto mówi po angielsku – powiedział. – A poza tym... Kochanie, masz za sobą trzy lata francuskiego, co raczej powinno ci wystarczyć. Mam ci zapisać jakieś wyrażenia?

– Nie – odparła Lucy i wzruszyła ramionami. – Nie. Myślę, że chyba... sobie poradzę.

Ale George Orson z irytacją odetchnął.

– Posłuchaj – zaczął. – Lucy – powiedział, a ona zrozumiała, że użył jej prawdziwego imienia specjalnie, żeby podkreślić wagę swoich słów. – Nie jesteś dzieckiem. Jesteś dorosła. I jesteś bardzo bystrą osobą. Zawsze ci to powtarzałem. Od razu to dostrzegłem w Lucy; była niezwykłą, młodą kobietą. Teraz jednak musisz po prostu być trochę bardziej asertywna – kontynuował. – Zamierzasz spędzić resztę życia na czekaniu, aż ktoś ci powie, co masz robić, krok po kroku? Jezu Chryste, Lucy! Zejdziesz do holu, zagadasz po angielsku albo sklecisz coś w jakimś pseudofrancuskim, w ostateczności porozumiesz się na migi i założę się, że uda ci się uzyskać nową fryzurę bez konieczności trzymania cię cały czas za rękę.

Podniósł ręce i padł na łóżko z prywatnym westchnieniem frustracji, mamrocząc coś sotto voce, jakby oglądała ich jakaś publiczność, jakby tam był ktoś jeszcze, od kogo domagał się współczucia: Dasz wiarę, z czym ja się tu muszę użerać?

Pożałowała, że nie potrafi wymyślić jakiejś lodowatej, kąśliwej uwagi.

Ale nie umiała wymyślić niczego. Odebrało jej mowę: przemawiano do niej w taki sposób, po tych wszystkich kłamstwach i unikach, po całym tym czasie, który spędziła w motelu „Pod latarnią morską", gdzie czekała cierpliwie i wiernie, żeby teraz usłyszeć, że nie jest „asertywna"?

– Muszę się napić – mruknął melancholijnie George Orson, ale Lucy wciąż sterczała w miejscu, gapiąc się na niego z góry.

A potem wreszcie wróciła do książki, do *Samotni*, siadając do niej jak do robótki na drutach; powoli odrywała przyklejone banknoty, przypatrując się, jak przezroczysta taśma odrywa litery od starych kartek.

No więc będzie asertywna.

W końcu podróżowała po całym świecie. W ciągu ostatniego tygodnia odwiedziła aż dwa kontynenty – co prawda w Europie, w Brukseli, to było zaledwie kilka godzin – niemniej już niebawem miała zamieszkać w Rzymie. Będzie obłędnie „kosmopolityczna", czy nie to powiedział jej George Orson ileś miesięcy wcześniej, kiedy wyjeżdżali z Pompey w stanie Ohio? Czy nie o tym marzyła?

To niedokładnie było Monako, Bahamy czy jeden z meksykańskich kurortów na Riwierze Majów, do których kiedyś wzdychała w Internecie. Ale on miał rację, pomyślała. To była dla niej okazja, żeby wydoroślec.

Kiedy więc wyszedł rano, obiecując, że wróci przed południem, uzbroiła się wewnętrznie.

Ubrała się w czarny T-shirt i dżinsy, strój może niezupełnie dorosły, ale przynajmniej neutralny. Wyszczotkowała włosy i odszukała szminkę, którą kupiła podczas tamtej wyprawy przez cały kraj w maserati. Znalazła się, prawie nieużywana, wciąż w zapiętej na zamek kieszonce jej torebki.

Schowała też do torebki pięćset dolarów, a resztę pieniędzy ukryła pod brudnym T-shirtem na dnie taniego, dziewczyńskiego plecaka Brooke Fremden, który George Orson kupił jej jeszcze w Nebrasce.

Okay, pomyślała. Naprawdę jakoś jej szło.

I wsiadła do windy, spokojnie, pewnie, a kiedy na następnym piętrze wsiadł mężczyzna – żołnierz, w moro i niebieskim berecie, z czerwonymi epoletami na ramionach – zachowała beznamiętny wyraz twarzy, jakby nawet nie zauważyła, jakby nie zdawała sobie sprawy, że on się na nią gapi z uporczywą dezaprobatą i że ma przy pasie pistolet w kaburze.

Zjechała na dół, do samego końca, sam na sam z tym żołnierzem, w milczeniu, a kiedy przytrzymał dla niej drzwi windy i wykonał dżentelmeński gest – panie przodem – wymruczała *merci* i wyszła do holu.

Naprawdę jakoś jej szło.

Zrobienie jej fryzury potrwało długo, ale okazało się łatwiejsze, niż się spodziewała. Była przestraszona, kiedy wchodziła do salonu, w którym nie było nikogo oprócz dwóch fryzjerek – chudej, wyniosłej kobiety o śródziemnomorskim wyglądzie, która przyjrzała się T-shirtowi i dżinsom Lucy jakby z obrzydzeniem, oraz Afrykanka, która spojrzała na nią bardziej łagodnie.

– *Excusez-moi* – powiedziała sztywno Lucy. – *Parlez-vous anglais?*

Zdawała sobie sprawę, że zabrzmiało to żenująco, mimo że starała się wymówić te słowa najlepiej, jak potrafiła. Przypomniała sobie politowanie na twarzy Mme Fournier, kiedy na lekcjach francuskiego próbowała przebrnąć przez ćwiczenie z konwersacji. „Och!", mówiła Mme Fournier. „*Ça fait mal aux oreilles!*"

Ale przecież potrafiła wypowiedzieć jakieś proste wyrażenie, nieprawdaż? To nie było aż takie trudne, nieprawdaż? Potrafiła sprawić, że ją zrozumieją.

I było okay. Afrykanka uprzejmie pokiwała głową.

– Tak, mademoiselle – powiedziała. – Mówię po angielsku.

Właściwie ta kobieta zachowywała się całkiem przyjaźnie. Wprawdzie posykiwała na temat farby na włosach Lucy – „straszne", mruknęła – to jednak wierzyła, że jest w stanie coś z nimi zrobić.

– Zrobię, co będę mogła – obiecała.

Miała na imię Stephanie i wyznała, że pochodzi z Ghany, ale już od wielu lat mieszka w Wybrzeżu Kości Słoniowej.

– Ghana to kraj, gdzie mówią po angielsku. To mój ojczysty język – tłumaczyła Stephanie. – Tak przyjemnie jest czasami pogadać po angielsku. To jedna z cech ludzi stąd, której nie rozumiem. Wyśmiewają się z cudzoziemca, który zrobi jakiś błąd we francuskim, więc nawet jeśli trochę znają angielski, nie chcą rozmawiać. Dlaczego? Bo im się wydaje, że ludzie anglojęzyczni będą się śmiali z nich w odwecie! – Zniżyła głos, jednocześnie przebierając palcami w gumowych rękawiczkach we włosach Lucy. – Na tym polega problem z Zainą, z tą, z którą tu pracuję. Ma dobre serce, ale pochodzi z Libanu, a oni tam są strasznie dumni. Wiecznie się boją o swoją godność.

– Tak – powiedziała Lucy i zamknęła oczy. Ile czasu minęło, odkąd po raz ostatni rozmawiała z kimś oprócz George'a Orsona! Przecież to było wiele, wiele miesięcy i aż do teraz prawie wcale do niej nie dotarło, jaka się stała samotna. Nigdy nie miała wielu przyjaciół, nigdy szczególnie nie lubiła towarzystwa innych dziewczyn w swoim liceum, ale teraz, kiedy paznokcie Stephanie rysowały miękkie linie na jej czaszce, zrozumiała, że popełniała błąd. Była jak Zaina – zbyt dumna, zanadto pochłonięta zachowaniem własnej godności.

– Jestem taka szczęśliwa, że turyści wracają do Abidżanu – mówiła Stephanie. – Po wojnie, kiedy wszyscy Francuzi uciekli, wszystkie inne kraje mówiły: „My nie jeździmy do Wybrzeża Kości Słoniowej, to zbyt niebezpieczne" i wtedy robiło mi się smutno. Dawniej Abidżan nazywano Paryżem Afryki Zachodniej. Słyszała pani o tym? Żeby pani widziała ten hotel piętnaście lat temu, kiedy dopiero przyjechałam do tego kraju! Tu było kasyno. I lodowisko, jedyne w Afryce Zachodniej! Sam hotel był perełką, ale później zaczął popadać w ruinę. Nie wiem, czy pani zauważyła, że tu kiedyś był basen, który otaczał cały budynek, piękny basen, ale teraz nie ma w nim wody. Przez jakiś czas przychodziłam do pracy i było tak mało gości, że aż wyobrażałam sobie, że jestem w jakimś starym, pustym zamczysku, w jakimś zimnym kraju... Ale teraz już się robi lepiej – ciągnęła łagodnym, pełnym nadziei głosem. – Od czasu zawarcia pokoju wracamy do naszego dawnego „ja" i czuję się dzięki temu szczęśliwa. Spotkanie takiej młodej kobiety jak pani w tym hotelu to dobry znak. Wyznam pani mój sekret: uwielbiam sztukę fryzjerstwa. Bo to moim zdaniem jest sztuka. Ja tak uważam i jeśli pani się spodoba to, co zrobię z pani włosami, proszę potem mówić swoim przyjaciółkom: „Jedźcie do Abidżanu, idźcie do hotelu Ivoire, odwiedźcie Stephanie".

Później, kiedy próbowała opowiedzieć George'owi Orsonowi historię Stephanie, stwierdziła, że nie bardzo potrafi.

– Wyglądasz niesamowicie – stwierdził George Orson. – Fantastycznie cię obcięła.

Mówił prawdę. Odcień blond wyglądał zaskakująco naturalnie; to ani trochę nie było odblaskowe utlenienie, którego tak się bała, a włosy opadały prosto, przycięte równo jak nożem nad jej ramieniem, z maleńką falką.

Ale w tym doświadczeniu kryło się coś jeszcze, choć nie wiedziałaby, jak to wyrazić. Cudowne poczucie transformacji; głęboka, siostrzana intymność, kiedy Stephanie pochylała się nad nią, przemawiając spokojnym głosem, opowiadając jej różne historie. Tak pewnie jest, kiedy cię hipnotyzują, pomyślała. Albo może kiedy cię chrzczą.

Nie żeby umiała to powiedzieć George'owi Orsonowi. To byłoby zbyt naciągane, zbyt egzaltowane. Dlatego tylko wzruszyła ramionami i pokazała mu rzeczy, które kupiła sobie w hotelowym butiku.

Prosta, czarna sukienka z cienkimi ramiączkami. Granatowa, jedwabna bluzka, z większym dekoltem niż te wszystkie, które zazwyczaj sobie kupowała, białe spodnie i kolorowa apaszka z nadrukiem w afrykańskie motywy.

– Wydałam mnóstwo pieniędzy – powiedziała, ale George

Orson tylko się uśmiechnął, prywatnym, konspiracyjnym uśmiechem, którym dawniej tak często ją obdarzał, zaraz po tym, jak wyjechali z Ohio. Tego uśmiechu od dawna nie oglądała.

– Dopóki to nie jest więcej niż trzy albo cztery miliony... – odparł i kiedy usłyszała, że on znowu sobie żartuje, poczuła taką ulgę, że aż się zaśmiała, mimo że to wcale nie było specjalnie śmieszne, a potem przybierała uwodzicielskie pozy, kiedy ustawił ją na tle gołej, biało-szarej ściany i robił jej zdjęcia do nowego paszportu.

Uważał, że uda mu się załatwić nowe dokumenty w ciągu dwudziestu czterech godzin.

Pił więcej, a jej robiło się nieswojo. Bardziej niż prawdopodobne, że cały czas się upijał, kiedy tak się separował w swoim gabinecie w starym domu nad motelem „Pod latarnią morską", a potem zwalał się ciężko na łóżko, obok niej, w środku nocy, pachnąc płynem do płukania ust, mydłem i wodą kolońską.

Ale teraz było inaczej. Teraz, kiedy za całe mieszkanie służył im jeden pokój, bardziej to do niej docierało. Obserwowała go, kiedy siedział przy wąskim hotelowym biurku, wpatrując się uważnie w ekran laptopa, pisząc na klawiaturze i surfując, pisząc i surfując, popijając dużymi haustami ze szklanki. Butelka jamesona, którą mu przynieśli do pokoju, była już prawie pusta, po zaledwie dwóch dniach.

Lucy w tym czasie leżała na łóżku i oglądała amerykańskie filmy z francuskim dubbingiem albo czytała *Marjorie Morningstar*, która lepiej przetrwała usuwanie przyklejonych banknotów niż *Samotnia*.

Mieli taki moment, po tym, jak zobaczył jej nową fryzurę i ubrania, krótki powrót do tej pary, którą w jej wyobraźni stanowili, ale to trwało zaledwie kilka godzin. Teraz znowu się od niej oddalił.

– George? – powiedziała. A kiedy się nie odezwał: – Tato...?
Na to się skrzywił.
Był pijany.
– Biedny Ryan – powiedział zagadkowo i przyłożył szklankę
do ust, kręcąc głową. – Tym razem tego nie schrzanię, Lucy –
obiecał. – Zaufaj mi. Wiem, co robię.

Ufała mu?
Czy teraz, po tym wszystkim, naprawdę wierzyła, że on wie,
co robi?
To wciąż były trudne pytania, ale dobrze było wiedzieć, że
ma przy sobie plecak, w którym znajdowało się prawie sto pięćdziesiąt tysięcy dolarów.
Pomogło to, że już nie byli w Nebrasce, że już przestała być
wirtualnym więźniem w motelu „Pod latarnią morską". Kiedy
George Orson wyszedł następnego ranka, żeby załatwić jedną
ze swoich spraw, było jej wolno łazić, gdzie chciała, mogła zjechać windą do holu hotelowego. Zabrała z sobą plecak, a potem
przechadzała się po korytarzach i butikach w swoich nowych
ciuchach, starając się jednocześnie myśleć. Starając się wyobrazić sobie siebie za kilka dni. Rzym. 4,3 miliona dolarów. Nowe
nazwisko, nowe życie, może takie, jakiego oczekiwała.
Hotel był ogromny, ale zaskakująco cichy. Wcześniej się
spodziewała, że w holu będzie się roiło od ludzi, tak samo jak
na lotniskach w Denver, Nowym Jorku i Brukseli, ale tu było
raczej jak w muzeum.
Wędrowała ospale przez długi hol. Na ścianie wisiała styli-
zowana maska w kształcie pociągłej twarzy – domyślała się, że
to gazela – z rogami opadającymi jak kobiece włosy. Zauważyła dwie Afrykanki w jaskrawopomarańczowych i zielonych
batikach, przechadzające się spokojnie; pracownik hotelu delikatnie zaganiał drobne śmieci na szufelkę z długim trzon-
kiem, a potem Lucy wyszła na zewnątrz, na promenadę, która

biegła obok tropikalnych ogrodów z jednej strony, a z drugiej obok uroczych, abstrakcyjnych posągów podobnych do roślin i jakiegoś kolorowego obelisku, niczym totem udekorowanego figurkami, a potem promenada się otworzyła i był tam murowany mostek wiodący nad stawami wypełnionymi turkusową wodą do małej zielonej wysepki, skąd rozciągał się widok na drapacze chmur Abidżanu po drugiej stronie laguny.

Zachwycające. Stała na ścieżce obrzeżonej kulistymi latarniami, pod bezchmurnym niebem, i czuła, że to prawdopodobnie najbardziej surrealistyczna przygoda, jaka jej się kiedykolwiek przydarzyła.

Kto w Ohio kiedykolwiek uwierzyłby, że Lucy Lattimore będzie któregoś dnia stała na innym kontynencie, pod takim pięknym hotelem? W Afryce. Z elegancką fryzurą, w drogich butach, w lekkiej, modnie białej sukience z plisami, z rąbkiem lekko się poruszającym na łagodnym wietrze?

Gdyby tylko matka mogła ją zobaczyć. Albo ten ohydny, wredny Toddzilla.

Gdyby tylko ktoś tu był, żeby zrobić jej zdjęcie.

W końcu odwróciła się i powędrowała z powrotem przez ogrody do hotelu. Znalazła swój butik i kupiła jeszcze jedną sukienkę – szmaragdowozieloną tym razem, z batikowym nadrukiem upodabniającym ją do strojów kobiet, które widziała w holu – a potem z torbą wypełnioną zakupami znalazła drogę do restauracji.

„Le Pavillion" była urządzona w podłużnym, prostym wnętrzu, które otwierało się na patio, niemal całkiem puste. Podejrzewała, że pora lunchu już minęła, choć jeszcze siedziało tam kilkoro gości; maître d'hôtel zaprowadził ją na miejsce obok trzech białych mężczyzn w hawajskich koszulach, którzy podnieśli głowy na jej widok.

– Piękna dziewczyna – rzucił jeden z nich, który był łysy i znacząco unosił brwi. – Hej, dziewczyno – powiedział. – Podobasz mi się. Chcę być twoim przyjacielem. – A potem zagadał coś do swych towarzyszy po rosyjsku czy w jakimś innym języku i wszyscy trzej się zaśmiali.

Zignorowała ich. Nie zamierzała dopuścić, żeby zniszczyli jej popołudnie, mimo że wciąż ją hałaśliwie zagadywali, nawet wtedy, gdy zasłoniła się kartą niczym maską.

– Ja dobry kochanek – zawołał jeden z nich z włosami postawionymi na sztorc i ufarbowanymi na pomarańczowo. – Mała, ty musisz się z nami poznać.

Dupki. Gapiła się na słowa wydrukowane w karcie, która w całości okazała się po francusku, dotarło to do niej po chwili.

Kiedy wróciła do pokoju, George Orson czekał na nią.

– Gdzie ty, kurwa, byłaś? – spytał, kiedy otworzyła drzwi. Wściekły.

Stanęła na progu, z plecakiem pełnym ich pieniędzy i torbą z zakupami, a wtedy cisnął w nią czymś – małą książeczką, przed którą osłoniła się podniesioną ręką. Książeczka trafiła ją we wnętrze dłoni, nieszkodliwie się odbiła i upadła na podłogę.

– Twój nowy paszport – oświadczył wrogim tonem, a ona długo mu się przyglądała, zanim się pochyliła, żeby podnieść dokument.

– Gdzie byłaś? – spytał jeszcze raz, kiedy ze stoickim spokojem otworzyła paszport i zajrzała do środka.

Było tam zdjęcie, które jej zrobił poprzedniego dnia – z jej nowiusieńką fryzurą – i nowe nazwisko: Kelli Gavin, lat dwadzieścia cztery, z Easthampton, stan Massachusetts.

Nic nie powiedziała.

– Myślałem, że... że cię porwali czy coś – ciągnął George Orson. – Siedziałem tu i myślałem: Co ja teraz zrobię? Jezu, Lucy, myślałem, że mnie zostawiłaś.

– Poszłam na lunch – odparła Lucy. – Zeszłam na dół tylko na chwilę. No przecież narzekałeś, że jestem za mało asertywna. Ja tylko...

Chrząknął i przez sekundę myślała, że on się zaraz rozpłacze. Trzęsły mu się ręce i miał taką ponurą minę.

– Boże! – powiedział. – Dlaczego ja ciągle to sobie robię? Całe życie chciałem mieć tylko jedną osobę, tylko jedną osobę, ale to nigdy nie wychodzi. Nigdy.

Lucy stała tam i patrzyła na niego, z bijącym prędko sercem, spoglądając niepewnie, kiedy osuwał się na krzesło.

– O czym ty mówisz? – spytała, podejrzewając, że powinna przemawiać do niego delikatnie, przepraszająco, kojąco. Że powinna podejść do niego, przytulić, pocałować w czoło albo pogładzić po włosach. Ale zamiast tego tylko oglądała go sobie, kiedy tak się zgarbił jak nabzdyczony trzynastolatek. Schowała swój nowy paszport do torebki.

W końcu to ona miała powody, żeby się bać. To ją należało pocieszać i zapewniać. To ją oszustwem nakłoniono, żeby się zakochała w osobie, która w ogóle nie istniała.

– O czym ty mówisz? – powtórzyła. – Dostałeś te pieniądze?

Wpatrywał się we własne dłonie, które wciąż się trzęsły, dostawały spazmów na jego kolanach. Pokręcił głową.

– Mamy problemy negocjacyjne – powiedział i tym razem jego głos był cichszy; to był ten sam mamrotliwy, podniecony szept, jakim przemawiał, kiedy się budził ze swoich koszmarów.

Zupełnie nie jak George Orson.

– Być może będziemy musieli oddać większy procent, niż się spodziewałem – wyjaśnił. – Znacznie większy. Na tym polega problem, wszystko przez tę korupcję, gdziekolwiek pojedziesz, na całym świecie, i to w tym wszystkim najgorsze...

Podniósł głowę i teraz na jego twarzy już prawie nie było śladu po tym przystojnym, czarującym nauczycielu, którego kiedyś znała.

– Ja po prostu chcę mieć jedną osobę, której mogę zaufać – powiedział i tu jego spojrzenie spoczęło na niej oskarżycielsko, jakby jakimś sposobem go zdradziła. Jakby to ona kłamała. –

343

Spakuj się – dodał chłodno. – Musimy się natychmiast przeprowadzić do innego hotelu, a ja tu siedzę całą zasraną godzinę, czekając na ciebie. Masz szczęście, że nie wyjechałem bez ciebie.

Czekając w holu, Lucy nie wiedziała, czy powinna być zła czy urażona. Czy przestraszona. Przynajmniej miała plecak z ich pieniędzmi. Chybaby jej nie zostawił z tym plecakiem, ale z kolei tak dziwnie z nią rozmawiał, tak się przeobraził podczas ostatnich kilku dni. Czy ona w ogóle go znała? Czy miała pojęcie, co mu tak naprawdę chodzi po głowie?

A poza tym nie potrafiła przestać myśleć o tym, co powiedział na temat pieniędzy. „Problemy negocjacyjne". „Być może będziemy musieli oddać większy procent, niż się spodziewałem". To jej nie dawało spokoju. Liczyła na te pieniądze, może jeszcze bardziej niż na George'a Orsona, i przyłapała się na tym, że dotyka wybrzuszeń w plecaku, że obmacuje przez płótno zwitki banknotów, poukładane pod złożonymi w kostkę T-shirtami Brooke Fremden.

Zrobiło się późne popołudnie i ludzie przybywali do hotelu Ivoire w żywszym tempie niż poprzedniego dnia. Było wśród nich sporo Afrykanów, jedni w garniturach, inni w bardziej tradycyjnych strojach. Kilku żołnierzy, dwóch Arabów w haftowanych kurtach, jakaś Francuzka w okularach słonecznych i kapeluszu z szerokim rondem, która kłóciła się z kimś przez komórkę. Za niektórymi gośćmi wlekli się ubrani w uniformy pracownicy obsługi hotelowej.

Nie powinna była zjeżdżać do holu w pojedynkę, ale kiedy to robiła, wyglądało to na buntowniczą manifestację godności. Gniewnymi ruchami spakowała plecak, w trakcie gdy George Orson rozmawiał z kimś po francusku przez telefon, gwałtownie i niezrozumiale, a kiedy skończyła też z walizką, stanęła w miejscu, usiłując wychwycić sens tego, co on mówił – dopóki nie spojrzał na nią ostrym wzrokiem, nakrywając słuchawkę dłonią.

– Zjedź do holu – powiedział. – Muszę dokończyć tę rozmowę; za pięć minut do ciebie dołączę, więc nigdzie nie odchodź.

Ale od tego momentu upłynęło już co najmniej piętnaście minut, a on wciąż się nie pojawiał.

Czy to możliwe, że ją porzucił?

Znowu obmacała plecak, jakby pieniądze mogły jakimś sposobem z niego wyparować, jakby wcale nie był taki twardy – i kusiło ją, żeby otworzyć zamek i jeszcze raz sprawdzić w środku, nabrać absolutnej pewności. Tylko popatrzeć.

Znowu omiotła wzrokiem wnętrze holu, katedralne sufity, żyrandol i długie, dekoracyjne skrzynie wypełnione tropikalnymi roślinami. Francuzka zapaliła papierosa i delikatnie przytupywała palcami ukrytymi w pantoflu z wysokim obcasem. Lucy zaobserwowała, że kobieta zerknęła na zegarek, i po chwili wahania podeszła do niej.

– *Excusez-moi* – powiedziała, starając się imitować akcent, który swego czasu Mme Fournier próbowała wpoić swoim uczniom. – *Quelle... quelle... heure est-il?* – spytała.

Kobieta popatrzyła na nią zaskakująco dobrotliwie. Odjęła komórkę od ucha, a potem zlustrowała Lucy spojrzeniem od stóp do głów, z towarzyszeniem łagodnego, macierzyńskiego wyrazu twarzy. Z litością, pomyślała Lucy.

– Jest trzecia, drogie dziecko – odparła po angielsku i spojrzała pytająco na Lucy. – Z tobą na pewno wszystko dobrze? – spytała.

Lucy przytaknęła.

– *Merci* – odparła głucho.

Czekała na niego już prawie pół godziny; odwróciła się i powędrowała do wind, wlokąc za sobą kolebiącą się walizkę na kółkach; piękne sandałki z wyciętymi czubkami, które sobie kupiła, postukiwały na świetlistych, marmurowych płytkach, ludzie zdawali się przed nią rozstępować, afrykańskie, środkowowschodnie i europejskie twarze przyglądały jej się z taką samą czujną troską jak tamta Francuzka. Dokładnie tak ludzie się przyglądają młodej dziewczynie, która zrobiła z siebie idiotkę, dziewczynie, która wreszcie zrozumiała, że została olana. „Masz szczęście, że nie wyjechałem bez ciebie", pomyślała i kiedy drzwi windy rozsunęły się z towarzyszeniem dźwięcznej melodyjki, Lucy poczuła, że wzbiera w niej panika. Odrętwienie w palcach, robaki wpełzające do włosów, ucisk w gardle.

Nie. On by jej nie zostawił, naprawdę by jej nie zostawił, nie po tym wszystkim, nie po tym, jak razem pokonali taki szmat drogi.

Poczuła, że winda zaczyna się wznosić, i było tak, jakby siła ciążenia opuszczała jej ciało tak jak duch, było tak, jakby zaraz miała się otworzyć jak dmuchawiec, wylać z siebie na zawsze setki leciuteńkich nasionek.

Przypomniał jej się tamten moment, kiedy na werandzie pojawili się policjanci, kiedy otworzyła drzwi i zobaczyła ich kamienne twarze; tamta chwila, kiedy zadzwoniła do biura przyjęć na Harvardzie, tamto poczucie, że się rozpada, przedsmak jej przyszłego „ja", wrażenie, że cząsteczki jej wyobrażonego życia pozrywały cumy i rozlatują się na coraz to mniejsze kawałki, rozsypują się na zewnątrz, bez końca, jak sam wszechświat.

Przez sekundę, kiedy winda wreszcie się zatrzymała na piętnastym piętrze, myślała, że drzwi się nie otworzą, więc wcisnęła guzik z napisem „otwieranie". Jeszcze raz wcisnęła guzik, przesunęła wnętrzem dłoni po sprasowanej linii, która łączyła z sobą połowy drzwi, trzęsły jej się palce, więc powiedziała „ojej", powiedziała „ojej", ale drzwi rozsunęły się znienacka, stanęły otworem i mało brakowało, a Lucy wypadłaby całym impetem na korytarz.

Później była zadowolona, że nie zawołała go na głos.

Głos ją opuścił; zatrzymała się przy windzie, tylko oddychając i nic więcej, czując, jak powietrze wypełnia jej płuca delikatnymi, nieregularnymi uderzeniami, a potem jej dłonie zaczęły się błąkać po płótnie plecaka, wymacując twarde zwitki banknotów, tak jak człowiek w spadającym samolocie mógłby się chwytać maski tlenowej, a potem, kiedy już doszukała się tych zwitków, zaczęła gmerać w nowej torebce i znalazła swój paszport, paszport Kelli Gavin. On też był bezpieczny, a poza tym miała jeszcze numer potwierdzający jej rezerwację na lot do Rzymu i jeszcze... i jeszcze...

Tempo towarzyszące jej upadkowi jakby uległo spowolnieniu. Tak, tak to właśnie jest, kiedy się gubisz. Znowu. Kiedy wypuszczasz z rąk własną przyszłość, pozwalasz jej ulatywać w powietrze, coraz wyżej, coraz wyżej, aż wreszcie tracisz ją z oczu i wiesz, że musisz zaczynać od początku.

Później zrozumiała, że miała szczęście.

Miała szczęście, chyba dlatego że starała się nie rzucać w oczy, że jakoś wzięła się w garść, że przystanęła przed windą, żeby raz jeszcze sprawdzić swój bagaż. Miała szczęście, że owionął ją i pochwycił w swe szpony ten lodowaty spokój.

Miała szczęście, że nie przyciągnęła niczyjej uwagi, bo kiedy skręciła za róg, zobaczyła mężczyznę stojącego pod drzwiami ich pokoju.

Stał na posterunku, pod drzwiami opatrzonymi numerem 1541, w wieży hotelu Ivoire.

Czekał na nią? Czy tylko zagradzał drogę ucieczki George'owi Orsonowi?

To był jeden z tych Rosjan, których widziała w restauracji, ten z pomarańczowymi włosami postawionymi na sztorc, ten, który wołał do niej: „Ja dobry kochanek".

Stał plecami do drzwi, z rękoma skrzyżowanymi na piersiach, a ona zastygła w miejscu na samym skraju korytarza. Widziała broń, rewolwer, który tamten trzymał w lewej dłoni, luźno, niemal sennie.

Nie wyglądał specjalnie groźnie, ale wiedziała, że jest groźny. Prawdopodobnie zabiłby ją, gdyby ją zauważył i skojarzył, ale on nie spojrzał w jej stronę. Tak to wyglądało, jakby ona była niewidzialna, a on uśmiechał się tymczasem do siebie, jakby do jakiegoś miłego wspomnienia, gapiąc się na sufit, na lampę, dookoła której krążyła biała ćma. Jak zahipnotyzowany.

Pozostali dwaj mężczyźni, przypuszczała, byli już w pokoju, razem z George'em Orsonem.

26

„Jedziemy już do szpitala", powiedział Ryanowi. „Posłuchaj mnie, synu: Nie wykrwawisz się, nie umrzesz". Powtarzał to bez końca, jeszcze długo po tym, jak Ryan znowu stracił przytomność, więc tylko mamrotał to pod nosem tak samo jak wtedy, kiedy jako dziecko zwykł sobie opowiadać różne historie w pokoiku na poddaszu, wciąż pamiętał tamto uczucie, kołysanie się w miejscu, niekończące się powtarzanie tych samych zdań, dopóki wreszcie się nie uśpił.

„Obiecuję, że nic ci nie będzie", mówił, gdy tymczasem reflektory rozświetlały plątaninę gałęzi zwisających nad długimi, bocznymi drogami. „Obiecuję, że nic ci nie będzie. Jedziemy już do szpitala. Obiecuję, że nic ci nie będzie".

Oczywiście to samo mówił Rachel w Inuvik, gdzie udawali, że są naukowcami, co nie zakończyło się najlepiej.

Tym razem jednak był w stanie dotrzymać słowa.

Ryan trafił na izbę przyjęć i choć bez wątpienia czekała go wielogodzinna operacja, transfuzja i tak dalej, to jednak wszystko bez wątpienia musiało zakończyć się dobrze.

Dochodziła już szósta rano, był czwartek, początek maja, tuż przed świtem, a on siedział w oświetlonej jarzeniówkami poczekalni, na plastikowym krzesełku obok automatów, wciąż trzymając w rękach zakrwawioną kangurkę Ryana i jego portfel z najnowszym prawem jazdy. Na nazwisko Maksa Wimberleya.

Wyjął z kieszeni kurtki plik banknotów i wsunął kilka setek do przegródki w portfelu.

O Jezu, pomyślał i przez jakiś czas ukrywał twarz w dłoniach – nie płakał, nie płakał – a potem wreszcie znalazł skrawek papieru i zaczął pisać list.

Tak prawdopodobnie było najlepiej.

Siedział na parkingu, w starym chryslerze – nie był zamknięty, kiedy go znalazł – i teraz już trochę płakał, z roztargnieniem, kiedy zdejmował pokrywę zapłonu u dołu kolumny kierownicy. Był dobrym ojcem, powiedział sobie. On i Ryan stworzyli sobie wspólnie przyjemne życie, a wszystko szło, jak trzeba; byli sobie bliscy w istotny sposób, stworzyli więź, głęboką, i mimo że ta więź zerwała się prędzej – i w bardziej tragicznych okolicznościach – niż się spodziewał, był lepszym ojcem, niż mógłby nim kiedykolwiek być prawdziwy Jay.

Na myśl o Jayu poczuł ukłucie – no właśnie czego? – bo niekoniecznie żalu. Przez cały ten czas, który spędzili razem, jeszcze zanim pojechał do Missouri, przez cały ten czas nic tylko zachęcał Jaya do nawiązania kontaktu z synem. „To ważne", stale mu powtarzał. „Rodzina jest ważna; on powinien wiedzieć, kto jest jego prawdziwym ojcem, bo w przeciwnym razie będzie żył w kłamstwie", a Jay wtedy gapił się na niego kaprawym spojrzeniem ćpuna, jakby chciał zapytać: „Jaja sobie robisz?"

Fakty jednak mówiły za siebie: Jay nigdy się do tego nie zmusił, bo był leniwy. Bo nie miał ochoty tracić energii emocjonalnej, bo nie chciał brać na siebie tego obowiązku, jakim jest troska o drugiego człowieka, i z tego też powodu nie okazał się szczególnie dobrym przestępcą. Hayden stawał na uszach, żeby go przyuczyć, ale ostatecznie Jayowi zabrakło kompetencji. Popełniał tyle błędów, tyle błędów – Boże! To już Ryan miał znacznie większe predyspozycje do ruinotwórczego życia niż jego ojciec kiedykolwiek...

Jednak w przypadku Jaya to był po prostu błąd za błędem, nawet z tak doskonałym awatarem jak Brandon Orson, nawet wtedy, gdy wszystko miał ustawione na Łotwie, w Chinach i Wybrzeżu Kości Słoniowej. Kiedy więc Jay nie wrócił ze swojej nieprzemyślanej wyprawy do Rezekne, Hayden bynajmniej się nie zdziwił.

Aczkolwiek było mu przykro, że biedny syn Jaya nigdy nie pozna prawdy, czuł – no co? – ciekawość w związku z tym synem, nawet podczas tamtego okresu, kiedy żył pod nazwiskiem Milesa Spady'ego, jeszcze na Uniwersytecie Missouri, nawet wtedy, gdy on i Rachel utknęli w tamtej zapomnianej przez Boga stacji badawczej, żrąc się ze sobą i wpadając w depresję, nawet wtedy, gdy ni stąd, ni zowąd zdarzało mu się myśleć o utraconym synu Jaya Kozelka, a kiedy z Rachel wszystko się popaprało, a on wreszcie wrócił do Stanów i zaszył się w motelu w Dakocie Północnej, to przyszło mu do głowy, że...

A gdybym tak się skontaktował z synem Jaya, udając, że ja to Jay? A gdybym tak zrobił dla Jaya to, czego on sam dla siebie nie mógł zrobić? Czy to nie byłaby przysługa, czy to nie byłoby oddanie czci jego pamięci?

No cóż.

Ano tak... jak powiedziałby Miles.

Siedział tam, na parkingu pod izbą przyjęć, w niezamkniętym chryslerze, myśląc o tym wszystkim, a potem w końcu pochylił się i obejrzał druty, które biegły do cylindra kierownicy, długo przeszukując tę plątaninę, aż znalazł czerwony przewód, który dostarczał prąd, i ten brązowy, odpowiedzialny za rozrusznik, a potem skulił się na przednim siedzeniu, starając się skupić. Znowu przetarł oczy wierzchem dłoni i osuszył wilgoć przodem koszuli.

To zresztą i tak musiało się skończyć. Już i tak zdumiewające, że udało mu się przekonać Ryana, ale z pewnością z czasem zrodziłyby się wątpliwości, padałyby pytania, na które nie byłby w stanie odpowiedzieć. Ryan zapewne chciałby się usamo-dzielnić, może nawet ponownie połączyć z rodzicami, co było zrozumiałe, naturalne, w przypadku takich spraw nie należało się spodziewać, że będą trwały wiecznie.

Tak. Wyjął scyzoryk i ostrożnie zdarł plastikową osłonkę przewodu. Procedura wymagająca wyjątkowej delikatności. Lepiej, żeby nie poraził cię prąd; lepiej nie dotykać przewodów pod napięciem.

Zmarszczył czoło, skupił się i wtedy pojawiła się mała iskierka, a samochód zadygotał, obudził się. Nowe życie.

Czy jest coś bardziej cudownego niż prawdziwy, autentyczny duch?

Jechał na południe trasą I-75, ledwie co minąwszy Flint, kiedy to do niego dotarło.

Cytat.

Natrafił na niego dawno temu, jeszcze podczas tamtego okropnego semestru na Yale. Thomas Carlyle, dziewiętnasto-wieczny szkocki eseista, zapalczywy, sękaty i brodaty, nawet nie ktoś, kogo jakoś szczególnie podziwiał, ale zapamiętał ten fragment, bo wydał mu się taki piękny, taki prawdziwy i taki niedosiężny dla pozostałych studentów z jego roku.

„Carlyle wspomina o zachciance, której przez całe swe życie dawał wyraz Samuel Johnson, mianowicie, aby choć raz ujrzeć ducha, i pisze dalej: Ale jakoś mu się nie udawało, mimo iż wędrował na Cock Lane, a stamtąd do krypt kościołów, gdzie opukiwał wieka trumien. Niemądry Doktor! Czy nigdy przed oczyma tak duszy jego, jak i ciała nie roztoczyła się pełna panorama tego ludzkiego Życia, które tak ukochał; czy nigdy nie zdarzyło mu się wejrzeć w Siebie samego? A przecież poczciwy Doktor nie był nikim innym niż Duchem, równie prawdziwym i rzeczywistym jak wszystkie te, o których roił sobie w swych zachciankach; a nadto na wyciągnięcie ręki miał milion innych

Duchów, które obok niego przemierzały ulice. Więc powtórzę raz jeszcze: odrzućcie złudzenie Czasu; streśćcie kopę waszych lat do trzech minut; czym więcej on był, czym więcej my jesteśmy? Czyż nie jesteśmy tylko Duchami, które obleczone zostały w ciało, w formę Pozoru; i których losem jest zniknięcie i Niewidzialność?"

Przejeżdżał akurat pod wiaduktem, recytując to sobie na głos, i w zasadzie nie płakał, choć z oczu ciekło mu nieznacznie, za nim łuna reflektorów, przed nim rozjarzone, odblaskowe kółka na słupkach wytyczających pobocza i zielony znak drogi międzystanowej:

KIERUNEK: COLUMBUS

– Czyż wszyscy nie jesteśmy duchami?

Był ciekaw, jak Miles skomentowałby taką myśl.

Nie rozmawiał z Milesem od jakiegoś czasu, odkąd historia z Rachel znalazła swój niedobry finał, od tamtej nieszczęsnej wyprawy do Dakoty Północnej, i dlatego cały czas się zastanawiał. Może wystarczy, że napisze list do brata, może wyśle Milesa do tego ostatniego pomnika, który stworzył sobie na Wyspie Banksa. *Eadem mutata resurgo*: „Odradzam się ten sam, choć się zmieniłem". Co Miles być może zrozumie. Może Miles będzie mógł pójść dalej, będzie mógł się przeobrazić. Żyć własnym życiem.

Oczywiście będzie musiał jakoś ściągnąć Milesa do Kanady, ale to nie będzie specjalnie trudne. Biedny Miles: taki opętany i zawzięty.

Ostatnimi czasy zdarzyło mu się czytać o zjawisku zwanym „syndromem znikającego bliźniaka", które z pewnością zainteresowałoby Milesa. Zgodnie z tezą tego artykułu jeden na ośmiu ludzi zaczyna życie jako bliźniak, ale tylko jeden na siedemdziesięciu rzeczywiście rodzi się jako jedno z bliźniąt. Na ogół ten znikający bliźniak pada ofiarą spontanicznej aborcji, zostaje wchłonięty przez swoje rodzeństwo, przez łożysko albo samą matkę.

Znowu płakał, kiedy jechał z Michigan do Ohio, rozmyślając o Ryanie, chyba, choć wiedział, że nie powinien. Zebrał nadzwyczaj wielkie żniwo z wcieleń, tak mu powiedziano – i przechodził od śmierci do śmierci, przez całe stulecia, przemieszczał się z Cleveland do Los Angeles i stamtąd do Houston; z Rolla w Missouri do Wyspy Banksa na Terytoriach Północno-Zachodnich; z Dakoty Północnej do Michigan i za każdym razem był inną osobą.

Trzęsły mu się ręce, aż wreszcie musiał zjechać na parking, musiał zwinąć się w kłębek na tylnym siedzeniu, bez koca albo chociaż poduszki, przyciskając dłonie do głowy, a tymczasem na zewnątrz deszcz przeobraził się w ulewę i stukał uporczywie w karoserię ukradzionego wozu.

A gdyby tak zagnieździł się w jakimś nowym życiu i już w nim pozostał? Może to było rozwiązanie. Zawiódł jako ojciec, tak uważał, a jednak miał w sobie duszę nauczyciela, tak uważał, i ten pomysł przemówił do niego, uspokoił go, ta myśl, że mógłby jeszcze raz w jakiś sposób dotknąć młodości.

A gdyby tak został kimś zwyczajnym, może prostym nauczycielem w liceum, pomyślał; wszyscy uczniowie by go lubili, a on wywierałby wpływ, który rozciągnąłby się poza nim. Żyłby dalej w nich. Może taki plan był banalny i głupi, ale wcale nie taki zły na teraz. Wtulił się w zimną tapicerkę, z całej siły zacisnął powieki.

Już nigdy więcej nie pomyśli o Ryanie, obiecał sobie.

Już nigdy więcej nie pomyśli o Jayu albo o Rachel.

Już nigdy więcej nie pomyśli o Milesie.

Czyż my wszyscy nie jesteśmy Duchami? – szepnął mu jakiś głos. Ale o tym też już nigdy więcej nie będzie myślał.

Podziękowania

Moja żona, pisarka Sheila Schwartz, zmarła po długiej walce z rakiem, niedługo po tym, jak skończyłem pisać tę książkę. Byliśmy małżeństwem od dwudziestu lat. Sheila mnie uczyła, kiedy byłem studentem college'u; zakochaliśmy się w sobie i przez te wszystkie lata wspólnego życia była moim mentorem, najlepszym krytykiem, największym przyjacielem i bratnią duszą. Podczas ostatnich tygodni redagowania tej powieści korzystałem z uwag, które Sheila napisała na rękopisie, i nie umiem wyrazić, jaki jestem wdzięczny za jej mądre rady i jak strasznie będę za nią tęsknił.

Mam to szczęście, że odziedziczyłem cierpliwą, uważną i inteligentną redaktorkę, Anikę Streitfeld, która poprowadziła mnie przez tę powieść od pomysłu do pełnej realizacji i która cały czas była zdumiewająco pomocna swoją mądrością. Bardzo też doceniam pomoc i entuzjazm pracowników wydawnictwa Ballantine podczas mojego długiego terminowania u nich, za to, że tak się troszczą o moje książki. Szczególnie jestem wdzięczny Libby McGuire i Ginie Centrello za ich nieskończoną cierpliwość i dobrą wolę.

Są jeszcze inni ludzie, którym jestem winien podziękowania za to, że tak bardzo mi pomogli podczas pisania tej powieści – są to: mój wspaniały agent, Noah Lukeman, który zawsze okazywał mi wsparcie i przyjaźń; moi najlepsi koledzy, Tom Barbash i John Martin; moi synowie, Philip i Paul Chaon; moja siostra Sheri i brat Jed, którzy przez długi czas czytali fragmenty tekstu i udzielali mi rad; grupa pisarzy, z którą jestem związany – Eric Anderson, Erin Gadd, Steven Hayward, Cynthia Larson, Jason Mullin i Lisa Srisuco, a także wszyscy moi studenci z Oberlin College, którzy od lat są dla mnie źródłem inspiracji.

Niniejsza powieść to hołd dla wielu znakomitych, znacznie lepszych ode mnie pisarzy, którym wiele zawdzięczam i którzy byli dla mnie natchnieniem, tak w dzieciństwie, jak i później, a więc: Robert Arthur, Robert Bloch, Ray Bradbury, Daphne du Maurier, John Fowles, Patricia Highsmith, Shirley Jackson, Stephen King, Ira Levin, C.S. Lewis, H.P. Lovecraft, Vladimir Nabokov, Joyce Carol Oates, Mary Shelley, Robert Louis Stevenson, Peter Straub, J.R.R. Tolkien, Thomas Tryon i wielu innych. Jedną z zabawnych rzeczy towarzyszących pisaniu tej książki było wykonywanie gestów i mruganie w stronę tych pisarzy, których uwielbiam, i mam nadzieję, że oni – zarówno ci żyjący, jak i ci, których już nie ma wśród nas – wybaczą moje wtręty.

Wsparcie, które otrzymałem podczas pisania tej książki, miało także formę grantów z Ohio Arts Council i Oberlin College Research Grant Program. Jestem głęboko wdzięczny za tę pomoc.

Druk i oprawa
Łódzka Drukarnia Dziełowa, ul. Rewolucji 1905 roku nr 45